A DEGREE IN A BOOK

1冊で学位
哲学

大学で学ぶ知識がこの1冊で身につく

ピーター・ギブソン=著　上野正道=監訳　屋代菜海=訳

NEWTON PRESS

1冊で学位
哲学

大学で学ぶ知識がこの1冊で身につく

はじめに

哲学は味わい深い学問です。難解な問いを突きつけてくるので，最初はとにかくわからないと感じるかもしれません。しかし，その答えを得る方法，つまり哲学する方法さえわかれば，答えを追い求めるのは実に楽しいものです。一つのアイデアから次のアイデアへと思考をめぐらせていくと，やがてすばらしいひらめきが湧《わ》く瞬間が訪れます。謎解きのような難しさはあるものの，私たち人間が考えずにはいられないテーマを余すことなく取り上げるのが哲学です。学び始めると特定のテーマに集中したくなるものですが，哲学では広く全体を知ることも大切です。そこで，この『1冊で学位 哲学』を役立ててください。

この本は，哲学の概要を1冊に詰め込み，西洋思想の主要なテーマを概観できるようになっています。現代の思想に関しては英語圏のものを多めにしました。また，各章の終わりにある哲学史のエピソードからは，新しい思想の成り立ちや，それらを形づくった人物について知ることができるでしょう。それぞれのテーマで著名な哲学者たちを簡潔に紹介し，近現代については特に重要な哲学者を厳選しています。

本書では，各章に一つのテーマを取り上げます。まずは普遍的かつ理論的なテーマから始め，人間やその行動に関わるテーマを扱ったのち，最後に自然や神のテーマを見ていきましょう。どの箇所から読み進めていただいても構いません。それぞれの章は独立して読めるようになっています。

一つのテーマごとにその論点と意味を説明し，さまざまな角度から発せられた議論を紹介します。これらをただ学ぶよりも，それを起点として議論を深めていくことをおすすめします。また，ほかの学問でも同じですが，さらに掘り下げたいと思うのであれば専門用語を知る必要があります。本書では最も重要な用語を網羅しています。随時説明を加えていますが，巻末の用語集も参考にしてください。

各テーマを探究した哲学者たちの人生に関しては，簡単に触れるだけにとどめ，「人」よりも彼らの「アイデア」に焦点を当てて説明していきます。

哲学では，特定のテーマをいくつか取り上げ，特定の手法を用いて思索を深めます。哲学者たちは，それぞれが最も難しくて重要だと考えるテーマを探究しています。人間の本質，考え方，実在の本質，どこまで実在を知ることができるかなど，さまざまなテーマがありますが，本書を読み進めると，それらの間のつながりが体系的にわかるようになっています。

また，これらのテーマを探究する際には，入念に考え抜かれた思考法によって論証を行います。こうした手法はあらゆる学問で用いられますが，哲学では，ほかの分野よりも厳密かつ明確な手法が確立されてきました。哲学を学ぶと，「思考法」が鍛えられてほかのことを考えるときにも役立つため，生きるうえで大きなプラスになることでしょう。本書を読み終わる頃には，自然にこの思考法を体得できているはずです。

第1章
哲学とは何か

哲学を定義する — 哲学する手法 — 批判 — 哲学と現実生活

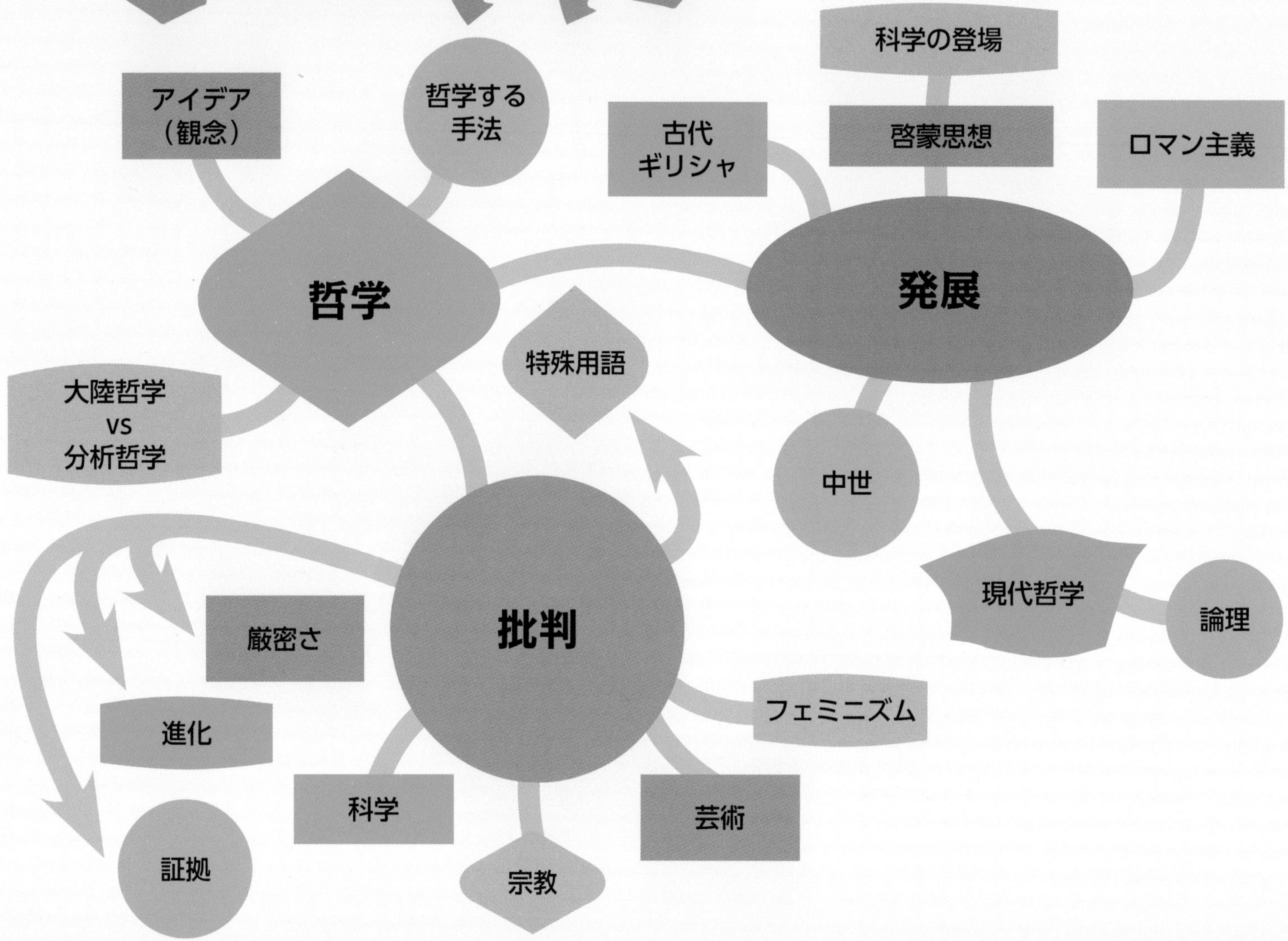

哲学を定義する

哲学の講義では，かなり抽象的な問題について討論が行われます。単にそれぞれの意見を述べ合うだけではありません。意見を発するからには，その根拠を示すことが求められます。そして，意見そのものよりも根拠のほうに重きが置かれます。また，発言者自らが自説に対する反論を述べる場合もあります。このように意見の根拠を追究することが，哲学の中心にあります。

哲学の討論では，自分の意見に対する根拠やその欠陥を述べます。

もちろん，トピックが法律でもガーデニングでも，理性に基づいて合理的な議論をするには意見に根拠を添えることが必要です。哲学の場合は，これに加えて「世界とは何かを明らかにする」ことを目指します。ただし，物理学，化学，統計学，生物学，文学，地理学，歴史学などの諸学問も，結局は「世界の解明」を追い求めているといえるでしょう。

哲学的な問題

哲学は，諸学問から一歩離れて，より漠然とした問いを発します。

- 物体とは何か？
- 法則とは？
- 数とは？
- 人生とは？
- 人格とは？
- 社会とは？
- 物語（歴史）とは？
- 事象とは？

一般にこれらはすでにわかりきった概念だとされていますが，それぞれの「厳密な意味」を考えるとどうでしょう。意外と不確かで曖昧《あいまい》なもので，はっきりと言えないのではないでしょうか。ほかの学問では，このような言葉をそのまま使っていますが，哲学はあらゆるものを見過ごさず，さらに意味を追究します。

大陸哲学 vs 分析哲学

およそ200年前，西洋哲学は二つに別れました。一つは**大陸哲学**。主にドイツとフランスで主流となった学派で，文学や心理学と密接に結びつき，広範な見識をもたらす概念を提唱します。もう一つは**分析哲学**。主にイギリスとアメリカで栄え，物理科学や論理を重要視して，定義や証拠を用いることで厳密さや明晰さを求めます。

アイデア（観念）

哲学者たちが論じるのは，私たちの考えの根底にある重要な概念です。普通のアイデア（観念）に問題があるかどうかをただ検証しているわけではありません。観念は心の中に存在するものですが，外の世界のことを表します。その目的は，世界の姿をより明確に知るために，より明確に考えることです。明確さを求める一方で，対象を大いに普遍化するという特徴もあります。物質界，歴史，実生活を改良する方法などはそれぞれのスペシャリストが研究していますが，哲学者はこう考えます。正しいことをしたい，良い人間でありたいと考えるとき，「正しいこと」や「良いこと」とは具体的に何だろう。公正な社会で暮らしたいと思うとき，「公正さ」とは何だろう。このように，私たちがすでに知っていることをさらに明確に普遍化しようとするのが哲学です。

そうだとすると，哲学とは，「**私たちの考えのうち重要な観念を学ぶことで，普遍的な意味での実在と人間の営みを知ろうと試み，然るべき理性に基づいた説明を行うもの**」と定義することができます。一部例外はあるものの，哲学史に残る業績のほとんどがこの定義に当てはまります。哲学者は森羅万象に思いを馳せ，哲学そのものの性質についてまで問いを投げかけずにはいられないのです。

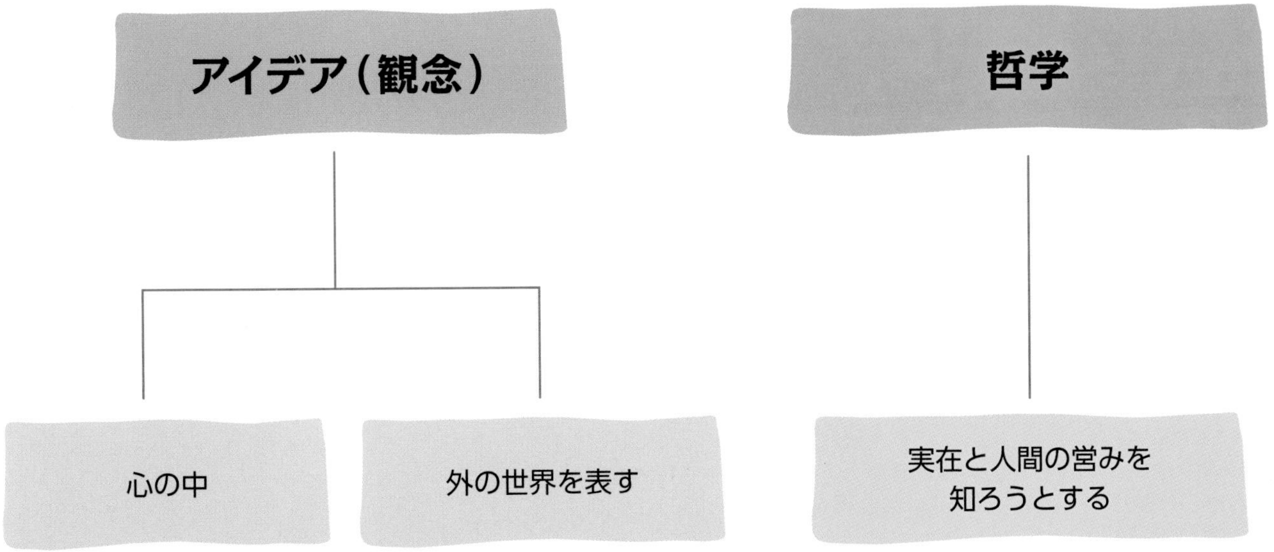

啓蒙思想

1620年から1800年までの時期は，ヨーロッパの啓蒙《けいもう》時代または理性の時代と呼ばれます。新古典主義建築が隆盛をきわめ，産業界では新しい機械の発明が相次いだ時代でした。デイヴィッド·ヒュームなどの哲学者は理性の力に対して悲観的な態度を示していたものの，多くの思想家は人間の知識や生き方はこれまでよりはるかに合理的になるはずだと考えました。この時代に，アイザック·ニュートンが太陽系の運動を一つの短い方程式で表したため，すべての実在は合理的に説明できると考えられました。また1780年代には，イマヌエル·カントが人間の行動原理にある一貫性と理性に基づく道徳論を提唱し，哲学界に大きく貢献しました。

哲学は，この理性の時代に高く評価されていました。新しい科学と哲学の組み合わせは，人間の営みを合理化するものとしてもてはやされたのです。

ロマン主義

合理的な科学哲学が勝利を謳歌《おうか》していた頃，主に芸術家や作家の中からそれに反対する動きが起こりました。冷徹な古典主義と論理に基づく生活様式は，人生において最も重要なもの，つまり感情を見過ごしているように思われたのです。19世紀初頭には重要な哲学者が続々と現れましたが，大胆な思想を展開した啓蒙時代の哲学者に比べ，慎重な態度で思索に取り組みました。

理性の時代

デイヴィッド・ヒューム ▶ 悲観的

アイザック・ニュートン ▶ 太陽系を表す方程式

イマヌエル・カント ▶ 理性に基づく道徳論

アイザック·ニュートンの発見により，あらゆるものは合理的に説明できると考えられました。

啓蒙思想の哲学者たち

イギリス

トマス・ホッブス
（1588 〜 1679）

ジョージ・バークリー
（1685 〜 1753）

ジョン・ロック
（1632 〜 1704）

デイヴィッド・ヒューム
（1711 〜 1776）

フランス

ルネ・デカルト
（1596 〜 1650）

ジャン＝ジャック・ルソー
（1712 〜 1778）

ドイツ

ゴットフリート・ライプニッツ
（1646 〜 1716）

イマヌエル・カント
（1724 〜 1804）

アレクサンドリアで人々に教えるヒュパティア(350〜415)。彼女は，古代世界で有数の哲学者でした。

哲学と女性

男性が圧倒的に多い哲学史ですが，古代エジプトで活躍したヒュパティアのように，女性の哲学者も存在しました。また，啓蒙時代には，多くの女性が高度な哲学的内容を含んだ手紙や著作を残しています。女性と男性が市民として完全に平等であるべきとする考え方が提唱されたのは19世紀のこと。当時の女性たちはこれについて力強くペンを走らせました。ただし，女性による哲学研究が盛んになるのは，のちに女性が大学で学ぶ権利を与えられてから。形式のうえでは，今日の女性は，哲学に関するあらゆる活動に参加できるようになっています。

大学

現代では専門の研究者が細分化された分野の研究を行うため，大学では，以前に比べて総合的な知識を重要視しなくなりました。ただし，哲学者は，自らの専門分野よりも広い範囲を見渡すことで研究意義を見出し，常にそうした関心をもち続けます。また，哲学は研究対象というより人の生き方(理念)とみなされることもあります。この場合も同じく，個人の生き方を俯瞰《ふかん》するのが目標です。

哲学する手法

合理性，明確な概念，普遍の真理，全体像。ほとんどの哲学者はこれらの必要性に賛同しています。ただし，これらを探究する手法については，さまざまな見解があります。

古代ギリシャでは，主に学派内の対話によって哲学が探究され，文献はあくまで付随的なものでした。

中世ヨーロッパでは，現存する著名な古代文献，特にアリストテレスのものを研究することに焦点が当てられました。当時発明された印刷技術によって，新しい哲学書をより広い範囲に届けられるようになるとともに，遠く離れた第一線の哲学者同士が著作を通して議論を深め合うスタイルが主流となっていきました。

中世ヨーロッパの哲学者は，当時残っていた古代の文献に焦点を絞って研究していました。

科学の登場によって，哲学は二つに分かれます。一方は，物理学の新しい発見をこれまでの哲学の派生だと捉えました。他方は科学と哲学を分離し，思考，抽象物，永遠の真理を研究対象にしました。

19世紀には続々と大学が創設され，哲学の研究手法は大きく変わりました。今日，第一線の哲学者は主に大学で研究を行います。現代の大学のゼミは，古代ギリシャの対話ときわめて近いといえるでしょう。ただし現代では，膨大な数の論文を学術雑誌で発表したり，ほかの哲学者の批評を受けたり，哲学の中でも専門的な内容の国際会議に出席したりします。

哲学手法における最後の変化といえるのは，形式論理の登場です。形式論理を発明したのはアリストテレスですが，この手法は20世紀になるまで忘れられた存在でした。形式言語の表現力や影響力が高まったため，**分析哲学派**は形式言語を使って合理的思考をほかの分野にも適用し，数学のような厳密さを加えることができると考えました。

批判

西洋哲学には約2500年の歴史があり，今なお繁栄し続けている一方で，常に批判にさらされてもきました。さまざまな疑問を呈されることにより，そこから哲学が達成すべきものが浮かび上がったともいえます。ここでは，神学者，詩人，科学者，フェミニスト，一般の人，実務に携わる人による代表的な批判を紹介します。

神学者：どこまでも続く問いは，宗教を支える教義の根底を揺るがすのではないか。

科学者：哲学は現代物理学から取り残されている。机上の理論では事実を実証できないからだ。

詩人：冷酷なほど厳密に考える哲学は，人の感受性を抑制し，充実した人生を送ることを妨げるのではないか。

フェミニスト：哲学には男性側の関心事が反映されている。それとは異なる女性側の優先事項を無視している。

一般の人：特殊用語，文章の長さ，曖昧な主張，物理的な例の少なさに苛立ちを感じる。エリートの陰謀ではないか。

実務に携わる人：哲学者はその知性をより実践的な用途に生かさず，教育機関や大学に閉じこもっている。

宗教のジレンマ

主要な宗教と哲学は，愛憎相半ばする関係にあるといえるでしょう。教義に基づいて確立され，広く支持を集めるようになった宗教は，信者のあらゆる疑問に答えるために一貫性のある包括的な神学体系を必要とします。こうした体系づくりこそまさに哲学が提供できるもの。矛盾を排し，いくつもの概念を整理して安定した枠組みをつくります。一方，宗教・哲学間でよく問われるのは，哲学が説く，よそよそしくも合理的な神は，宗教が唱える，人の世に介入する人間性のある神と一致するのかどうかということです。宗教と哲学が対立するのは，もちろん，哲学側に「まずいと感じたら，それ以上は問わない」ルールがないからです。

哲学への非難：

- 教義の基盤を揺るがしている
- 進化がない
- 厳密さに欠ける
- 証拠を尊重していない
- 感情を無視している
- 男性目線だ
- 特殊用語が多すぎる
- エリートの陰謀だ
- 現実と関わっていない

信仰心と哲学

9世紀のイスラム教では，ギリシャ哲学に大きな関心が寄せられました。ただし，12世紀までにこの動きは消滅し，聖典コーランへの忠誠が再び優位になっています。12世紀は，キリスト教の学者たちがアリストテレス研究に傾倒し始めた時期でもあります。その後何世代にもわたり，著名な学者たちは，この古代ギリシャの形而上学と倫理学を新約聖書の教義に融合させようと試みました。個性的で非常に高度な学説が続々と登場しましたが，1347年，キリスト教会の上層部が突然禁令を発したため，学者たちは迫害されて離散しました。一方，1517年に始まったプロテスタントの宗教改革では，純粋な信仰心が重視されました。ただし，プロテスタントに対抗するローマカトリック教会は，トマス・アクィナスら中世の思想家による（アリストテレス哲学とキリスト教の）融合に強い関心をもち続けました。12世紀のマイモニデスのような偉大な哲学者兼神学者を輩出しているユダヤ教もまた，哲学的テーマと古代文献に記されたユダヤ法との融合に多大な関心を寄せ続けています。

聖トマス・アクィナスによる哲学と神学の融合は，
カトリックの教義のよりどころとなりました。

マイモニデス（1135頃～ 1204）は，傑出したユダヤ人哲学者でした。

神学と交流する哲学

ギリシャ哲学 → 9世紀のイスラム教

アリストテレス → 12世紀のキリスト教

ギリシャ哲学 → 16世紀の宗教改革

- **神学と科学**

17世紀には近代科学が起こり，古代ギリシャの懐疑論が再注目されたために，これまでになく難解で根源的な問いが立てられるようになりました。それ以降，神学と哲学の間の溝は徐々に広がっていきます。18世紀には明示的な無神論が登場し，決裂は決定的になったように思われました。しかし，実存主義のキルケゴールなどによって宗教に対して新たなアプローチが行われたために，哲学の領域で神学的なテーマがなくなることはありませんでした。今日の大学でも，宗教哲学は人気のあるテーマです。

現代においても，神学者は神の存在を肯定する形式的な証明方法や，懐疑論による神の存在の否定は有効か否かについて検討を続けています。また，無神論の根拠として引用されることが多い「悪」の問題も検討しなくてはなりません。とはいえ，現代の神学で最も一般的な焦点となっているのは，神の本性に関することです。ただし以前とは異なり，神は最高の人格的存在というよりも，自我の一側面や，自我が世界に関わる方法と捉えられています。そのような宗教的観点からは，現代の物質主義は心も目的もない状態とみなされます。

科学が攻めてきた

長い間，科学は「自然哲学」と呼ばれ，哲学から分離できないとされていました。しかし，1610年頃，フランシス・ベーコンらの貢献により近代実験科学が勃興し，堂々巡りを続ける伝統的な形而上学を攻撃するに至りました。それ以降，哲学は以下の３点において批判されるようになりました。

- 進化がない
- 厳密さに欠ける
- 証拠を軽視しすぎている

近年，科学は実に多くの領域でめざましい進化を遂げ，いつか真に哲学的な問題をすべて解決するだろうともいわれます。哲学側では，こうした極端な主張を**科学主義**と呼んで揶《や》揄《ゆ》しています。

哲学者の中にも科学主義を受け入れ，哲学に対して悲観的になる者もいます。精神やその思考，人間の行動，物質，空間，時間を理解し，人はどのように知識を得るのかを探るためには，座して憶測をめぐらすよりも最新の研究にアンテナを張ることが重要かもしれません。

フランシス・ベーコンは実験科学の勃興に貢献しました。

楽観派

- 科学と哲学は，同じカテゴリーに属している（哲学は最も普遍的で概念的な部分を担っている）。
- 科学は哲学に及ばない。物質界の仕組みは些細な事柄であり，より重要な問題はまったく異なるレベルの思考に存在する。

悲観派

- 哲学は自ら概念の混乱を招いている。まずはこれを明確化して，なくすべきだ。
- 世界をより深く知るためには，座して憶測をめぐらすよりも最新の研究にアンテナを張るべきだ。

• **進化**

何世紀にもわたって同じ問いと格闘しながらまるで答えを見出せないことから，哲学には進化がないと非難されています。しかし，哲学はある程度の答えを出しています。ただ，それらが「絶対の正解」とはいい切れません。また，そもそも哲学の目的は問いの答えを出すことではないともいわれます。つまり，それらの問いは人類が知ろうとせずにはいられない，だが答えのない謎だとする考え方です。

哲学の目的は，まずその謎を完全に理解して，それから可能な論証と反論を打ち出すことにあります。ここに哲学者の手腕が発揮されるのです。

• **厳密さ**

哲学は厳密さに欠けるといわれますが，探究を行うために論理を用いて正確性を期し，厳正な証明を与えています。ただし，哲学的な問いはそれ自体が難解で厳密さに欠けるもの。それに対してこのように厳正な手法はふさわしくないとする意見もあります。

• **証拠**

哲学は証拠を軽視していると非難されますが，哲学者たちは科学知識の必要性を受け入れています。今日の哲学者にとっては，量子力学，相対性理論，脳生物学，物理学の標準モデル，進化論の実践的な知識をもつことはもはや当たり前。これらの知識が哲学的な思考にとって代わるわけではありませんが，既成の事実は常に尊重されています。

詩人の反論

18世紀末，哲学の合理的な思考が繰り出す冷徹な分析を嫌い，ドラマ性のある音楽や感情をうたう詩世界を重視したロマン主義が起こりました。ロマン主義は今も存在し，ひたすら知恵を追い求める孤高の学問よりも，心動かされるような体験の方に重きを置いています。

現代では，哲学者も心の理論や道徳論の中で感情の重要性を認めています。また，現代の神経科学は，完全に合理的な思考などあり得ないとしています。どれだけ論理的に考えようとしても，必ず感情が絡んでくるからです。さらに，多くの道徳論において，感情的な動機がないことは大きな問題です。道徳的に振る舞うように立派な規則をつくることはできますが，その規則に従おうと思わない（感情的な動機がない）人だっているでしょう。今日「良い人生」とは何かを語るときには，愛情や自己中心的な願望が大きく取り上げられます。

ロマン主義では，合理的な分析よりも情熱が重要視されます。

フェミニズム

フェミニズムの思想家は，いくつかの課題に注目しています。まず，約2000年もの間，徹底的に男性優位であり続けたことは，社会におけるほかの領域と同じく，哲学にも大きな影響をもたらしました。フェミニスト哲学を唱える思想家たちは，既存のアイデアや理論を揺るがせながら新たな構築を試みています。わかりやすい例に道徳哲学があります。現代の男性優位の議論は法律重視に偏りがちで，人間を善に導きながら評価を下す厳密なルールを必要とします。そこで，女性思想家たちは率先して倫理的な「善」の概念をよみがえらせ，それ以前の議論ではほぼ黙殺されてきた育児こそが，道徳的な生き方の中心にあると唱えました。さらに，男性が好む厳密な論理と壮大な概念では，普通の人生における心の機微を取りこぼしてしまうのではないかと懸念しています。

今日では，あらゆる哲学分野で女性が活躍し，論理，数学，科学のみならず，より人間科学に近い諸哲学に大きく貢献して業績を残しています。近い将来，哲学は男女の垣根のないものになるでしょう。

アメリカの哲学者マーサ・ヌスバウムらは，伝統的な男性目線の見解に疑問を呈しています。

古代ギリシャ以降，哲学書には特殊用語が増える一方です。

特殊用語に惑わされる

普段から哲学に関わっていなければ，そのあからさまに難しげな様子に気圧《けお》されるかもしれません。終わらない思考の連なり。専門用語の多さ。しかも，普通の人なら気にもかけない，きわめて細かいことにいつまでもこだわり続けるのです。

とはいえ，どんな学問にも難しさはあります。たとえば化学。専門的に勉強すればするほど，特殊な用語や細部へのこだわりが増えていきます。なぜ哲学だけが嫌がられるのでしょうか。哲学は，ほぼすべての人間が関わるいたって普通の活動が研究対象なのに，やけにわかりにくい，という批判もあるでしょう。普通のことを議論するにも特殊用語や細部へのこだわりは欠かせないと，そう主張することもできますが，哲学側としても，こうした批判の一部は認めざるを得ないところでしょう。

あらゆるものについてもっと深く考えよと命じる哲学は，常に難解なものであり続けてきました。古代ギリシャの哲学文献は，歴史書や文学書に比べて明らかに難しいものでした。さらに，カントの時代（1790年頃）以降，哲学書の表現方法は著しく難解になり，専門家にしかわからない特殊用語が急激に増えました。過去の研究は年を追うごとに累積され，新しい研究者は既存の概念，理論，先達の偉業を学ばなければならないのですから，この難解化は避け難かったともいえます。しかし，多くの現代哲学者は，哲学がつくり上げてしまった，排他的なエリートのイメージを懸念しています。哲学では特に，物質界とはかけ離れた専門用語が簡単に生まれてしまうからこそ，あらゆる学問において大切な「明晰《めいせき》さの追究」を重視しなければならないのです。

現実と関わっていない

プラトンの対話篇『ゴルギアス』では，ソクラテスが登場して，人を説得するための弁論術と本当の哲学の相対的な利点について議論を行います。この中で，哲学者や哲学そのものを忌み嫌うカリクレスという人物も議論に加わります。カリクレスが特に嫌ったのは，哲学者が実生活から乖離《かいり》していることでした。哲学者は神や善の概念を理想化するが現実は権力争いばかりで，勝者と敗者が溢《あふ》れている。哲学者は無責任で，現実と関わらない卑怯者だ。このような激しい非難に対して答えを出すのは難しいことです。しかし，哲学に限らず研究者とは，浮世離れしていながらも責任は果たしているもの。そうすると，残るは「現実と関わっていない」という批判です。

『ゴルギアス』で，ソクラテスは弁論術と哲学の利点について議論しました。

哲学と現実生活

哲学と現実生活との関わりとは何でしょうか。哲学には抽象的な部分があり，これが現実とほぼ関わりがないことは，ほとんどの哲学者が認めています。哲学の中でも実用的な倫理学や政治理論ですら，私たちの暮らしに直接つながるものではありません。ただし，長い目で見たとき，哲学には大きな意味があると哲学者たちは信じています。これを正当化するのはかなり難しいのですが，ここで，現代社会のもととなる考え方とその由来を検証してみましょう。すると，そうした考え方そのものが，実世界のありさまに反応しつつ前世代の思想家から影響を受けて発展したものであることに気づかされます。司法制度を支える思想，民主主義の価値，学校で学ぶ科目や教養は，故なく今の状態になったわけではないのです。このような観念の歴史を振り返ると，過去には力強い普遍の見識がそろっています。その多くは，戦士，経済学者，カリスマ指導者，独創的な作家のものですが，最も大きな影響を及ぼしたのは哲学者の見識でした。このように，哲学は世界にとてつもない変化をもたらしますが，変化は実にゆっくりと訪れるのです。

ソクラテス以前の哲学者とソフィストたち
紀元前585～紀元前410

古代ギリシャ哲学は，自然の原理（ピュシス）を探究の対象とすることから始まりました。初めてこれを成し遂げたのは，**ミレトスのタレス**（紀元前624頃～紀元前546頃）で，目に見えるすべてのもの（万物）は水からできていると説きました。タレスに続いて，自然は空気，火，または土から成っているという説も登場しました。水も含めてこれらは生きるうえで必要なものです。そのため，のちにはこれら四元素が万物の根源であるという主張も現れました。**エンペドクレス**（紀元前490頃～紀元前430頃）は，四元素が愛によって結合し，憎しみによって離散するのが自然だと説きました。**ヘラクレイトス**（紀元前535頃～紀元前475頃）は，自然は常に移り変わり，人間には捉えられないと考えました。**アナクサゴラス**（紀元前510頃～紀元前428頃）は，自然の根源における精神の重要性を唱えました。また，**デモクリトス**（紀元前460頃～紀元前370頃）は，（精神を含め）あらゆるものは原子でできていると主張しました。これは現代の物理主義へと継承されています。

ヘラクレイトス（左）とデモクリトス（右）は，ソクラテス以前の代表的な哲学者です。

パルメニデス（紀元前515頃～？）は，存在（在るもの）について思いをめぐらせて形而上学を創始し，目に映る自然界の移り変わりは幻だと主張しました。一方，**ピタゴラス**（紀元前570頃～紀元前495頃）は自然界にある数の比率に注目し，万物の根源は数にあると考えました。パルメニデスのいう純粋な「在るもの」もピタゴラスの数も，感覚ではなく理性がなくては知り得ないものです。そのため，この二人は合理論の先駆者といわれています。

自然はあらゆる真理の根源であり，人間の生活を操るものと考えられていました。しかし，哲学ではこれに対する反論が現れます。ほとんどの真理と人間に関わる事柄は法や慣習（ノモス）の問題にすぎないとするものです。ピュシスかノモスか。つまり，「発見」したのか，それとも「発明」したのか。この対立は哲学の大きなテーマになりました。数学，論理，道徳，自然法則，そのほか人間が得たとされるあらゆる知識は，どこまでが事実でどこまでが人間がつくり出したものなのか，まだわかっていません。また，ソフィスト（「知恵ある者」の意）らは，私たちが信じることのほぼすべては事実よりも慣例に基づくと唱えました。そのうちの一人**プロタゴラス**（紀元前490頃～紀元前420頃）は相対主義を唱え，想定され得る事実は個人の主観にすぎないと主張しています。また，**ゴルギアス**（紀元前485頃～紀元前380頃）はより急進的な懐疑論を唱え，信じられるものはほとんどないことを論証しました。

第2章
真理

真理論 — 相対主義 — 真理の対応説 — 実用的な真理 — 言語学的アプローチ — Truthmaker 理論

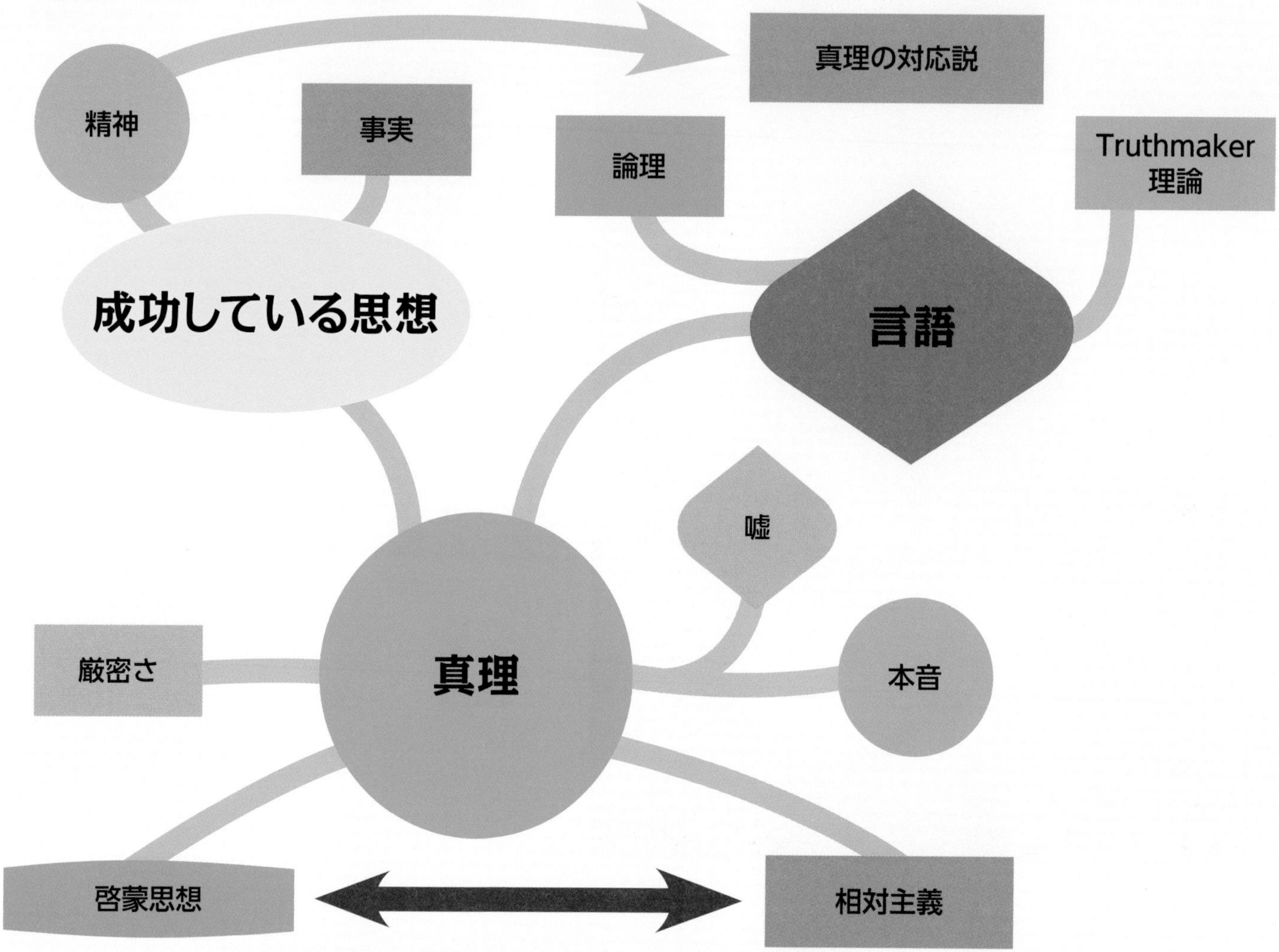

真理論

真理。真実。正しさ。これらは人間の営みの中心にあります。また，哲学の中心にあるのも真理です。偽を退け，真を求めようとすることが，哲学の存在意義なのです。「**神々と人間にとって，あらゆる善きものの最上位を占めるのが真理である**」（古代ギリシャの哲学者プラトン）。この言葉を信じるのであれば，真理は哲学が求める最高の価値であるといえるでしょう。

動物にも「間違っている」という感覚があります。猫がジャンプの判断を誤るときや，犬がボールを見失ってオロオロするときなどです。こうした状況で起こる動物の行動は，その動物が，自分は「正しかった」か「間違っていた」かを認識しているためだと考えられます。人のもつ真理概念は，真偽（正しいか間違っているか）を判断するもの。このような真理概念はないでしょうが，大型の動物も判断を下しているのです。

動物に真理概念はないでしょうが，判断を誤ったことはわかります。たとえば，犬はボールを見失うとオロオロします。

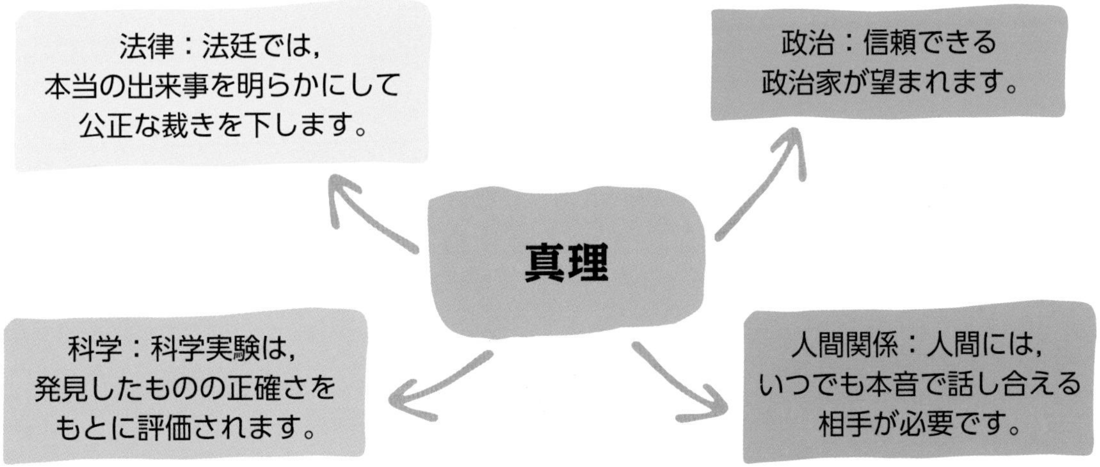

真理とは何か

英語の日常会話では，「真理はそこにある」「真実を見つけなければ」という表現を使います。哲学では，現実世界で見つけられるものを「事実」，思考や思想（精神的なもの）を表すときは「真理」と言葉を使い分けます。そして，どれだけ多くの事実があっても，人の精神というものを介在しなければ真理はそもそも存在し得ない，というふうに考えます。つまり，真理とは，人の精神活動をさまざまな事実と結びつけるものであるとされています。

真理 ▶ 人の精神と事実を結びつけるもの。

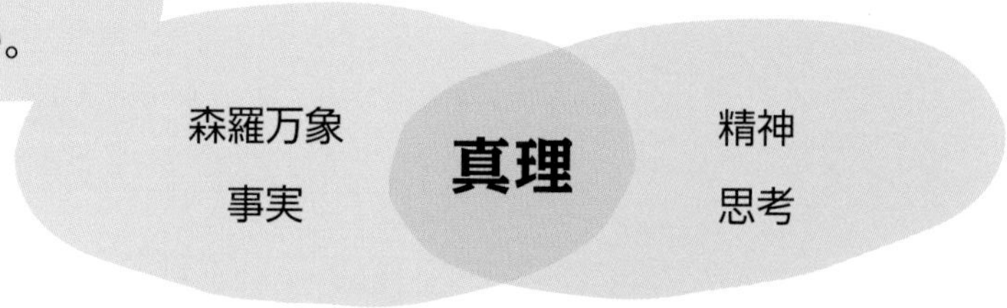

哲学では，真理を命題（文）で表現します。そして，古代ギリシャのプラトンが残した文は，彼の精神がもう存在しないにもかかわらず，今でも真理だということができます。現代の哲学では言語面が重視されがちですが，どこかで人の精神活動と関わっていない限り，真理は存在しません。

成功している思想こそが正しい（真である）思想であり，シンプルな事柄について人類がこれまでに下した正否の判断は，すべて成功だったと仮定してみましょう。そうすると，その理論や哲学における役割は，シンプルで反駁《はんばく》の余地もないほどわかりきったもののはずです。ところが，実際はそうではありません。哲学史上，プラトンの楽天的な思想を受け継いだ真理論は，必ずといってよいほど反論されています。また，ソクラテスやスピノザのように，あらゆるものを犠牲にしても真理を探究する立場がある一方で，プロタゴラスやニーチェのように，真理の価値やそもそも真理が存在するのかどうかに疑問を呈する哲学者もいます。

プラトンは，あらゆる善の頂点にあるのが真理だと考えました。

相対主義（絶対的な真理はないとする立場）

古代ギリシャの哲学者たちはありとあらゆる説を主張しましたが，それらに対する反論が哲学をさらに進展させることになりました。自然や道徳性に関する新説が世に出ると，すぐにその反論も現れました。

転換点となったのは，ソフィストの一人，プロタゴラスの時代です。成功している思想が真なる思想とされているが，思想に本当の意味での「成否」はないのではないか。そうすると，絶対的な真理というもの自体が成り立たないではないか。史上初の真理への疑いは，まさにこのような形で発せられました。

プロタゴラスは，次々に現れる理論とその反論は相対的な関係にあると説きました。古代ローマの哲学者セネカによると，プロタゴラスは「あらゆる問いの両面を等しい力で論じることができる。たとえそれが，あらゆる問いの両面を同じ力で論じることができるどうかという問いであったとしてもだ」と述べたといわれます。実際，あらゆる議論で相反する主張同士が等しい力をもつのであれば，いずれかが正しいとはいえず，したがって絶対的な真理を得ることはできません。そして，個人の主観に基づくさまざまな主張だけが，あるがままに残されることになります。プロタゴラスは，これを「万物の尺度は人間である」と表現しました。この極端な**相対主義**の立場は，社会生活も哲学も，相反する説同士が勝ち上がろうと争っている状態にすぎず，有利に戦いを進めるために，客観性や理性ではなく感情に基づいて相手を説き伏せるのだとしています。

極端な相対主義 ▶ 社会生活も哲学も，相反する説同士が勝ち上がろうと争っている状態にすぎず，有利に戦いを進めるために，客観性や理性ではなく，感情に基づいて相手を説き伏せるものだとする考え方です。

ソフィストのプロタゴラスは，相反する主張同士が等しい力をもつため，一つの正しい答えを得ることはできないと考えました。

絶対的な真理があるとする立場

プロタゴラスの相対主義は後代に引き継がれましたが，少数派の見解にとどまりました。多くの思想家は，相対主義に対して**逆転の発想**で応じました。いわく，どんな理論も絶対的に真ではないとするなら相対主義そのものも真ではないので，相対主義は黙殺してよいとしたのです。近代科学が勃興《ぼっこう》するに伴い，真理論にはさまざまな新説が現れ，17世紀後半から始まる啓蒙主義時代に議論が最高点に達しました。

絶対的な真理を見つけられるとする見方は，人は理性に基づいて合意できるとする見方と常に密接に関わってきました。これらは今日でも多くの思想家に影響を与えていますが，問題点も少なくありません。

啓蒙主義の哲学者たちが説く真理

ジョン・ロック「目に映るどんなに美しいものよりも，精神が得る真理はすばらしい」

スピノザ「理性の導きに従って生きる限り，人は必ず互いに合意しようとする」

科学時代の相対主義

18世紀頃に始まった科学の発展に伴い，絶対的な真理が尊ばれるようになりました。ところが，1880年代，ドイツの哲学者フリードリヒ・ニーチェは，なぜ真理がこうも尊崇されるのかを疑問視しました。

- 結局のところ，動物は真理を気にかけずともうまく生きているではないか。
- 多くの文明は，明らかに虚偽である神話やおかしな幻想をもとに成り立っているではないか。
- 社会的に力をもっている人は，そこまで真理にこだわる必要はない。絶対的な真理があると主張するのは，単なる思考の対象というより，虐げられている側が好んで振りかざすスローガンのように見える。

ニーチェがこのように提唱したことで，真理とは「誰もが追い求める絶対的な理想」とまではいかないが，「現代文明が内包する願望」以上のものであるという見方が広まり，社会学と文化学がこれを発展させました。この立場は，プラトンやスピノザが唱えた絶対的な理想よりはプロタゴラスの相対主義に近いといえるでしょう。相対主義的な真理論が広まったのは，一見，寛容さを促進するように見えたためでもありますが，これは誤解です。相対主義を貫くなら，寛容さだけでなく不寛容さも等しく受け入れなくてはならないからです。

真理の整合説 ▶ パズルのピースのように，特定の概念体系にぴたりと収まるものが真理であるとする考え方です。

フリードリヒ・ニーチェは，真理を尊ぶ風潮に異議を唱えました。

相対主義的な真理論を支持する哲学者たちは，**真理の整合説**を唱え，パズルのピースのように，特定の概念体系にぴたりと収まるものが真理だと主張しました。真理とはうまく一致するものだという整合説は，すでに確立された，大きく複雑な概念体系（たとえば現代化学）には当てはまります。ただし，思想体系がとても限定的である場合，たとえば地球は平たいという説や，シャーロック・ホームズのようなフィクションの世界には，整合説は当てはまらないと考えられています。

真理の対応説：命題と事実を組み合わせる

絶対的な真理があるとする立場は，その性質上，より明確な理論を求めて，**対応**という概念を展開しました。そして，真である思想や命題の内容は，それが表す事実の内容と厳密に対応すると主張しました。

真理の対応説 ▶ 真なる思想や命題の内容は，それが表す事実の内容と厳密に対応すると考える立場です。

1912年，イギリスの哲学者バートランド・ラッセルは，真なる文（命題）に含まれる名詞と動詞は，その命題が表す物体や事象の動きと厳密に釣り合い，合同な三角形同士や，地図とそこに描かれた地形のように，ぴたりと一致すると唱えました。この**真理の対応説**は，絶対的な真理が存在するという立場からは一番人気があります。ただし，この理論にも問題点があります。

真なる命題 ＝ 意味 ➡ 対応 ➡ 事実

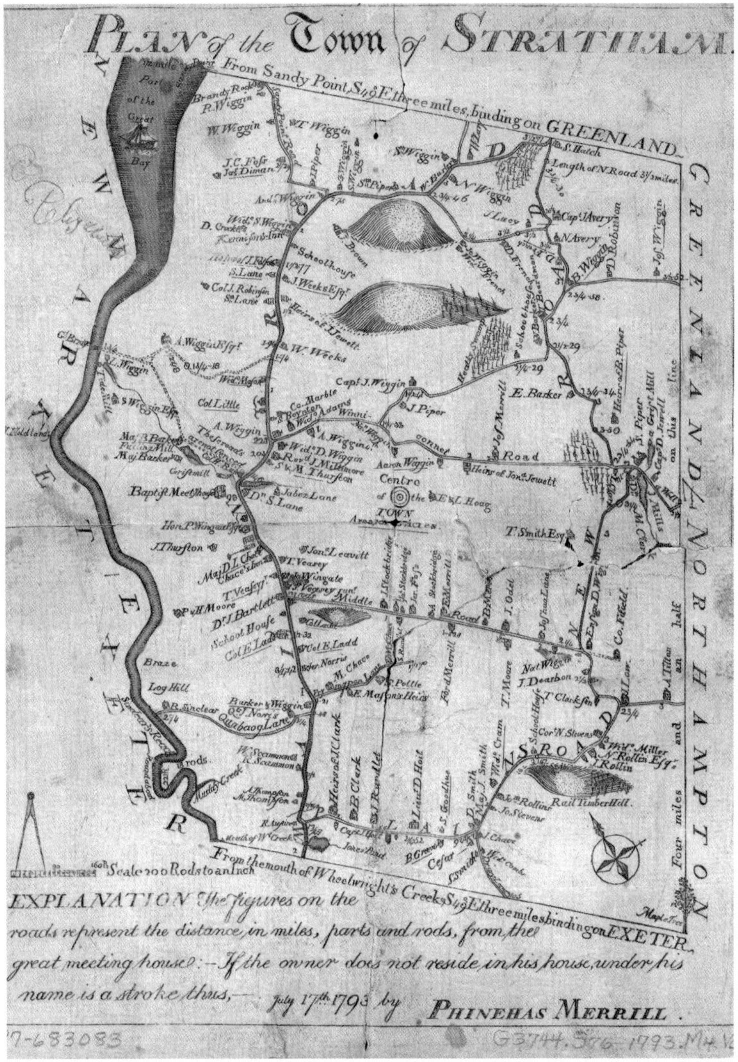

地図がそこに描かれた地形と対応するように，文（命題）に含まれる言葉は，実世界の物体や動きと対応しています

「主部と述部のみの命題（単文）の意味が事実と対応する場合，その単文は真理である」と定義する場合，ここで使った「意味」「対応」「事実」の三つの概念をどう定義すればよいでしょうか。ここで，「真理」に基づいてこれらを定義すると，理論全体が循環（定義すべきものを根拠として用いてしまうこと）に陥ってしまいます。

意味

「ある文の意味が事実と対応する場合，その文は真理である」とするなら，「意味」とは何でしょうか。最も広く支持される説では，ある文の意味は「真理条件」，つまり，その文が真理であればどうなるのかを指すとしています。しかし，真理が何かもわからないのに，その文が表す状況を正しく捉えられるでしょうか。ここで，真理の定義は循環に陥ります。意味の概念は，真理とは切り離して定義するべきなのですが，それはかなり難しいといえるでしょう。

対応

三角形や地図上の点がほかの場所にある点と対応しているのは，誰にでもわかります。しかし，言葉や概念は，それらが表す「状況」とはまるで違うもの。これらが互いにどう対応しているのかは，はっきりとわかりません（音楽と建物がどう対応しているかを聞くようなものです）。また，「対応」を定義するには，組み合わせが必ず正確でなくてはなりません（つまり真理を含みます）。このような制約がなければ，「フランスの地図」に「ドイツ連邦共和国」が対応するようなことになってしまいます。

事実

対応する事実を文に表さなければ，それを特定することはできません。とはいえ，その事実がすでに文になっている場合もあります。ここで，「猫がマットの上にいる」という文を考えてみましょう。何らかの事実と組み合わせる必要がありますが，どんな事実ならよいのでしょうか。「ネコ科の動物がドア用の小さなカーペットの上にいる」はどうでしょう？　この事実を「猫がマットの上にいる」と表すには注意が必要です。この方法で事実を表すと，すべての文が真となるため，対応説は無意味になってしまいます。

絶対的な真理があることを確実に示すためには，確実性の高い事実が必要です。それには，どう言葉で表すかではなく，外界の存在そのものを深く探究するしかありません。

実用的な真理

「真理」を定義するのは難しいとなったとき，人類は，真理という概念が人間の行いに及ぼす影響を考えたり，言語学的な側面から「真」の用法を検証したりする道を選びました。初めて「真理の影響」の面から思索を深めたのは，19世紀後半にアメリカで誕生した学派，**プラグマティズム**です。それまでのように抽象的な理想が真理だと考えるから，近寄りがたいうえにわかりにくく，定義することが難しいのです。プラグマティズムは，もう少し現実的な見方で真理を眺めました。

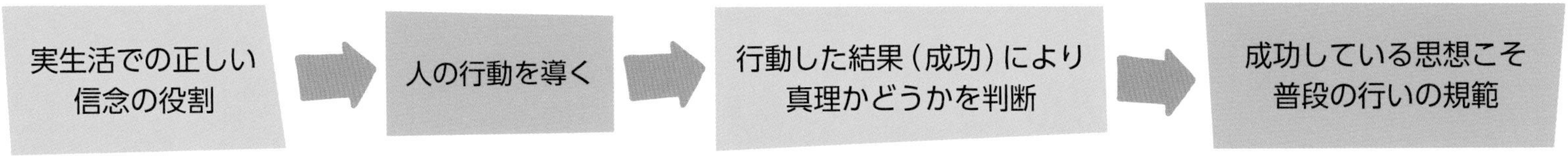

真理かどうかを考えるときに，普通の経験を基準に判断できればもちろんよいのですが，プラグマティズムでは，成功が必ずしも真理ではないことを受け入れます。真理から目を背けていても，成功した人生を送ることは可能だからです。プラグマティズムは，行動した結果が有用であればそれは真理だと考えます。このため，対応説のような強い真理観をもたず，どちらかというと相対主義寄りになっています。

言語学的アプローチ

真理に対して言語面からの検証を始めたのは，1920年代に活躍したイギリスの哲学者フランク・ラムジーです。「真である」という言葉には具体的な意味がないように見えることを示しました。ここで，以下の命題を見てみましょう。

- 「ブルータスがカエサルを殺害した」
- 「ブルータスがカエサルを殺害したことは真である」

ラムジーの**真理の余剰説**によると，二つ目の命題は，一つ目を繰り返しただけか少しオーバーに表現しただけにすぎず，二つの命題の間に大した違いはないのです。真理は，対応説でははっきりと定義できず，プラグマティズムでは日常生活に取り込まれ，余剰説では不要化されてしまいます。ここに至って，真理概念は危機状態にありました。厳密な概念としての真理は，消えようとしているか，歴史学や文化学の中に吸収されようとしていたのです。

真理の余剰説によると，「ブルータスがカエサルを殺害した」と「ブルータスがカエサルを殺害したことは真である」の間に違いはありません。

真理概念に決定的な転換点が訪れたのは，1930年代。ポーランド出身の哲学者アルフレト・タルスキの主張によるものでした。ここで，「この文は偽である」という命題の真偽を考えてみましょう。答えが真偽いずれであるにしても，自己矛盾が生じます。タルスキはこれを検証し，一つの言語の範囲内で真理概念を定義するのは論理的に不可能であることを示しました。ただし，言語よりも高いレベル（階層）にある**メタ言語**を使うと，真理を厳密に記述できるようになるというのがタルスキの見解でした。このメタ言語とは，言語学の専門家が言語を論じるときに使うもので，対象となる言語（**対象言語**）を説明するための言語といえます。ある言語の命題が真であることを言うときには，日常言語とメタ言語を分けて用いるとよいのです。高次の視点から俯瞰《ふかん》することで，対象言語のうち真である命題を明確に示すことができます。

このように考えると，いささか途方もない言明に行き着きます。すなわち，「『雪は白い』が真であるのは，雪が白いときであり，そのときに限る」。これを，「『snow is white』が真であるのは，雪が白いときであり，そのときに限る」と記述すると，わかりやすいのではないでしょうか。この場合，日本語部分がメタ言語にあたり，日本語で雪は白いと言える場合にのみ英語部分が真であることを示しています。

真理と論理

　このシンプルな考えに基づくと，理論的には，対象言語のうち許容可能な文をすべて挙げることができます。その言語で真理を定義しようとすると，分厚い本になってしまうでしょう。論理学者タルスキにとって重要だったのは，「真である」ことの厳密さを高め，それが論理的証明においてどのように展開するかを示すことでした。

　Aが真であり，AはBであるとするなら，Bは真であるといえます。

言語と論理に関しては，「パリはフランスの首都だ」に記号「真」を付すだけでは不十分です。

真偽の概念がなくては，論理は無意味な記号遊びにすぎません。しかしここで，「真」と「偽」という記号を用いて，実世界と論理をつなぐ方法が生み出されました。

論理学にとって，これはありがたいことでした。そのためには，メタ言語では当然のこととして扱われている，「真である」や「偽である」の意味を正しく理解しておかなければなりません。論理では，記号「真」または記号「偽」を各文に割り当てます。コンピュータの式に「1」や「0」を割り当てるのと同じです。

これによって，（たとえば物理学研究などで）有益な計算を行い，すばらしい成果を生み出す可能性が出てきました。しかし，「真である」がコンピュータで「1」と表現されることは，プラトンが理想として称えた真理とは異なります。タルスキ自身，「真」を扱う方法を示しているだけで，その意味を伝えているわけではないと認めています。現代哲学者の中には，タルスキの記述における含意は十分だと考える者もあり，これよりも強固な真理論は，真理の**ミニマリズム**または**デフレ説**とされています。これによると，「真である」は実際には余剰ではありません。「昨日あなたが言ったことは真である」または「この聖典のすべての文は真である」などのように，詳しい内容を言わずに文に言及するときには役に立つからです。しかし，これもまた，**どのような真理が含まれているのかを述べるには，その言語から距離をとらなくてはならない**というタルスキの発見を裏打ちしています。

言語と論理について考えると，哲学にとって，この真理についての重要な発見だけでは不十分である理由がわかります。言語論では，ある文の一部が実世界に存在するものにどのように「言及」し，そこに「述語」（または性質）を正確に加えているかを探究します。ここには，成功や

「パリはスペインの首都である」と知ることはできません。真理ではないからです。

失敗といった要素が絡むため，強固な真理概念が必要です。認識論で最も基本的な前提の一つは，「真でないもの」を「知っている」とは言えないことです。どれだけ証拠があったとしても，「パリはスペインの首都である」と知っている人はいません。パリはスペインの首都ではないからです。「パリはフランスの首都である」という文に「真」という記号がつけられるというだけでは，この点を適切に表現することはできないのです。

Truthmaker理論

現代には，強固な真理概念を取り入れた，面白い思想があります。すなわち，真である文には必ず**Truthmaker**（真理をなす要素）があるというTruthmaker理論です。この考えは，物理的な事実についてのシンプルな言明については，かなり蓋然性《がいぜんせい》が高いといえるでしょう。「猫がマットの上にいる」という文は，実際にその猫がマットの上にいる場合は真であり，猫の下にあるマットを取り除いてしまえば，たちどころに偽に転じます。この文の真理は，実際の状況に直接反応して変わります。つまり，その特定の「事実」こそが，この文を真たらしめるのです。ですから，この文にはTruthmakerがあることになります。すべての真の文にはTruthmakerがあるとする，大胆で攻撃的な意見もあります。実際にあらゆる真理にTruthmakerがあるとすると，絶対的な真理があると考える立場にとっては朗報です。Truthmakerは，メタ言語で肯定されただけのものとは違い，現実に起こった事実や事態なのですから。

とはいえ，Truthmakerがはっきりしないという難しいケースもあります。

- 「猫はマットの上にいる傾向がある」この場合，ケースごとにTruthmakerを特定することはできますが，まとめきれない可能性も。
- 「猫は哺乳《ほにゅう》類だ」生きているすべての猫がTruthmakerとなります。しかしこの言明は，まだ誕生すらしていない未来の猫のことも指しています。ですから，実際の状況に比べると確かさに欠けるきらいがあります。
- 「うちのマットの上には猫がいない」マットが空であることはわかりますが，なぜ猫と関係するのかは不明です。

人の精神活動を現実にうまく結びつける真理の概念。これが確実にあることを示せるよう，Truthmaker理論の支持者は，難解なケースを解明する努力を続けています。

マット上で寝ているこの猫は，「猫がマットの上にいる」という文のTruthmakerです。猫を移動させると，この文は真ではなくなります。

ソクラテスとプラトン
（紀元前450～紀元前347）

ソクラテス（紀元前469～紀元前399）は，新しい論点を提示することで，古代ギリシャ哲学に一大転換をもたらしました。自然の本質などどうでもいい，大切な問いとは「人はどのように生きるべきか」だとソクラテスは考えました。こうして，倫理学と政治学が初めて哲学の一部になりました。ソクラテスは，哲学する方法にも変革を起こします。重要な概念を明確に定義することを目指し，裁判の口頭弁論のような手法を用いました。討論である人が発言すると，相手がその発言に異議を申し立て，発言を正当化するか自らの非を認めるように促します。譲歩することも非常に大切です。このように対話をうまく展開させる討論の手法は，ソクラテス式問答法と呼ばれます。ソクラテスは，善の性質（徳）は人生の最上の目的であり，主に理性と真理によってこれを達成するとしました。思考の自由を守るために死を選んだソクラテスは，あらゆる哲学者にとって英雄のような存在です。

ソクラテスは何も書き残しませんでしたが，その目の覚めるような討論の様子は，彼の弟子であり，友人でもあった**プラトン**（紀元前427～紀元前347）によって記録されています。プラトンは，アテネにアカデメイアという学校を設立して，一大学派を形成しました。これを追うように，ほかの諸学派も立ち上がっています。プラトンの著作は対話形式をとり，知識，正義，勇気，実在，徳などの重要な概念を定義しようと試みています。プラトンは，ソクラテスの教えのほとんどを受け継ぎましたが，自分なりの要素もつけ加えました。それが**イデア論**です。プラトンは，善性，美，真理，数などのすばらしい理想の数々は，単なる人間の慣習（ノモス）ではなく，不変の性質（イデア）が根底にあると考えました。そして，問答法が目指すところは，目に見える表面的な世界から抜け出してイデアを理解し，知を得ることだと位置づけました。大著『国家』の中で，プラトンは，知を求む道を行く人は優秀な哲学者であるだけでなく，社会の統治者になるべきだと唱えています。西洋哲学で重要とされるテーマのほとんどが，プラトンの著作で論じられています。遺失することなく残ったからでもありますが，これらの著作は今日まで続く哲学の土台をなしているのです。

ソクラテスは，哲学者たるもの，どのように生きるべきかを探究するべしと説きました。

SOCRATES

第3章
論証

対話 — 論理 — 科学的論証 — 哲学的論証

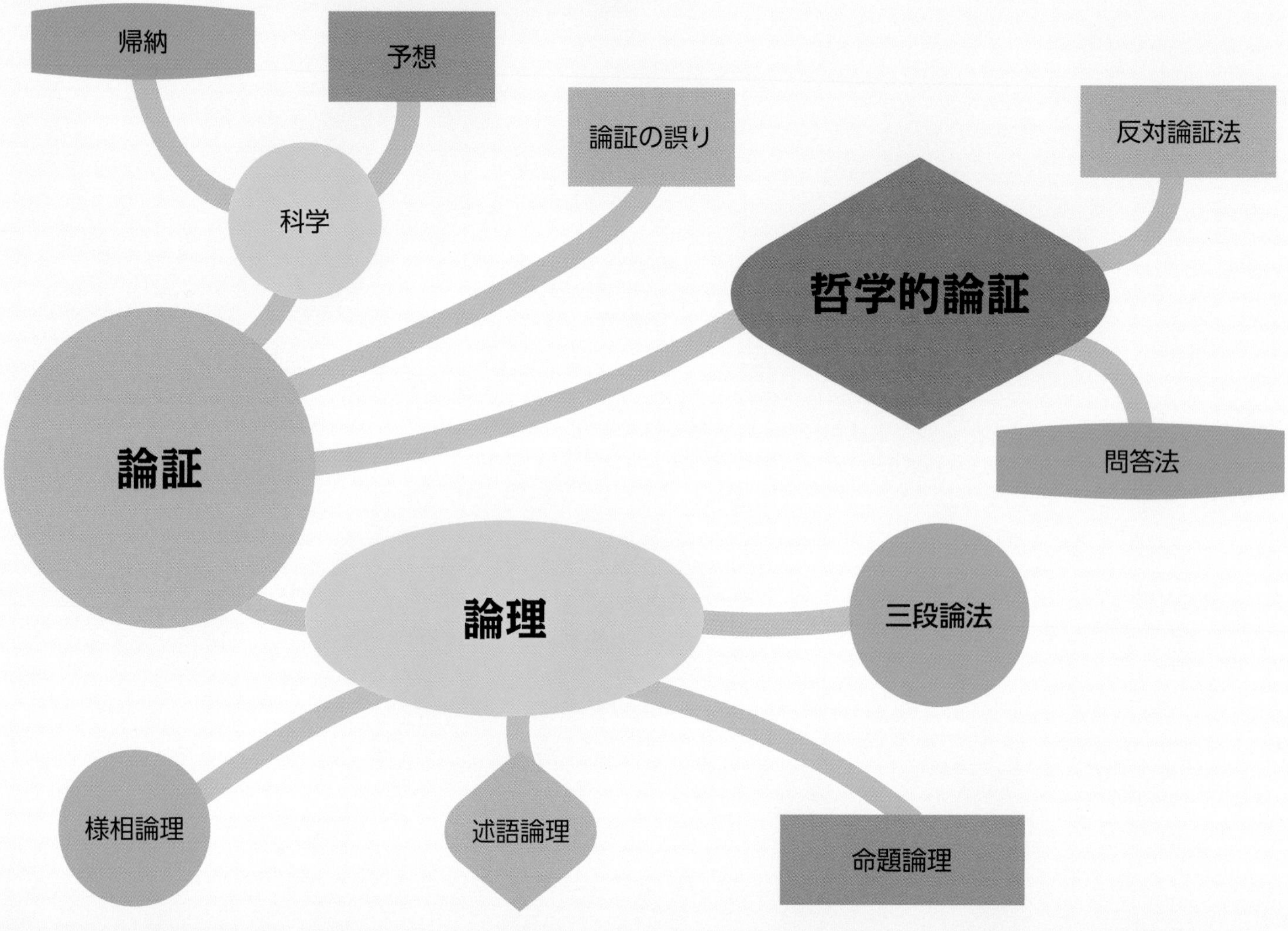

直接対話で哲学する

哲学が目指す究極の目標は，完全に合理的な答えを得ることです。これを達成するために，古代ギリシャの哲学者たちは対話を通して思索を深め，議論のテクニックを発達させました。合理的な答えを求めるには，まず，曖昧《あいまい》な主張に対して異議を唱えます。それから，「矛盾」を基準にして命題を掘り下げます。「一つの命題が真でありかつ偽である」ことは決して起こり得ないとする**無矛盾律**は，最も基本的な思考原理です。

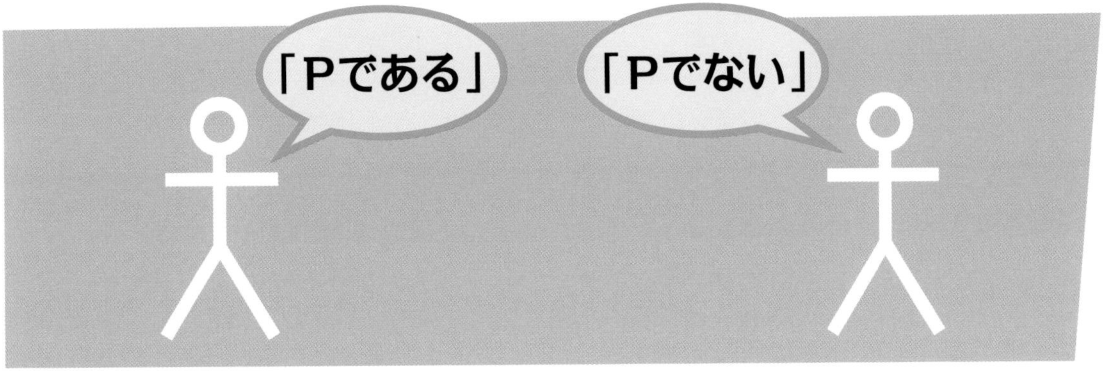

「Pである」と「Pでない」は同時に成り立ちません。

対話する二人がこの無矛盾律を認め，謙虚に互いの主張を受け入れれば，見解や反論を繰り返し交換し合うことで対話は前進していきます。この手法は，**問答法**と呼ばれます。問答法を習得すると，哲学的議論が驚くほど深まります。

問答法 ▶ 見解や反論を繰り返し交換し合うことで進化を目指す対話法です。

はじめのうちは，問答法といっても単なる会話にすぎませんでしたが，徐々にその重要性が高まりました。ポイントは対話の質。対話が興味深いものであること，明確な目標設定がなされていることも大切です。対話の進め方によっては，すばらしい見識を手にすることもできるでしょう。そのためには，単にそれぞれの意見を述べ合うだけでなく，理性を用いて論証を行わなくてはなりません。

ソクラテスは，問答法を使って哲学的議論を深めました。

ソクラテスの反対論証法

　さて，どこから論証を始めるべきでしょうか。弟子のプラトンが書き残したところによると，ソクラテスは，「一般に正しいと思われていること」をはじめに論じるべきだと考えていたようです。また，問答法のやり取りをベースに独自の方法（**反対論証法**）を構築しました。反対論証法では，まず，正義，勇気，法律，知識，友情，美などの重要な概念について相手の意見を求め，その概念を定義してもらいます。続いて，その定義に合わない実例を挙げ，相手に定義の見直しを迫ります。結果として，相手は自分の主張が矛盾していたことに気づきます。そして，前提としていたものに立ち返り，より深く考えざるを得なくなるのです。

　プラトンの著した有名な対話篇には，対話のテーマをより深く究明していく過程がつづられています。ただし，解釈しきれない混乱した記述も多く見られます。

プラトンの対話篇

プラトンは，約30巻の対話篇を書き残しました。問答法を取り上げたこれらの著作には，ソクラテスが多く登場します。有名なものを紹介しましょう。

- 『ソクラテスの弁明』
- 『ゴルギアス』
- 『パイドン』
- 『国家』
- 『饗宴』
- 『ティマイオス』

反対論証法 ▶ 対話相手に何らかの重要な概念を定義させてから，その定義に合わない例を挙げ，新しい定義を促す論証方法です。

反対論証法では，ある観念の定義をした者を問い詰めることで，真理へと導きます。

ギリシャ北部出身のアリストテレス（紀元前384～紀元前322）は，10代のときアテネへ行き，プラトンのアカデメイアに入学しました。そこで20年間研鑽《けんさん》を積んだのち，独立してリュケイオンという学校を創設しました。その生涯を通じて，生物学，修辞学，政治学，倫理学，神学，心理学などの幅広い分野に大きな影響を与えました。

プラトンに師事したアリストテレスは，合理的思考の働きをより深く分析しました。アカデメイアでは，目の前で進行する議論に注意深く耳を傾け，成功した論証と不成功に終わった論証のパターン（形式）を書き留めていました。代数と同じように議論の内容にアルファベット記号を付して詳細を省き，パターンのみを扱ったのが，アリストテレスの秀逸なところでした。論証で用いるシンプルな規則を見つけて，その規則でパターン同士をつなげたり，変形させたりすることができるように，さまざまな方法を考え，独自の形式論理を発展させたのです。

論理

アリストテレス論理の基礎となるのは，**三段論法**です。これは，二つの命題（議論の前提）から第三の命題（結論）を導く論証形式です。まずは，例を見てみましょう。

三段論法 ▶ 二つの命題から第三の命題を導く論証形式です。

「あらゆる木には根がある」　「この対象は木だ」

「この対象には根がある」

「あらゆる哺乳《ほにゅう》類には目がある」　「この猫は哺乳類だ」

「この猫には目がある」

「ナポレオンはトカゲだった」　「トカゲは魚類だ」

「ナポレオンは魚だった」

これら三つの三段論法は，同じ形式をもつことがわかります。ここで，最後の例を見てください。ナポレオンは魚という，とんでもない結論が引き出されています。論証の手順は正しいため，これら三つの三段論法はすべて**形式的に妥当**です。ただし，三番目の例では，最初の二つの前提もその結論も偽，つまり，間違っています。では，前提を変えてやってみましょう。

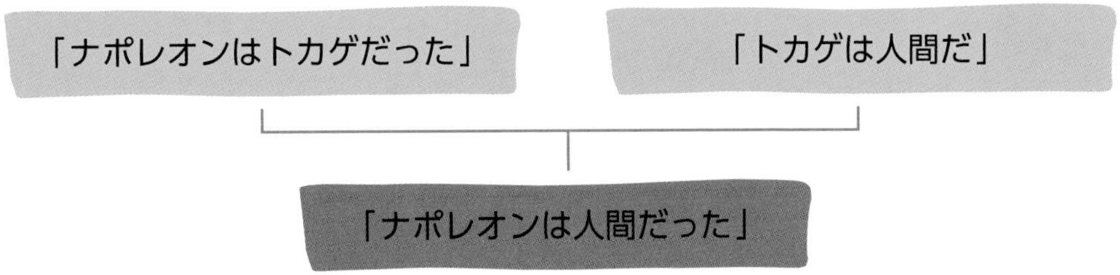

この場合は，ナポレオンは人間という真理（結論）を，妥当な論証形式で導き出すことができています。ところが，前提はいずれも偽です。したがって，命題の真偽と**論証の妥当性**は，切り離して考えなくてはなりません。前提から間違っていると，妥当な論証は行えても，結論が偽になる可能性を排除できないのです。

妥当な論証 ▶ 正しい前提から必ず真の結論がもたらされる，合理性の高い推論のことです。

真理と妥当性はかなり隔たりのある概念ですが，真理概念を用いて論証が妥当かどうかを確認することができます。二つの前提が真であれば結論も必ず真になるのは，妥当な論証形式です。前提が偽，たとえば嘘だった場合も，「妥当な論証」自体は行えます。ところが，そもそも前提が正しくないので，結論は偽になることも真になることもあります。一方，二つの前提が真でも結論が真になるとは限らない，つまり偽になる可能性があるのは，妥当でない（あてにならない）論証形式を用いた場合です。

哲学的に関心を集めたのは，三段論法においては，二つの前提が真であり，論証形式も妥当と考えられる場合，どんなに突飛な結論でも必ず真となる点でした。アリストテレスは，256通りの三段論法を見出しましたが，妥当であるとしたのはそのうちたったの19通りでした。

現代論理学では，アリストテレスの成果にいくぶん修正が加えられています。しかし，今でも揺るがない根本原理は，「人類が行うありとあらゆる論証はいくつかの形式に絞られること，命題の詳細に踏み込まなくても論証の妥当性がわかること」。これにより，コンピュータは（形式が正確であれば）大量の論理的思考を操ることができます。そうするためにぴったりだったのが三段論法というわけです。問答法と反対論証法に加え，第三の論証方法となった三段論法。この力強い論証方法を生み出したのは，アリストテレスの功績です。

命題論理

アリストテレスの三段論法は，「aはYである（たとえば，「木には根がある」）」のような形式をとり，単文（主部と述部のみの命題）のうち二つの項（主部と述部）の関係を分析します。しかし私たちは，完全文と完全文，関係性と関係性，可能性と可能性についても論証を行います。古代ギリシャのストア派は，完全文同士の関係を検証しました。ほとんどのストア派の文献は失われてしまいましたが，命題論理（文計算）と呼ばれる論証体系は，19世紀のジョージ・ブールによって改良され，形式化されました。

命題論理 ▶ 完全文同士の関係を論理として体系化したものです。

真理値表

命題論理では，数種類の結合子だけで，文と文との論理的なつながりを表します（たとえば，「しかし（but）」は，「かつ（and）」および「ではない（not）」と論理的に同じ意味をもつとされます）。これらの結合子は，それぞれ厳密に定義されます。二つの命題をそれぞれ命題変数PとQに置き換えて，考察してみましょう。

- 命題「PかつQ」は，PとQがいずれも真であるときのみ真となる
- 命題「PまたはQ」は，PとQの少なくとも一方が真であるときに真となる
- 命題「Pではない」は，Pが偽のときに真となる
- 命題「PならばQ」は，真のPが偽のQを導く可能性がないときに真となる

ジョージ・ブールは，さまざまな論理演算子を厳密に定義して，命題論理を体系化しました。

「真である」を「真」とし，「偽である」を「偽」として，次のページの**真理値表**上で結合子を定義してみましょう。

結合子に対応する命題記号を紹介します。

$\cdot$ 論理積「かつ（and）」
$\lor$ 論理和「または（or）」
$\neg$ 論理否定「ではない（not）」
$\rightarrow$ 含意「ならば（if…then）」

	命題P	命題Q	PかつQ P・Q	PまたはQ P∨Q	Pではない ¬P	PならばQ P→Q	
	真	真	真	真	偽	真	
入力値	真	偽	偽	真	偽	偽	出力値
	偽	真	偽	真	真	真	
	偽	偽	偽	偽	真	真	

これが，最もわかりやすい論理といわれる命題論理の記号言語です。エレクトロニクス分野では，命題論理を利用し，「真」と「偽」の代わりに「1」と「0」を使って回路のオンオフを自動的に切り替えています。結合子を定義してしまえば，シンプルな真理をもとに命題同士を組み合わせることで，真偽を証明することができます。ある命題が論理的に真であることを証明するためには，その命題が偽だと仮定すると矛盾が生じることで示します。たとえば「人間は魚類だ」と仮定すると「人間にヒレがある」ことが導かれますが，私たちにヒレはありません。ですから，この仮定は偽であることがわかります。

述語論理

文同士を扱う論理は確立されたものの，数学的論証を記述する論理はまだ見つかっていませんでした。これが発表されたのは，1879年のこと。このとき，ゴットロープ・フレーゲは，数とそのほかの存在物をさまざまな性質をもつ対象（**述語**）と位置づけ，これらをアルファベットで表現しました。

「a, b, c…」は定数をとる対象を，「x, y, z…」は変数をとる対象を，「F, G, H…」は対象の性質を表します（記号列は無限に続きます。たとえば，a_1, a_2, a_3…やx_1, x_2, x_3…など）。

「Ga」は，対象aが性質Gをもつことを意味しています。また，「Gx」は，一つ以上の対象xが性質Gをもつことを指します。

述語論理には，命題論理の結合子も組み込まれています。「Gx→¬Hy」は，「xがGならば，yはHではない」を表します（たとえば，「ドアが閉まっているならば，部屋は寒くない」）。

また，対象の**領域**も特定されるか仮定されます（「建物中のドア」「素数」など）。さらに二つの記号を加えて，命題がその領域のすべてに言及しているか，または一部のみに言及しているのかを示します。

- 記号∀は**全称量化記号**と呼ばれ，「∀x」は，「すべてのx…」を意味します。
- 記号∃は**存在量化記号**と呼ばれ，「∃x」は，「…を満たすxが一つ以上ある」ことを示します。

ゴットロープ・フレーゲは，数学的論証を記述する論理体系を生み出しました。

より踏み込んだ哲学領域では，このような記号を使って，次のような式をつくることができます。

$$\forall x \exists y((Fx \cdot Gx) \rightarrow Hy)$$

読み下すと，「すべてのxについて，『xがFかつGならば，yはHである』を満たすyが一つ以上ある」となります。たとえば，これをスポーツチームに当てはめてxは一人の選手，yは一人のファンとすると，「すべての選手が健康かつ無病であれば幸せなファンが一人はいる」という命題になります。

- **論理記号を習得する**

初めての人にとって，論理記号はいかにも難しそうに映ります。しかしこれらは，より厳密な分析哲学の礎です。まずは，これらの記号を習得すること。次に，記号と日常言語を対応させる方法を学ぶこと。さらに学びを深めたいなら，証明を行い，それらの結果を求めるのもよいでしょう。しかし，哲学では，証明に時間をかけることはあまりありません。述語論理は，主に，命題を厳密に記述して曖昧さを取り除くために使われます。

確立されて以降，その有用性と信頼性が明らかになったため，今日，述語論理は「古典論理」と呼ばれています。論理的思考のための唯一絶対の体系であるといわれることもあります。述語論理では，世界は特定の性質をもつ対象の集まりであると考えます。また，きわめて重要な点は，命題が必ず真か偽に振り分けられること。日常の会話では，こんなことはあり得ません。対象や述語の中には曖昧なものがあり，完全な命題でも真か偽かはっきりしないこともあるからです（さらに，命題が真かつ偽であるという場合もあり得ます）。古典論理の諸説は，このような問題を乗り越えようとして生み出されたのです。

様相論理

文と文を扱う命題論理も，特定の性質をもつ対象を扱う述語論理も確立されました。それでもまだ，形式化されていない論理的思考の領域が残っていました。それが，**様相論理**です。この論理体系では，述語論理に対象同士の関係性を加えます。「Lxy」（「yの左側にxがある」の意味）のような項を用いて，「Lxy→Ryx」（「yの左側にxがあるならば，xの右側にyがある」）と記述することができます。

哲学的に重要な**様相**の概念とは，可能性があるか，必然的かどうかを考えるものです。このため，様相論理では「必然性」と「可能性」を示す記号を使います。

□は「必然性」を，
◇は「可能性」を表します。

「必然的に真である」は「偽である可能性がない」と，「真である可能性がある」は「必然的に偽ではない」と同じです。そのため，◇と□は，互いの観点から定義することができます。さらに，「不可能」は「真である可能性がない」と同じです。これらの記号は，単文の項に付記されます。たとえば，「◇Gx」は「Gであるかもしれないもの」という意味です。また，文全体に付記されることもあります。「□x(Gx·Hx)」は，「GかつHであるxが必ず存在する」となります。この二つの記号を用いることで，述語論理と同じように，様相命題を厳密に解釈したり，それらの証明を行ったりすることができます。

様相論理の重要な側面として，可能世界意味論があります。あらゆる論理体系には，形式言語（たとえば，記号「真（T）」「偽（F）」）と，それ

「ロバは言葉を話すかもしれない」を論理的に表現すると，「ロバが言葉を話すような可能世界がある」となります。

が表現することとの対応を論じる意味論があります。47ページの真理値表は，命題論理に対する一般的な意味論を示しています。

「ロバが言葉を話す可能性がある」という命題を可能世界論で標準的に表すと，「ロバが言葉を話すような可能世界がある」となります。

「正方形には必ず四つの角がある」とは，「あらゆる可能世界において，正方形は四つの角がある」です。

可能世界同士の関係は，さまざまな角度から定義することができ，様相論理のさまざまな体系へと派生します。派生した体系は，それぞれ異なる意味をもち，時間や義務などの異なるテーマを論証するのに適しています。可能世界という枠組みは論理的にはすばらしいものですが，哲学的にはやはり問題があるとされています。それにもかかわらず，必然性や可能性の議論を整理しようとするときに，これほど便利なものはないのです。

- **科学的論証と証拠の検証**

合理性を追い求めるなら，論理のみならず，ほかにも多くのことが必要です。中でも重要なのは，証拠の検証です。動物も，ねぐらやエサを探したり敵を避けたりするときに，証拠を検証します。優秀な探偵が優秀といわれるのは，証拠のうちの実に細かい要素まで巧みに検証するからです。それを言葉にするのは難しい（「何かがおかしい」としか言えない）ときもありますが，細部の検証は実に合理的な行いです。証拠を合理的に検証することで，自然科学という学問は大いに栄えました。

証拠の検証は非常に合理的ですが，論理とは異なります。

帰納と自然観察

科学で主な証拠となるのは，自然界の活動パターンです。一度きりの現象は，偶然のなせる業かもしれません（例：犬がたまたま猫に出くわした）。ある対象がもつ特徴は，事故によるものかもしれません（例：足が五本しかないクモ）。ところが，ある事象が何度も起こるとき，ある種類のものすべてに共通する特徴があるとき，事象同士や特徴同士で一定の類似点があるときには，私たちは自然について多くの知識を得ることができます。「自然界で繰り返されることは，普遍の真理を表す」と考える論証方法を，**帰納**といいます。「重力は地球の中心に向かう」「稲妻は荒れ模様の空から発生する」といいますが，長い年月をかけて何度も何度も観察を行った結果，人類はこのように主張できるようになりました。それこそ数え切れないほど雲から稲妻が走るのを観察したのち，理性に基づいて，これはどんなときにも当てはまると考えるようになったのです。これは，一種の論理かもしれません。

「帰納は経験から得た学びにすぎない」という考えは，きわめて理にかなっています。帰納が論理のように厳密なものであれば，科学に貢献できたことでしょう。しかし，帰納には不確実性の問題があることは有名です。1748年にイギリスの哲学者デイヴィッド・ヒュームが問うたように，「一例からではそうと推論できないものが，千例からであれば推論できる」のはなぜでしょうか。稲光が走るのを何度目撃すれば普遍の法則となり得るのか，厳密な論理では示せません。1000回観察したとしても，間違っている可能性は残ります。私たちが巨視的に観察できているかどうかはわからないのですから。

稲妻が落ちるのを何度も観察することで，「必ず荒れ模様の空から発生する」ことがわかります。

予想の力

そこで役立つのが**予想**。帰納にこの力を加えます。いつ稲妻が落ちるか（「いつ地震が起こるか」でも構いません）を予知できれば，ただ観察を重ねるよりもずっと目覚ましい効果が得られます。しかし，これも論理の厳密さには及びません。よく自宅の前を通る人がまた通ることを予測できるように，私たちは何かを期待して待つ習慣があるときに，それを予測します。しかし，「すごい」予想は，もっと複雑で驚きに満ちたもの。繰り返しから推定する習慣とは異なり，予想対象を深く理解できていなければなし得ません。76年ごとに地球に接近するハレー彗星の通過を予測することは，さほど難しくありませんが，地震は違います。予知できるようになれば，証拠に基づく科学的論証の偉大な勝利となるでしょう。

地震を理解するには，地震の発生パターンを経時的に記録するだけでは足りません。今日の人類は，プレート理論という学説を発展させ，地球の地質学や力学の数学的理論についてより多くの情報をもっています。こうした科学の成果は，さまざまなルートを通じて得られるため，今や帰納の厳密な論理は大きな問題になりません。単なる繰り返しよりも説明に重きが置かれ，さまざまな情報をはらむ広範なパターンに適合するストーリーを見出すことがリアルな目標です。優れた予想は，あくまで有用な副産物であり，理論そのものをテストする方法なのです。

哲学的論証

哲学にとって，証拠は現実を知るために重要です。また，論理は厳密さを得るために重要です。しかし，哲学は，独自の論証方法も発展させました。それは，問答法と反対論証法という対話手法から始まっています。

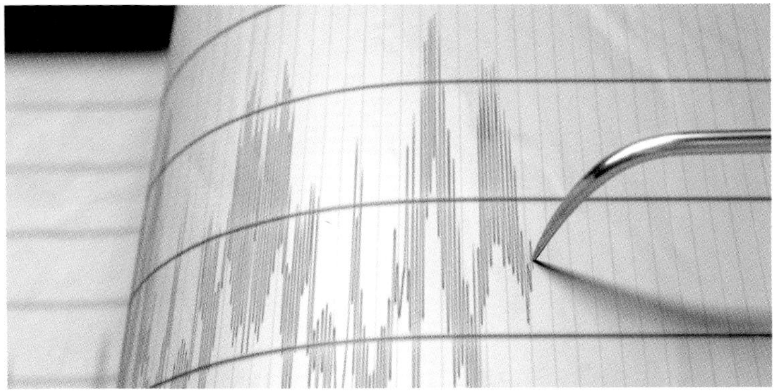

ハレー彗星の通過を予測するより，地震を予知するほうがはるかに難解です。

パラドックス

パラドックス（逆説）とは，哲学的論証のつまずきですが，新しい考えを刺激する一面もあります。たとえば，**嘘つきのパラドックス**。「この文は偽である」という文の真理はどこにあるかを問うものです。この文が真であれば，その文は偽でなければなりません。ところが，この文が偽であれば，その文は真でなければなりません。このパラドックスは，2000年以上にもわたって哲学者を悩ませ続けましたが，アルフレト・タルスキはこれを探究・整理して，新しい真理論を打ち立てました（34ページ参照）。

次に，**砂山のパラドックス**。ひと粒の砂は砂山ではなく，ふた粒の砂も砂山ではないが，このように砂を増やし続けると，いつか砂山になる。だが，どの時点で砂山になるのか。雲やはげ頭のように，定義が曖昧なものの扱いについて考えるときに，このパラドックスが用いられます。

また，宝くじのパラドックスもあります。100万人が購入した宝くじ。そのうちの一枚を買った人がいます。はずれる確率が非常に高いにもかかわらず，買った本人はそのくじがはずれることを認識することができないというパラドックスです。これは，知識の正当化（証明）を研究する人には，興味深いテーマかもしれません。

どれほどの粒があれば，山になるのでしょうか。

論証の誤り

- **無限背進**：物事の説明をするときに，さらにその説明が必要になり，これが無限に続くこと。
- **論点先取**：説明においてそれ自身証明を必要とする命題を前提として採用すること。
- **循環**：Aを説明するのにBを使い，Bを説明するのにAを用いること。
- **人身攻撃**：その人の主張に反論するのではなく，主張した人の性格を攻撃すること。
- **カテゴリー錯誤**：「結婚式のどの場所に幸せがあるか」という質問のように，言葉間の属性が食い違うこと。

哲学者は，「もし……ならばどう考えるか」という問いを定期的に発して，自らの理論に関連する状況を頭の中で想定します。これは思考実験と呼ばれ，多くのものが世に知られています。

- 姿が見えなくなる指輪をもっているので罪を犯しても捕まらないとしたら，どう行動するか。
- ある日，無学な貧者の身体に教養ある王子の心が入ったとすると，どうなるか。
- 五人がいる線路へと暴走するトロッコを一人がいる線路へと切り替えられるとしたら，切り替えるか。

それぞれの思考実験は，倫理面や個人の人格を検証するように構成されています。物理実験のように，答えがどのように結論を左右するのかわかるように，細部を調整することができます。

思考実験 ▶ 可能なシナリオを想定し，思考によってその結果を吟味することです。

おそらく，哲学の議論で最もよく使われるのは，ある主張が普遍の真理ではないことを示す**反例**です。倫理の黄金律（「人にしてもらいたいことを人にしてあげる」）が正しいと主張する人がいるとします。この場合，「あなたが正しいとすると，プレゼントとして『相手が欲しいもの』ではなく『自分が欲しいもの』を贈ればよいことになる」と反例を示して，黄金率が成り立たないことを証明することができます。言語哲学の立場からの「意味は個人の心の中に生じる」という主張に対し，アメリカの哲学者ヒラリー・パトナムは次のような反例を示しました。「木の専門家にしかわからない正確な意味は知らないが，私は『ニレの木』という言葉を使っていますよ」。このように問題点を発見することは，哲学において重要なスキルなのです。

反例 ▶ いわゆる「普遍の真理」を裏づけるために使われます。

専門家にしかわからない厳密な意味を知らなくても,「ニレの木」という言葉を使えます。

アリストテレス，キュニコス派，キュレネ派
（紀元前380〜紀元前320）

アリストテレス（紀元前384〜紀元前322）は，10代のときアテネに行き，プラトンのアカデメイアで20年間学びました。その結果，あらゆる分野に通じた偉大な哲学者として大成しました。特筆すべき点は，師プラトンのイデア論を退けたことです。代わりに，あらゆるものはそのさまざまな要素がもつ普遍的な性質（形相《エイドス》）によって成り立っていると考えました。アリストテレスは動物を研究対象としたことから，生物学の祖といわれます。また，成功した議論形式を三段論法として示し，独自の形式論理学を発展させました。

アリストテレスは，さまざまな分野の著作を残しています。中でも『大道徳学』は，善とは何かを考えるうえで最高の一冊だといえるでしょう。また『政治学』は国家の種別について論じ，当時の民主主義を擁護しています。さらに，物理学に関する著作で原子論を否定，『魂について』では心（精神）を探究し，心は身体の本質だと説きました。

アカデメイアを去ったアリストテレスは，若き日のアレクサンドロス大王の個人教師を務めたのち，リュケイオンという学校を創設しました。中世ヨーロッパでは「知の第一人者」として絶大な人気を誇りましたが，ルネッサンス時代になると，科学上の誤りが暴かれて評価は下がりました。とはいえ，現代においても重要な哲学者だと考えられています。

ソクラテスの思想を直接受け継いだ学派はプラトン派でしたが，彼の影響を受けた学派の一つキュニコス派は，ソクラテスのシンプルな生活スタイルや周りの人に対する批判的な態度を踏襲しました。**シノペのディオゲネス**（紀元前412頃〜紀元前323）は，古代ギリシャで悪名を馳せたキュニコス派の哲学者です。恥も外聞もない，実にあけっぴろげな人生を送りました。また，街から街へと放浪し，自らを「世界市民」と称しています。アテネでは，市場に置かれた酒樽の中で寝起きしていました。それにもかかわらず，ディオゲネスはいたって真面目な哲学者で，人間はより批判的に物事を考察するべきだと説いています。

古代ギリシャでは，「快楽」と「徳」の相反する二つの主張が，道徳論の中心になっていました。このうち，キュレネ派は快楽を推す学派でした。**大アリスティッポス**（紀元前455頃〜紀元前356頃）とその孫である**小アリスティッポス**（紀元前380頃〜？）は，いずれも次のように主張しました。「誰でも道徳にかなった振る舞いをすることはできる。ただし，ほとんどの人にとって大切なのは自分の快楽である」

さすらいの哲学者だったシノペのディオゲネス。あるときは巨大な酒樽の中で暮らしていました。

第4章

存在

存在論 ― 物体 ― 変化 ― 実在論 vs 反実在論

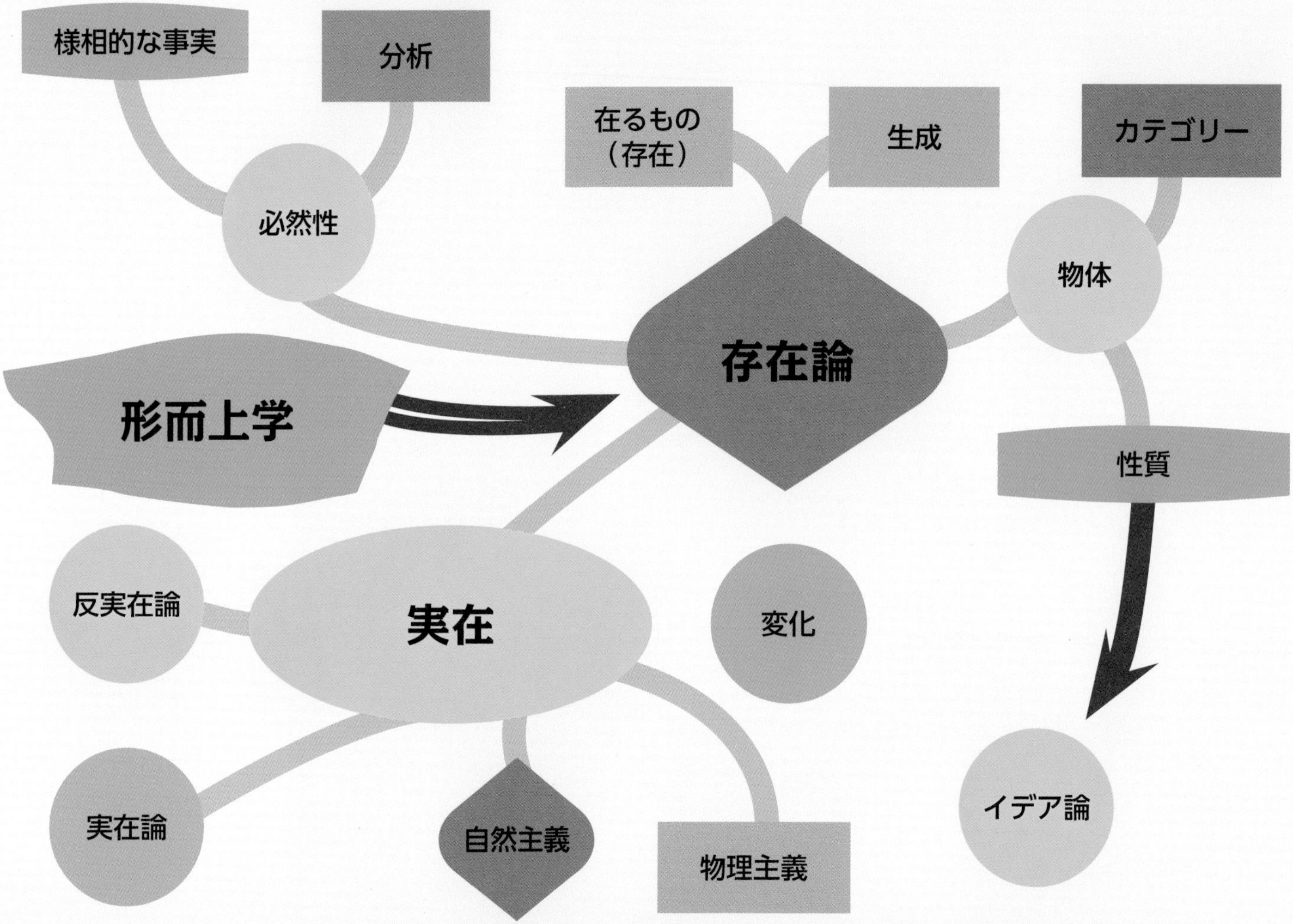

存在論：存在とは何かを問う学問

哲学は普遍の真理を追い求めます。中でも，その一派である**形而上学**は，私たちが知り得ることのうち，最も普遍的な事柄に注目します。形而上学では，物理学上の仮説・前提（時間，空間，物体，法則），人間の営みに関わる仮説・前提（精神，人格，価値），超自然的なものについての信念，「存在」の究極の目的などをテーマに思索を深めます。

形而上学 ▶ 物理学上の仮説・前提（時間，空間，物体，法則），人間の営みに関わる仮説・前提（精神，人格，価値），超自然的なものについての信念，「存在」の究極の目的などを探究します。

パルメニデスの哲学は，詩の形式で断片的に残っています。

形而上学の一部門であるにもかかわらず広範なテーマを扱うのが，存在の哲学，**存在論**です。「すべてのものは存在している」ということは，歴然たる事実なのか，それとも奇想天外な流説なのか。哲学では，存在というものを完全に解明できるとは思っていませんが，人間が知り得る限りまで，このテーマを究めようとしているのです。

史上初めて存在への重大な問いを投げかけたのは，古代ギリシャの哲学者パルメニデスでした。彼自身が書き残したものは，ところどころ抜け落ちた一片の詩のみです。その詩の前半部分はかなり残存しており，実在の本質を説いています。ただし，人が経験する変化は幻にすぎないと説いた後半部分は，断片的にしか残っていません。

ゴットフリート・ライプニッツは，あらゆるものが存在する理由を問いました。

在るもの

パルメニデスは，存在の本質を「在るもの」と表現しました。「在るもの」と「ないもの」との差異。存在することの必然性。変化することのない「在るもの」と，存在が変化してほかのものになる「生成」の対比。表面的には多様であっても「在るもの」には統一性があること。パルメニデスの詩は，これらに感銘を受けたものだといえるでしょう。後代のプラトンはこれを補足して，「在るもの」は活動するもので，そうでなければ人間には捉えられないはずだと述べています。

この，存在の究極の問いに対する議論は，古代世界ではあまり盛り上がりませんでした。しかし，1697年，ドイツの哲学者ライプニッツは，この問題を俎上《そじょう》に載せました。いわく，「なぜ何もないのではなく，何かがあるのか」。ライプニッツ自身は神の存在をもち出して回答としましたが，現代宇宙論でもこの問いは検討する価値があると考えられています。「在るもの」に関わる問い（存在の謎）は，19世紀以降の大陸哲学でも再び浮上しました。さらに，1927年，ドイツの哲学者ハイデガーは，自己の存在に関心をもつ存在者としての人間を指す「現存在」という概念を導入して，存在論に新しい刺激を与えました。

物体

古代ギリシャの大哲学者アリストテレスも存在の問題に取り組みました。彼は，「在るもの」という概念よりも，実際の物体のほうが扱いやすいテーマだと捉えました。物体の本質を解明することこそ，存在の謎の核心に近づく行為なのではないかと考えたのです。後代の存在論でも，この見解がおおむね採用されています。物体にもいろいろありますが，それらはみな以下の性質を備えています。

- 統一性（それ自体一つの存在であること）
- 特徴的な挙動
- 特定の型

アリストテレスはこれら三つを示して，あらゆる物体には**本質**（それによって物体を物体たらしめるもの）があると仮定しました。

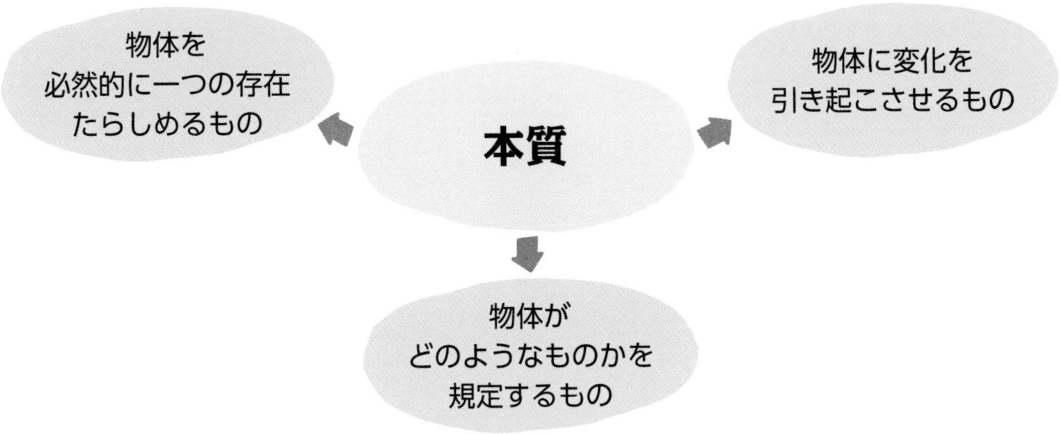

物体 ▶ 本質や属性をもち，統一性，特徴的な挙動，特定の型があります。

アリストテレスは，物体の本質を見つけ出すことで，
その統一性，挙動，型を解明できると説きました。

それぞれの物体は，複数の**属性**（性質）を備えています。属性は，あくまでその物体の側面としてしか存在しません。その物体に必然的な面もありますが，**偶然的**な面もあります。こうした物体の本質が，自然の挙動を引き起こしているのです。中世以前に活躍したアリストテレス派の科学者たちは，現代のように法則に基づくのではなく，物体の本質を示すことで自然を解明しようとしています。

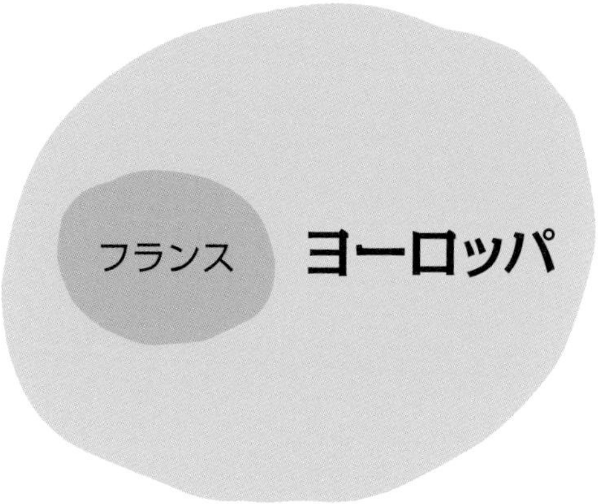

存在の構成を説いたアリストテレスの思想は，近代科学が起こるまで，絶大な影響力を及ぼし，一般論として受け入れられていました。アリストテレスにとっては，生物が最もわかりやすい「物体」でした。それぞれの生物にははっきりとした統一性があるからです。しかし，アリストテレス形而上学の立場から見たのでは，生物以外の物体にはたくさんの難点が生じます。

- 自転車は一つの物体だが，分解するとそうではなくなるのだろうか。それをもう一度組み立てると，どうなるのか。
- 一つの物体は，ほかの物体と重複することはあるか。フランスはヨーロッパの一部だが，フランスとヨーロッパは別々の物体か。
- 変化する要素が多い集団は，一つの物体か。
- 電子の位置が境界ではなく統計で決まる場合，電子は一つの物体か。

現代には，アリストテレスの見解を完全に否定する説があります。その説では，私たちの捉え方次第で，ばらばらの構成要素からでも一つの物体を成すことができると考えます。また，ほかの説では，時空の一部を一つの物体とみなし，電子のような曖昧《あいまい》さに対しては，「物体」という概念自体を放棄してもよいのではないかとしています。現代では言葉の意味も拡大され，数などの抽象的なものも物体と考えられることがあります。

現代の見解では，たとえばばらばらであっても，複数の構成要素から一つの物体を成すことができます。

性質

古代ギリシャでは，物理的な物体は根底のようなもので，これに性質が結びついて目に映る特徴や個性をもたらすとされました。しかし，現代の形而上学では，この見解は筋が通らないと考えられています。

すべての性質が根底となるもの（物体の**基体**）に結びつくとすると，その基体自体は何の性質ももたないはずです。では，基体とは何でしょうか。物体は，性質がなくては成り立ちませんし，基体がなくては単なる性質の集まりです。これらの性質は何に属するのか。諸性質を一つにまとめているのは何か。納得できる答えはまだ見つかっていません。

それでも私たちは，熱くて，重くて，赤い球形の物体には何らかの性質があると考えます。物体そのものとは別に，性質だけについて論じることもできます。ほかの物体にも，同じ性質をもつものがあるからです。

プラトンのイデア論 ▶ 性質や理想化されたより大きな概念（イデア）は，実際の事物に具現化されなくても，それ自体が存在物だと考える思想です。

「赤」は，物体の性質です。その物体とは別に「赤」という性質だけを論じることができます。

アリストテレスの師プラトンは，**イデア**という概念を導入して，物体とは別に「赤さ」などの性質だけを取り出して論じることができると唱えました。また，物理界とは異なり，イデアの構造は不変なので，世界のありようをイデアで説明できるとしています。アリストテレスはこのイデア論に納得しませんでした。曖昧な「赤さ」という性質を物理的な事物に具現できるのか，現実に何の変化も引き起こさなくても何が赤さか知ることができるのか，不透明だと思ったからです。数学が独立した存在であることを主張する現代プラトン派もいますが，物理的な性質のほうがより現実に近いといえるでしょう。

ところが，私たちが使う言語には，プラトンの見解を裏づける部分があります。「赤」という言葉の意味を考えてみましょう。よく見かける色のことですが，一つの事例を指すものではありません。太古の物体や未来の物体，存在する可能性がある物体を「赤」と言ったり，色そのものを「赤」と呼んだりします。言葉は人と人が話し合うためにあるものですから，その意味には一貫性が求められます。このような言葉「赤」は，**一般概念**，つまり，一つの概念でありながらたくさんの事例に当てはめられる言葉なのです。

一般概念 ▶ 一つの概念でありながらたくさんの事例に当てはめられる言葉です。

「赤さ」が存在するというイデア論を否定するなら，ほかの説明を考えなくてはなりません。赤さは観念にすぎないから，「赤」という性質は実在しないのでしょうか。「赤」が当てはまる諸事例はそれぞれ異なり，一つひとつが特定のものでありながらほかの赤いものに似通っていると考えることができます。また，言語の側面から見ると，会話の文中にある述語が性質を表します。これによると，「赤」も「赤ではない」も，「赤い物体から３mの距離にある」も性質なのです。

カテゴリー

赤さはたくさんの物体に当てはまることから，それらの物体をまとめて「赤いもの」と呼ぶことができます。このようなまとまり（カテゴリー）は，現実の一部を表しているといえますが，常にそうとは限りません。きわめてエキセントリックなカテゴリーが成立してしまうこともあるからです（同じ「食器棚」カテゴリーでも，外国の食器棚にはなぜ？というようなものが詰まっています）。カテゴリーによっては，世界のありようではなく，人の好みや関心だけを映し出すものもあるのです。

言語を最重要視する学派では，現実を表すカテゴリーは存在しないと考えられています。生物の種はかなりはっきりしているため，生物カテゴリーは物質界の一部を表すように見えます。しかし，雲のカテゴリーはどうでしょう。積雲，乱雲などがありますが，生物に比べて厳密さは低くなります。もう一つは，海のカテゴリー。船での輸送計画を立てるために海を海域

現実を表す永続的なカテゴリーは：

- 存在しない（人間にとって便利なだけ）。
- 自然を表す。現実に存在する世界をとてもよく反映している。
- 人間の精神の構造を反映する。人は物質にもこの構造を当てはめてしまう。

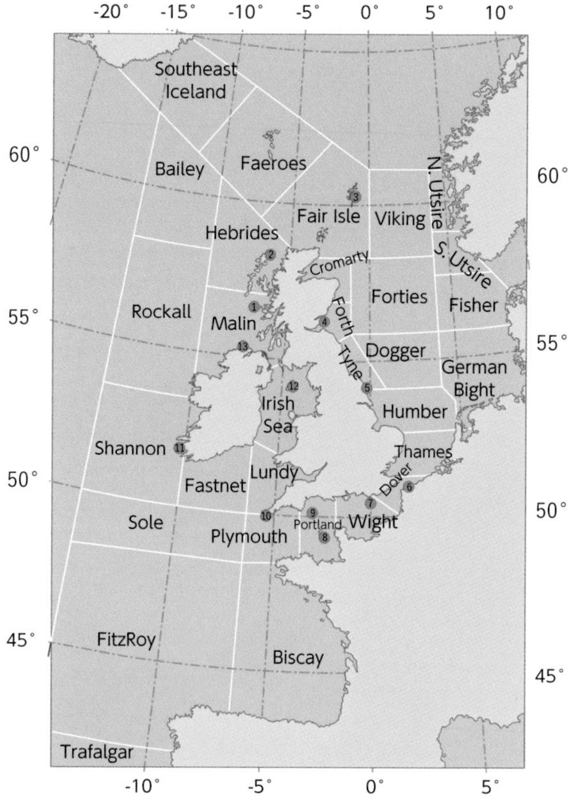

海域は本当の境界線を表すのではなく，人間にとって便利なカテゴリーにすぎません。

に分けて考えるのは，便利だからという理由でしかありません。海域は，決して現実に存在する境界線を示しているわけではなく，言葉の上のものにすぎないのです。

多くの場合，自然カテゴリーを主張する立場は動物の種に注目します。また，賛否両論あるにせよ，元素周期表は真に自然カテゴリーの好例といえるでしょう。あらゆる金原子は同一だとすると，金原子カテゴリーがあることは否定できません。しかし，金を単一のものと考えるのは，原子の電子殻が一つひとつ異なる状態にあることをあえて見過ごしているという批判もあります。

これらのカテゴリー分けは，創造（経験に基づいて世界を構築すること）とも，限定（限られた視点のみに絞ること）とも捉えられます。たとえば，ドイツの哲学者カントによると，物体に統一性があるのは，隠された本質があるからではなく，一つにまとめなければならないという人間の事情によるものです。さらに，稲光が雷を引き起こすという原因の推定は本当には存在せず，人間の精神が生み出したものなのです。存在論では，存在するものだけでなく，存在物のうちにある道理《ことわり》や構造にも思いをめぐらせます。そのため，カテゴリーや関係性は物体や性質と等しく重要だと考えられています。

変化 — 実在のプロセス

存在論は，物体，性質，カテゴリーを永遠に変わらないものとして扱います。ところが実際には，現実は絶え間なく変化します。これに対し，古代ギリシャの哲学者ヘラクレイトスは，「同じ川に二度入ることはできない」という言葉で応じました。つまり，（私たちが物体と呼ぶ）川はあまりにもよく変化するため，本当の存在物にはなり得ないとしたのです。この考えに基づく存在論では，実在とは物体ではなく「プロセス（過程）」だと捉えます。これによると，硬い岩でできた山も，物体ではなく，浸食や断層のズレによるきわめてゆっくりとしたプロセスなのです。

実在 ▶ 物体ではなく「プロセス（過程）」です。

日常生活では，徐々に熟していく果物のように変化する物体は至って普通です。しかし，プロセス視点で見ると，そこには問題があります。

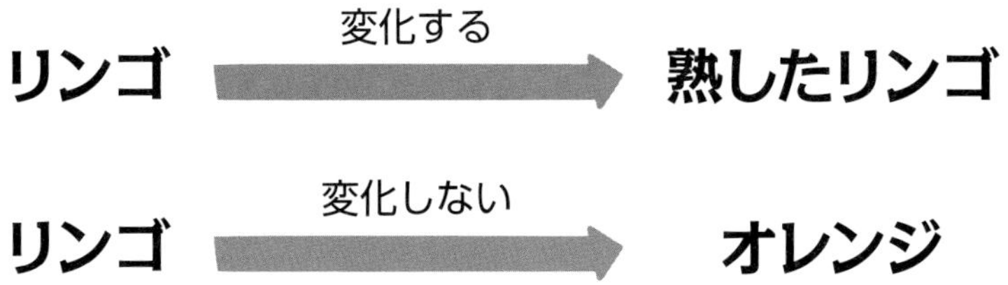

イマヌエル・カントは，カテゴリーを「創造」と「限定」に分けました。

思考実験：テセウスの船

古代ギリシャのアテネでは，英雄テセウスの船を保存していました。メンテナンスのために，古い船の板材を定期的に取り替えなくてはなりません。新しい板材に入れ替えてしまっても，まだ船は「テセウスの船」でしょうか。物体は，さまざまな部品からなっています。小さな変化なら気になりませんが，すべての部品を入れ替えてしまえば，それはもはや別の物体ではないでしょうか。さらに，取り替え後の板材を別の船に再利用すれば，その船こそ「テセウスの船」といえるかもしれません。船は物体ではないと考えるべきなのでしょうか。それともオリジナルの部品だけが「テセウスの船」を形づくっているとするべきでしょうか。

テセウスの船が描かれたつぼ。新しい板材に取り替えてしまっても，テセウスの船はまだ同じテセウスの船だといえるでしょうか。

これが正しいとすると，変化を通しても変わらない「何か」があることになります。リンゴを「性質をもった基体」と捉える場合，性質のみが変化して基体は残ります。しかし，性質のない基体はかなりおかしな存在です。リンゴに基体はなく単なる性質の集合体だと捉える場合，変化が起きると，また別の集合体に変わることになります。そのリンゴが，リンゴでない何かに変化したかどうかを知るためには，そもそもリンゴとは何かを知らなければならないのです。

現代には，リンゴや船などは空間の広がりの中に一定の時間存在しているという，**四次元主義**アプローチがあります。たとえば，あるリンゴがあります。表側は傷んでいますが，裏側はおいしそうです。また，ある瞬間にはまだ熟していませんが，別の瞬間には熟しています。「熟したリンゴ」を見ている人は，その物体（リンゴ）の時間的，空間的に限られた一部，つまり**タイムスライス**を見ているのです。相対性理論を踏まえたこの説によると，正しい無限の視点で物事を眺めたとき，変化はリンゴがもつ特徴ではないのです。

従来の見解：

現代の四次元主義アプローチ：

実在論 vs 反実在論

基本的な実在のさまざまな側面について，いくつかの理論を紹介します。また，実在全体を問う説もあります。

実在に対する姿勢

反実在論

物体，性質，カテゴリーの実在に懐疑的な立場です。

強い反実在論：もはや「実在」をテーマにしません。思想，概念，経験，言語における秩序と実用的な成功に満足して，それがどんな意味をもつのかは放念すべきとします。

弱い反実在論：「実在」を語ることはありますが，「自然をその分節で切り分ける（世界を境界線で分ける）」（プラトンの言葉）のは，人間の精神活動を表すだけであり，知られざる世界のありようがわかるわけではないと考えます。

実在論

実在があると考え，できるだけ本当の境界線（カテゴリー）を見つけようとする立場です。この見解では，実在の本質について，より確かな議論を展開します。ほとんどの科学は実在論寄りで，実在を明らかにする姿勢をとりますが，量子物理学は反実在論寄りであり，数学的記述によるものだけを受け入れます。

自然主義

超自然的なものなどないとし，存在するすべてのものは「自然」の一部だろうと考えます。たとえば，一般的に超自然的だと考えられる幽霊などは真っ向から否定されるように思えますが，幽霊も自然の一部だとする見方もあります。

物理主義

物理の基本原理を除いて，存在するといえるものはないとする立場です。あらゆるものは物理的な存在だと考え，物理学者の識見に従って「物理的なもの」とは何かを決定します。この見解に最も強く反発したのは，現実の超自然的な側面と固く結びついている宗教でした。また，プラトン派もこれに反論し，数学，論理，必然性，倫理的価値など，物理界の外にもあらゆる種類の真理があると主張しました。さらに，人の精神は物理的なものではないと反論する立場もあります。

様相的な事実 ▶ 真であるべきもの
▶ 真である可能性があるもの
▶ 真である可能性がないもの

形而上学的な必然性 ▶
「あらゆる可能世界において真である」などの大きな主張によります。

自然学的な必然性 ▶
重力のように自然の法則によります。

分析的な必然性 ▶
言葉や概念の意味によります。

「電車に乗らなくては」は，局所的必然性があることを意味します。

必然性と可能性

実在についての存在論的な事実に加え，様相的な事実もあります。ここでは，実在について真であるべきもの，真である可能性があるもの，真である可能性がないものを検証します。物体の材質と性質のみならず，物体の**様相的側面**，つまり，物体に関連する諸々の可能性も検討することができるのです。大きく捉えると，真偽いずれかであるべき特徴をもつ実在が，真偽いずれであるかにかかわらず，その様相的側面全体を探究することができます。

「最終電車に乗らなくては」という言葉には，短期的な局所的必然性が含まれます。「あらゆる存在は必然的に良いものだ」というのは，（それが真であれば）どんな場所にもどんな場合にも当てはまります。必然性の種類は，以下の二つによって分けられます。

・言及するものの範囲
・原因

あれを達成したければこれをしなければならないという，局所的必然性は別として，範囲によって必然性を分けると，**形而上学的な必然性**と**自然学的な必然性**になります。形而上学の分野では，最も大きな主張がなされています。自然学的な必然性は，「自然の法則を鑑みて」真とされる重力などです（ただし，ほかの現実では異なる可能性もあります）。

電車は，局所的必然性を引き起こします。あらゆる可能な実在は，形而上学的な必然性かもしれません。PがQを意味し，QがRを意味する場合，必然的にPはRを意味します。これは，論理の中核を成す含意から生じる**論理的必然性**です。

常識論理（「昼食に招く四人には，四脚の椅子が必要だ」）にもそれなりの必然性がありますし，古典述語論理も同様です。ただし論理にはさまざまな体系があり，それぞれに特有の必然性があります。一つの論理体系において必然とされる命題は，ほかの形式では必然ではないこともあります。

分析的な必然性

さらに，言葉や概念の意味に起因する**分析的な必然性**もあります。一足のブーツが二つのブーツからなること，海が水を含むことが必然的なのは，それが言葉の意味だからです。しかし，事実をどう記述するかによって必然性は変わります。「数字の7は，必然的に数字の8よりも少ない」と言うのは正しいものの，「1週間の日数は，必然的に8未満だ」とは言えません。週の日数は，たまたま8未満だったのであって，絶対に8未満でなくてはならないわけではありません（一週間が7日なのは絶対不変ではなく，10日にしようと思えばできないことはないからです）。アメリカの分析哲学者ウィラード・クワインは，記述が必然性を左右するため，必然性の概念は曖昧だと述べています。現代の経験論では，必然性とは分析的な必然性だけだとする傾向があります。論理的必然性は見方を変えた分析的な必然性で，自然学的な必然性と形而上学的な必然性は，経験では捉えられないからです。必然性についての大きな形而上学的な主張は，純粋理性の洞察に基づいています。したがって，合理論からは支持されていますが，経験論からは忌避されています。

伝統的に，必然性の種類やさまざまな事例を求めることは，哲学が掲げる最大の目標でした。ただし，現実の社会では，可能性により多くの関心が集まり，必然性（避けられないこと）は黙殺されています。

ウィラード・クワインは，記述で左右される必然性の概念に懐疑的でした。

エピクロスは，幸せになるためには，感覚で得られる快楽を追求するべきだと唱えました。

エピクロス派，ストア派，懐疑論
（紀元前320 ～紀元前100）

アリストテレスの死後，アテネでは四つの学派が隆盛をきわめました。まずは，プラトンの教えを受け継いだアカデメイア派。その後，きわめて懐疑的な理論へと移行しました。次に，エピクロス派。感覚経験と控えめな快楽を重視しました。さらに，アリストテレスの教えを受け継いだ逍遥《しょうよう》派。そして最後に，純粋な徳こそが重要だと説いたストア派です。

エピクロス（紀元前341 ～紀元前270）は，プラトンのイデア論と問答法への傾倒に異議を唱え，明確な言葉の使い方に注目しました。エピクロス派は，感覚で捉えられる合理的な快楽（とりわけ，友情）を追い求めること，視点を切り替えて死の恐怖を取り除くことで，生きている間の幸せを目指そうとしました。古代ローマの詩人・哲学者ルクレティウス（紀元前99 ～紀元前55）は『事物の本性について』を著し，原子論に基づく，エピクロス派の科学的見解の全容を解説しています。エピクロス派は，人間は完全に物理的な存在だとしながらも，神々の役割を大きく限定して自由意志の概念を擁護しています。

ストア派は，**キティオンのゼノン**（紀元前334頃～紀元前262頃）によって創始されました。**クリシッポス**（紀元前279頃～紀元前206頃）が代表的な哲学者といわれますが，その著作の大半は失われています。ストア派は，自然と徳，さらに合理的な討論を行うテクニックを考察しました。アリストテレスは，文の主部と述部の関係性から成り立つ論理を提唱しましたが，ストア派は，完全文同士の論理（たとえば，「PまたはQである」かつ「Qでない」とするなら，「Pである」）（命題論理）を加えました。また，表象を通して知識を獲得できると唱え，純粋な徳を信奉して，徳のある人は拷問を受けていても幸せだと説きました。ストア派の文献はほとんど残っていませんが，古代ローマ帝国では，ストア派の思想は大変人気がありました。

古代懐疑論において最も著名な哲学者は，**エリスのピュロン**（紀元前360頃～紀元前270頃）。否定的な議論を専門にしていました。また，特に認識に基づく肯定的信念を拒否する根拠として，10の方法を提案しました。さらに，プラトンのアカデメイアからも懐疑論が現れました。**カルネアデス**（紀元前214頃～紀元前129頃）がその急先鋒でした。現代に残る，**セクストス・エンピリクス**（160頃～ 225頃）の著作集が，古代懐疑論の全容を今に伝えています。

第5章
知識

知識（知る）とは何か ― 実在を知る ― ア・プリオリ ― 知覚 ― 合理論と経験論 ― 正当化 ― 客観性 ― 懐疑論

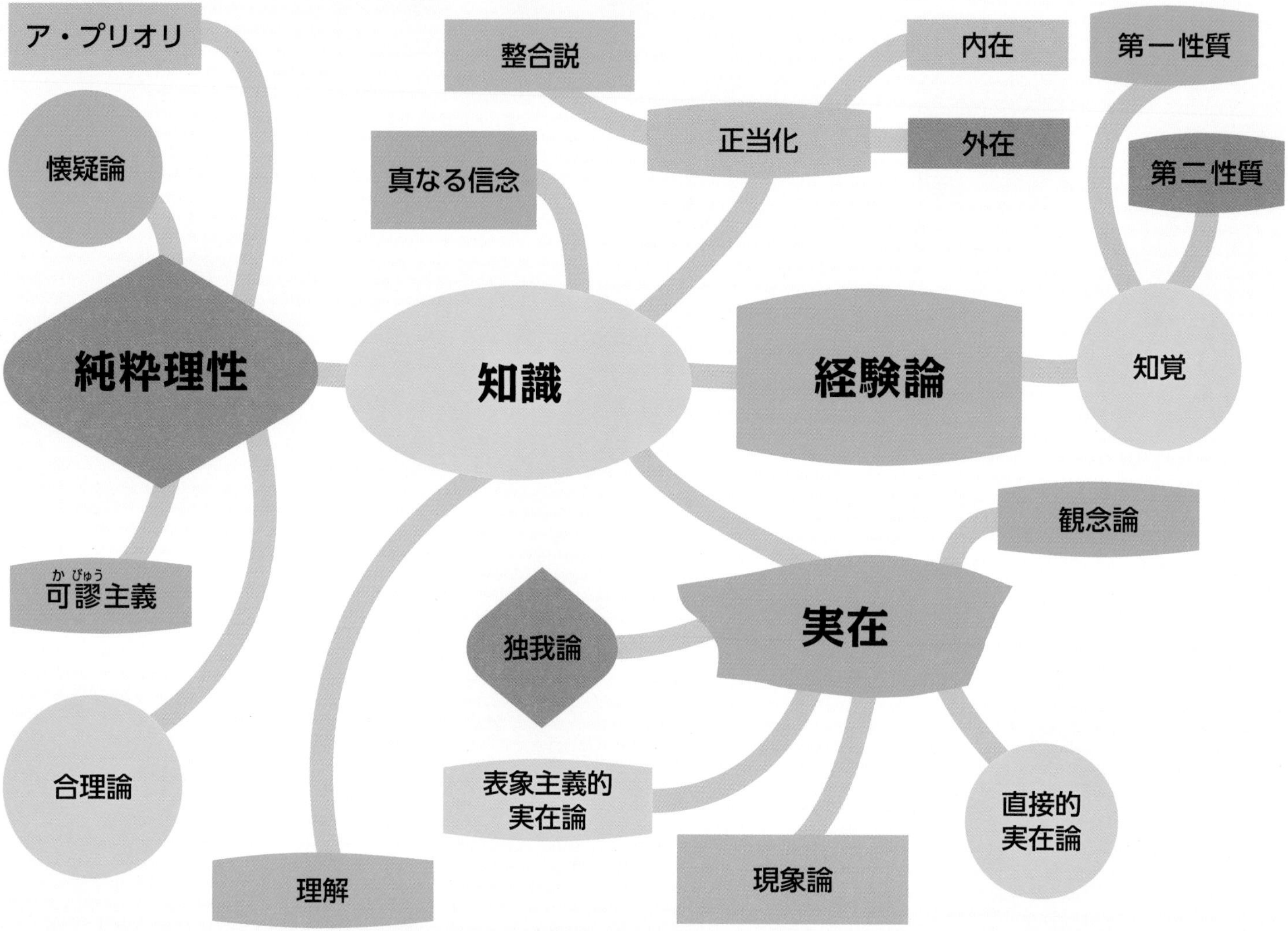

知識（知る）とは何か

哲学では，真理の有無を論じたり，存在とは何かを説いたりします。そのような知識は，いったいどこから得られるのでしょうか。私たちの暮らしは，知識の量によって左右されます。また，科学は，これまでに膨大な知識を発見してきました。このように私たちが知識だと思っていることの論拠や信頼性を探究するのが，哲学の一派，**認識論**です。

一般的に，人がまず考えるのは，自分が信じていることが真実かどうかです。信じていたことが真実ではなく実は誤りだったら，それは知識ではありません。地球は平たいと信じていても，実は地球は丸いのですから，「地球は平たい」という知識を得ることはできません。つまり，知識を得るためには，真理があることが最低条件です。そのため，ほとんどの認識論では，絶対的な真理があると考えられています。

認識論 ▶ 知識を探究する学問です。

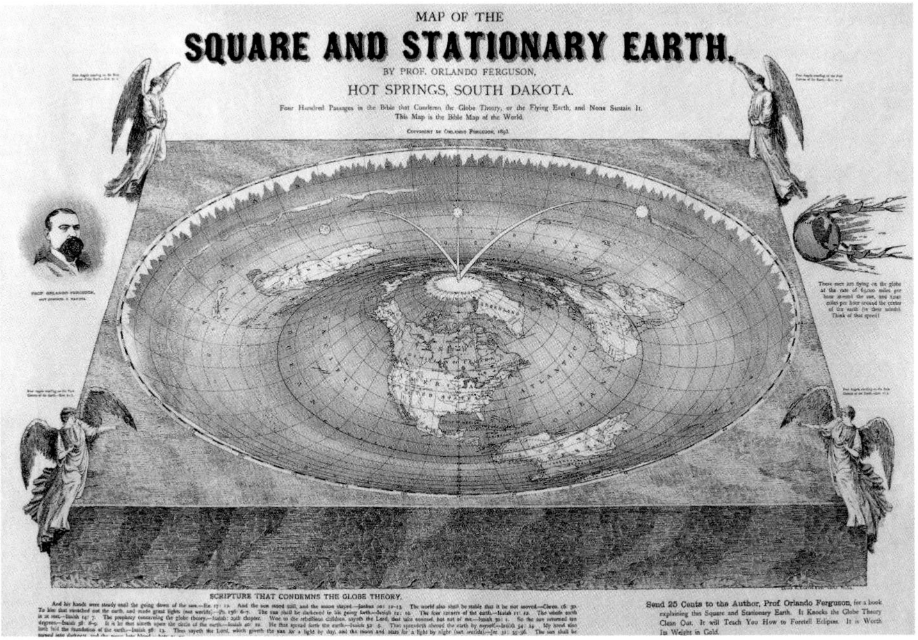

「それは知っていますが，信じていません」と言われたら，矛盾しているように聞こえませんか。**信じていること（信念）でなければ知識にならない**といわれています。人間は，頭の中に正確な情報が入っていても，それを信じていないときや，その意味をわかっていないときがあります。ですから，知識とは，最低でも「真なる信念」でなければならないと考えられています。

実際，地球は平たくないのですから，「地球は平たい」という知識を得ることはできません。

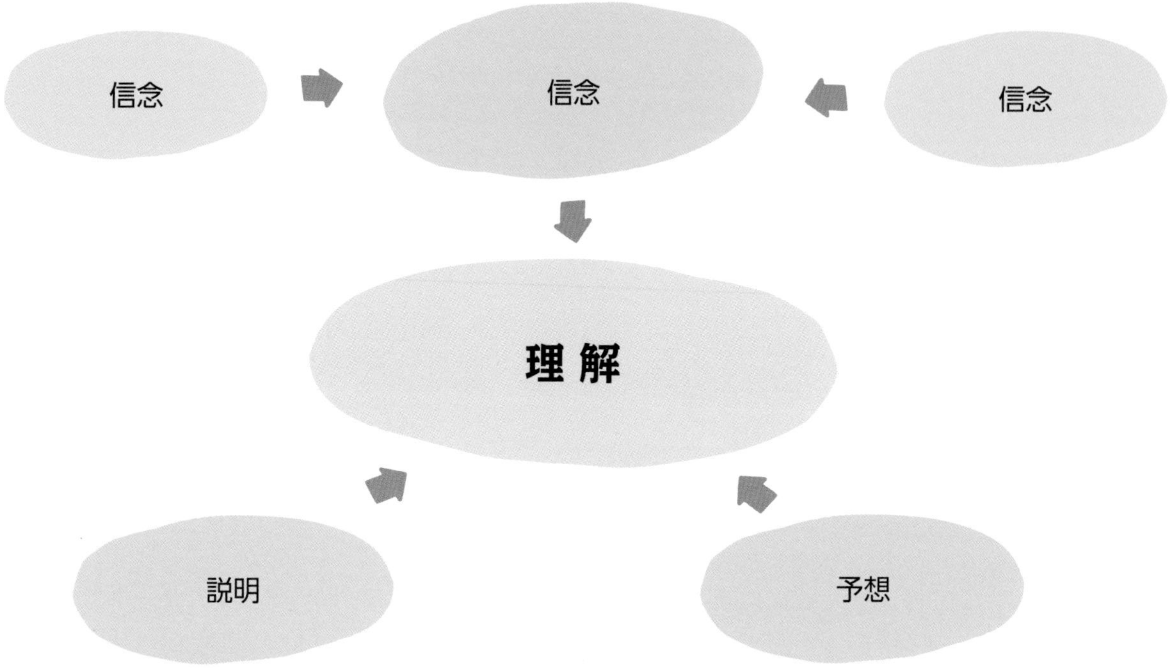

母親の話をすべて信じる子どもがいたとします。母親の話はほぼ正しかったのですが，一部に誤りがありました。この場合，子どもが信じていること（信念）の一部は誤っていることになりますが，子どもには誤りが見分けられません。たとえば，母親は50カ国の首都を教え，そのうち2カ国だけ間違った首都を伝えたとしましょう。子どもには，どの2カ国が誤りなのかわかりません。このように，真なる信念は運次第です。したがって，必ず知識を得られるわけではありません。そのため，知識には，真なる信念より「もう一段上の確実さ」が必要なのです。

認識論における議論のほとんどは，この「もう一段上の確実さ」に注目します。知識には，誰もが合意できて専門家の権威を認められるような，疑いようのない確実さが必要です。

たとえば，百科事典には各国の首都が載っていますが，これらの正確さはどのように確認したのでしょうか。まさかすべての国を訪れたわけではないでしょう。認識論の哲学者たちは非常にこだわりが強いため，ただ専門家に尋ねる，ということができません。まず，専門家とは何かを追究したがります。ここでの専門家とは，本当の意味で「知っている」または「知識のある」人。政治，ジャーナリズム，法廷，科学の世界ではきわめて重要な存在です。

クイズ番組で優勝しただけでは，専門家とはみなされません。専門家になるためには，特定のテーマを「理解」していることも求められるからです。この理解には，十分な裏づけがある真なる信念，信念同士のつながり，それらを説明・予想する力が必要です。けれども，一番大切なのは，具体的な知識。これがなくては，理解は不可能です。一般的に，認識論ではこの明確な概念「知識」に注目して探究を深めます。

クイズ番組で成功しても専門家にはなれません。
知識だけでなく，理解も必要なのです。

実在を知る

形而上学や存在論は，何が存在するかを説きますが，それらの正しさを知るにはどうすればよいでしょうか。まずは，自分の感覚，理性，言語の意味，概念の信頼性を疑ってみましょう。疑ってみると，間違いに気づくことは多くあります。たとえば，色。世の中には色を正しく区別しづらい人たちがいますし，昆虫は人間には認識できない色を見ることができます。つまり，見る者によって，色の事実は変化してしまうのです。

実在を知る

独我論

こうした懸念に対する最も極端な反応が，**独我論**です。存在するのは自分の精神世界（意識）だけで，外界も他者の精神も存在するかどうかはわからないと考えます。

観念論

独我論より穏当な立場が，**観念論**です。他者の精神の存在は認めながらも，経験を超える証拠はないのだから実在は経験の集まりにすぎないと考えます。いわゆる実在とは，外在する客観的事実ではなく，精神の一側面であると捉えます。

表象主義的実在論

表象主義的実在論では，指先や視神経末端に受けた刺激が，脳の一部分に実際の経験をもたらす一連の流れに注目します。これほど複雑な連鎖を通して，実在をありのままに伝達できるものでしょうか。受け取った情報は，一連の流れを経て表象（**感覚所与**，**センスデータ**）になり，その過程で意識に影響を与えます。こうした表象が実在を正確に映し出しているのかもしれません。ただし，表象には解釈が必要で，ありのままを受け入れるべきであることから，実在論に疑問を投げかける可能性もあります。

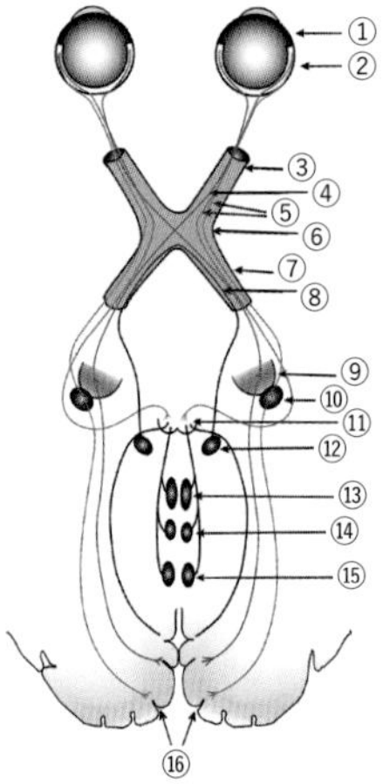

①眼球
②網膜
③視神経
④交叉線維
⑤非交叉線維
⑥視交叉
⑦視索
⑧グッデン交連
⑨視床沈核
⑩外側膝状体
⑪上丘
⑫内側膝状体
⑬動眼神経核
⑭外転神経核
⑮滑車神経核
⑯後頭葉皮質

目から神経系を通じて脳へとつながる複雑な経路は，表象と実在との間に大きな隔たりがあることを示しています。

現象論

基本的には実在と呼ばれるものを認めますが，実在をどれほど近く直接的に認識できるかという点で立場が分かれます。観念論では「存在するとは人が経験すること」であるため，猫がソファの後ろに隠れて見えないとき，猫は存在しないと考えます。しかし，ソファの後ろを見れば猫を経験できる，というほうが理にかなっています。つまり，あくまで経験できる可能性としてですが，見えなくても猫は存在するのです。このような考え方は**現象論**と呼ばれ，経験を踏襲することで観念論の知的誠実さを保ちながらも，「猫は実在したりしなかったりするものではない」というより現実的な見方を加えています。ただし，現象論は，実在を完全に精神的なものと捉えるため，**反実在論**の一つにとどまります。

現象論的には，姿が隠れていても猫は存在しています。人の経験を超えた何かが存在するに違いありません。

直接的実在論

さらに実在寄りの見解もあります。**直接的実在論**は，経験から必ず実在を捉えることができるという楽観的な見方をします。たとえば，色はあくまで実在を経験する一要素にすぎないと考えます。色覚異常で視界がぼやけるからといって，その人が視覚的な実在との接点を失うわけではありません。また，ほかの通常とは異なる経験でも同じです。このように精神と実在との隔たりをなくしていけば，哲学は今よりもはるかに常識へと近づきます。

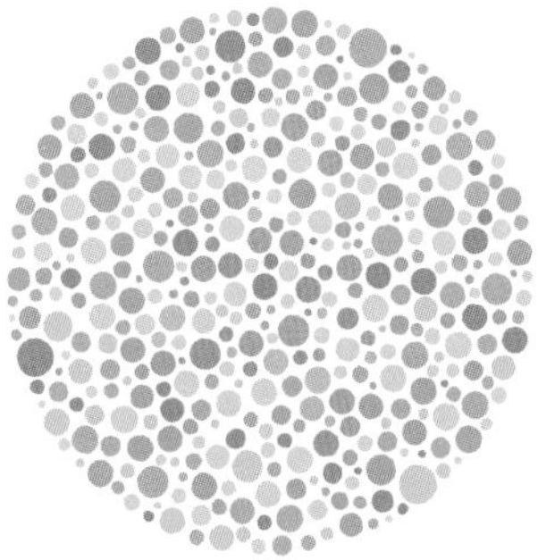

色覚異常のような通常とは異なる経験からも，実在を捉えることはできます。

ア・プリオリ

人類がもつ知識の中には，数学，論理，道理における「正解（真理）」のように，経験によって得られたものではなく，ただ「知っている」ものがあります。これら経験に先立つ知識，またはその真理が経験に影響されない知識を，**ア・プリオリ**な知識といいます。「7＋5＝12」は，ア・プリオリな知識です。この知識を得るには，数字を考えるだけで事足りるうえ，これと矛盾するような経験があったとしても，何かの間違いだと退けられます。

知識とは，「裏づけのある真なる信念」とするならば，経験による知識では証拠が裏づけとなります。しかし，ア･プリオリな知識は「明白」「議論の余地がない」「自明」なもの。ここで裏づけとなるのは，「人が生まれながらにもつ理性（純粋理性）」や「直観」なのです。

ア・プリオリ ▶ 経験に影響されない知識のことです。

特定の図形は，ア・プリオリな真理を示しています。

相反する命題

純粋理性に照らすと，矛盾を容認することはできません。互いに矛盾する二つの命題は，同時に成り立ちません。ある命題が偽だと仮定すると矛盾が生じるのであれば，その命題は真だということになります。これは，一部のア・プリオリな知識に対して，強力な根拠になっています。また，概念の側面から得られるア・プリオリな知識もあります。たとえば，「四角形の対称性」から，対称性をもつ四角形に対角線を引くと，等しい面積をもつ二つの三角形ができることがわかります。さらに，「過去の行為は変えられない」「長距離移動には時間がかかる」などの経験に関わる明らかな普遍概念も，ア・プリオリな真理です。

生得観念

人間には，経験によるものではなく，精神の内に自然に現れる観念，つまり，**生まれながらに備わっている**観念があるとする立場もあります。この立場では，算数や幾何学の基本的概念や，もっと大きな観念，すなわち，善や超越的存在などの概念は，生まれながらの知識だと考えます。そうだとすると，それらの概念についてア・プリオリな理解を得ているのですから，証拠がなくても神学，宗教，道徳などの重要な真理を論証できるかもしれません。

あらゆる知識は経験によって得られるとする経験論では，生得《せいとく》観念に懐疑的です。人間の精神は経験同士を束ねているだけで，観念は経験から取り出されると考えます。精神はもともとまっさらな紙（**タブラ・ラサ**）の状態に近く，経験を上書きしていくことでのみ知識を獲得するというのが，経験論の主張です。

どんな経験によっても否定されないア・プリオリな知識があれば，それは必ず真であり，必然的な知識です。ア·プリオリに知り得る事柄は，純粋な観念の真理ですから，必然的でなければなりません。一方，必然的な事柄は，必然性を立証する証拠が存在しないため，ア・プリオリにしか知り得ません。つまり，必然的な真理とア・プリオリに知ることは密接に関係しているといえるのです。人間の理性に基づく洞察力を信じる合理論は，このような生得観念があることを認めています。

可謬主義

現代に入り，この相互関係の単純さに疑問が投げかけられています。元素の原子数のように，科学者が発見した必然的な知識は，ア・プリオリではなくア・ポステリオリな知識ではないかとする主張です。

ア・ポステリオリ ▶ 経験から引き出される知識のことです。

より慎重な現代**可謬主義**では，純粋理性にも間違いはあるため，必然的な知識の根拠にはならないと考えます。より懐疑的な立場になると，ア・プリオリな知識は，人工的な概念と言語が組み合わさったものだと主張します。そうだとすると，四角形の面積，数字同士の関係性，宗教や道徳の普遍的真理などの知識は，人間が便宜上発明した概念の説明にすぎないということになります。

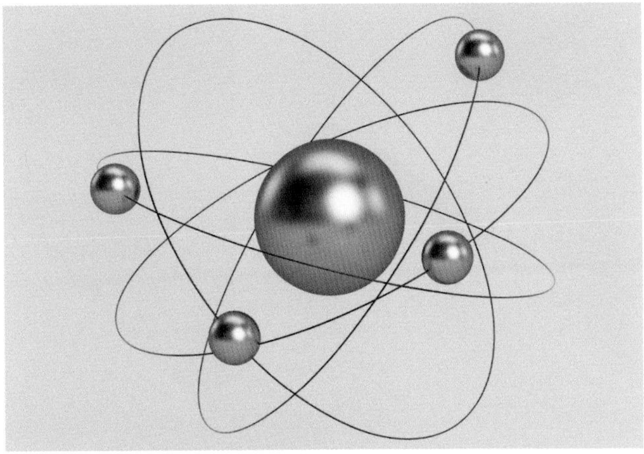

元素の原子数は，ア・ポステリオリな真理です。

知覚

人は，経験によって，最も直接的に現実を認識します。この経験を支えるのが，知覚です。知覚のうち，とりわけ重要な視覚は，鮮明な情報をもたらします。個人差が大きい知覚は味覚，より現実に近く思えるのは触覚だといえるでしょう。知覚をめぐる主な論点は次の二つです。

- 現実に近いかどうか
- 外界からの純粋な情報は，精神の処理と概念によってどの程度変化するか

知覚が外界の事実について信頼できる情報を伝えている場合には，確かな根拠がもたらされます。ただし，その情報に大幅な解釈が必要であれば，異なるアプローチが必要です。

最も単純な知覚は，周辺視野で捉えた物体の動きや色です。ただし，その物体を特定する前の段階では，それは「知覚」というよりも「**感覚**」と呼ばれ，知識をもたらすことはありません。この感覚で捉えたさまざまな事物の関係性に概念やカテゴリーを当てはめることで，信念が生まれます。ところが，知覚するとき，私たちは無意識に概念を当てはめています。たとえば鳥を見ると，（信念などを経由せず）すぐに鳥だと認識します。「鳥」という概念は，私たちの意識の中に浸透しているのですが，それは，多くの鳥を知覚してきたことから，言語で「鳥」として確立したのだと推測できます。大人になると，こうした概念があまりにも密接に知覚に組み込まれるため，なかなか気づくこともありません。

蜘蛛を毛嫌いする人もいます。誰もが同じ経験をするわけではありません。

ほとんどの人にとっては，蜘蛛《くも》を見るのも鳥を見るのも同じことです。しかし，蜘蛛が嫌いな人にとっては違います。人のもつ概念は，好悪，恐怖，先入観によって形づくられています。さらに，過去の経験，それぞれの文化，そして話す言語にも影響を受けます。

一次性質と二次性質

四角い物体には，四角い感じがあります。また，地面に落ちたレンガは，見た目も音もとても重そうです。形や重さのようなそのものの性質を**一次性質**といいます。また，はちみつの味やスミレの美しさなど，他者の知覚では確かめることができない性質を**二次性質**といいます。

一次性質

一次性質は，客観的な知識を得るのに適しています。自分のほかの感覚でも確かめられるうえ，他者の同意も得やすいからです。ただし，世の中には，色覚異常のある人や味覚が異なる人もいます。一次性質は観察者間で意見が一致しやすく，数学的に扱うことができるため，科学では重要視されています。

二次性質

色，味，においなどの二次性質は，リアルな情報をもたらしますが，より主観的なものです。この違いは重要ですが，反実在論をはじめとする批判的な立場は，一次性質は二次性質で構成されるものだと主張して違いを認めません。

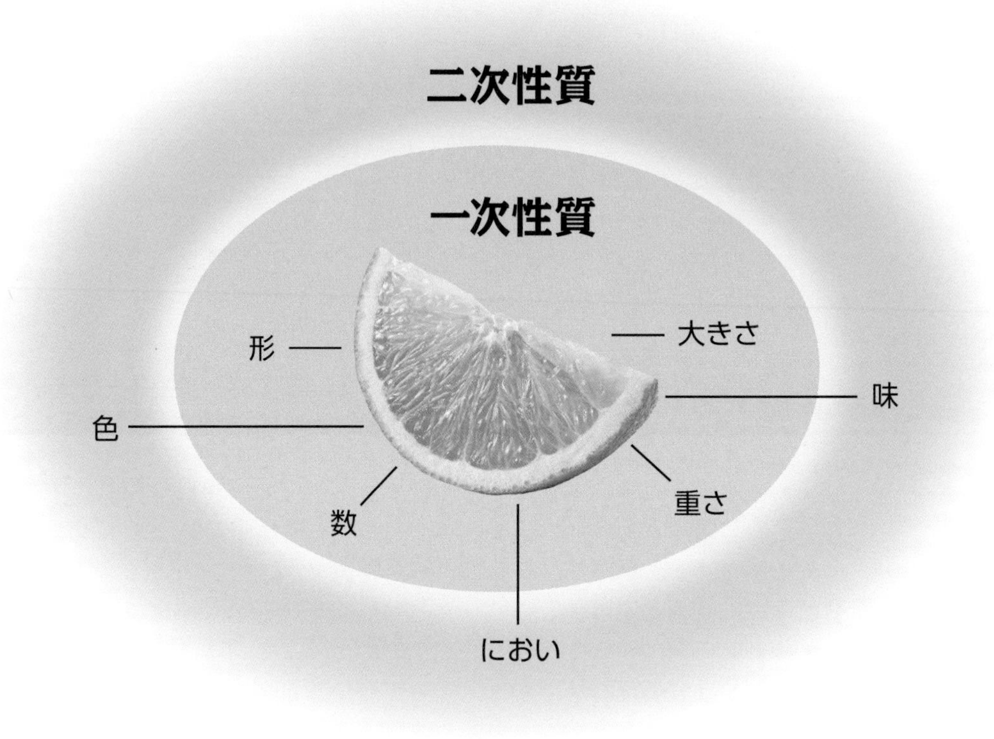

合理論と経験論

この二大論説は，人はどのように知識を獲得するかをめぐって対立しています。**合理論**では，複雑に絡まり合う人の信念，概念，実際の経験を知識にするのは，判断であると考えます。

合理論 ▶ 複雑に絡まり合う信念，概念，実際の経験を知識にするのは，判断だと考える立場です。

デカルトは溶けた蝋を例にして，知識が判断によってもたらされることを説明しました。

17世紀のフランスの哲学者デカルトは，蝋《ろう》を例にとってこれを説明しました。人は，見る，触る，味わうなどの体験を通して，これは蝋でできていると結論づけます。では，蝋が熱で溶けた状態ならどうでしょう。まるで違う経験が得られるにもかかわらず，これは蝋だという結論は変わりません。デカルトは，経験の違いよりも判断が優先されるのだから，知識は判断からもたらされるに違いないと考えました。

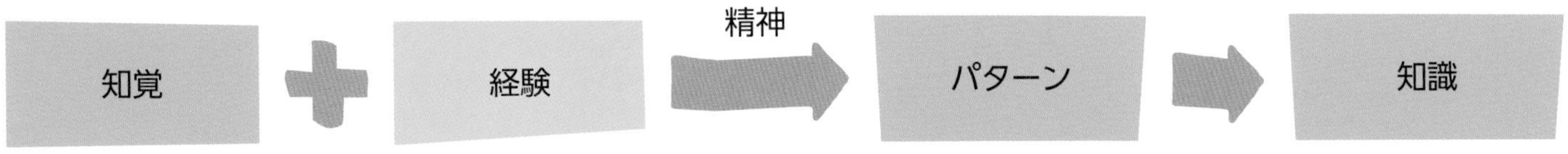

経験論 ▶ 判断は経験同士の比較にすぎず，すべては知覚に依存すると考える立場です。

経験論では，判断は経験同士の比較にすぎず，すべては知覚に依存すると考えます。18世紀のイギリスの哲学者デイヴィッド・ヒュームは，金の山（純金でできた空想上の山）を例に挙げました。そんなものを経験した人はいないけれども，誰でも金と山は知っているため，その二つを結びつけてつくり話ができあがるのです。ヒュームによると，すべての概念について同じことがいえます。人の精神は，複数の経験をふるいにかけて，パターンを導き出しています。そのため，知識は，合理論が過大評価する理性ではなく，人間の知覚に基づいているというのがヒュームの見解でした。

この合理論・経験論間の論争は，啓蒙時代（17世紀後半～ 18世紀）のヨーロッパで最高潮に達しました。経験論では，ジョン・ロック，デイヴィッド・ヒューム，合理論では，ルネ・デカルト，バルーフ・スピノザ，ゴットフリート・ライプニッツらが論戦を繰り広げました。18世紀後半に，イマヌエル・カントが，経験は精神の合理的側面と概念的側面に深く絡み合っていると主張すると，議論はさらに混迷をきわめます。その後も多くの哲学者がいずれかの立場をとって論陣を張ったため，議論に終わりは見えませんでした。感覚は思考を伴い，思考は感覚に根差しているにもかかわらず，ほとんどの哲学者たちが，知識は主に経験か理解のいずれかに基づくと考えたのです。

デイヴィッド・ヒュームは，啓蒙時代に旋風を巻き起こした哲学論争の中心にいた経験論者でした。

正当化

ほとんどの認識論では，「真なる信念」を「知識」にアップグレードしてくれる根拠となるものを探し求めます。「○○は真だ」と信じるだけではなく，それを正当化できなくては，確実な知識にならないためですが，この点について，古代ギリシャ時代には，正当化は連鎖するという問題点がすでに指摘されています。この正当化の連鎖には，三つの形態があるとされます（**アグリッパのトリレンマ**）。

まず，信念を正当化するのに必要な情報は，絶対に確実な知識でなくてはなりません。そのため，その情報自体も正当化する必要があります。このように無限に正当化が続くことを**無限背進**といいます。次に，循環。正当化のための情報同士が互いの根拠になってしまうことを指します。最後に，基礎づけ。それ以上根拠を問えない，つまり正当化しなくてもよい原理・理由を，連鎖の基礎に据えることです。しかし，「正当化されていない基礎から確実な知識が得られるのか」という問題は残ります。このような正当化の連鎖を前にすると，確実な知識の基礎や基準を見つけるのは無理だと感じるかもしれません。

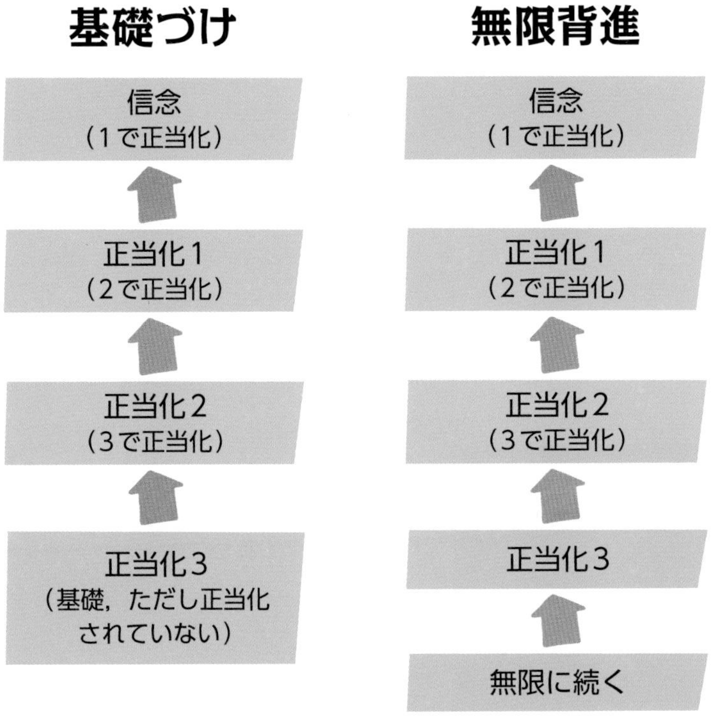

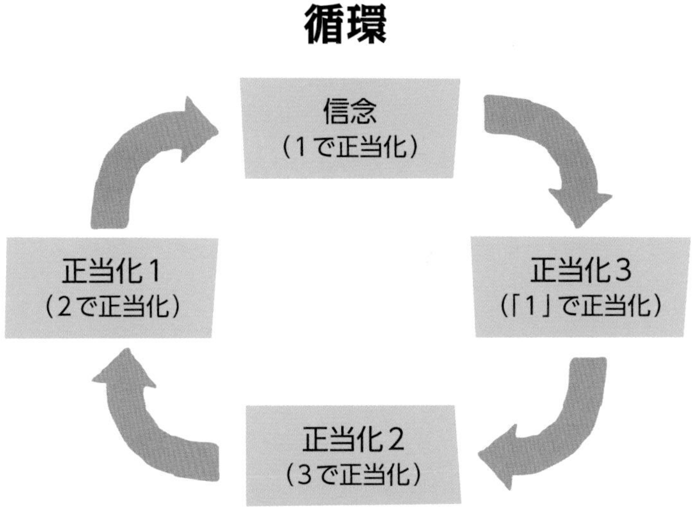

アグリッパのトリレンマは，確実な知識などないことを示しています。知識は，基礎づけ，無限背進，循環のいずれかでしか正当化できないのに，結局どの方法も機能しないからです。基礎づけを行って正当化の連鎖を止めることはできますが，その基礎を正当化できないので，確実な知識にはなり得ません。無限背進の場合は，どこまでいっても信念の正否はわかりません。また，循環では，嘘同士が互いを是認する状況に陥りかねません。

このトリレンマから抜け出す手がかりは，合理論者の説く根拠か，経験論者の説く根拠のどちらかに見つかります。合理論では，「〜は明らかに真だ」とする絶対的な見識や直観が知識の根拠だと考えます。絶対確実といえるア・プリオリな見識があれば，ほかの知識もそこから演繹《えんえき》できるのです。デカルトは，「われ思う，ゆえにわれあり（自分が考えているとき，考える自分が存在していることは疑いようがない）」と述べました。この有名な主張から，ある種の確実性が浮かび上がりますが，デカルトが己自身を，連続的かつ不変の存在だと証明できたかどうかは疑問です。

基礎づけ主義

経験論では，知識の根拠を経験に求めます。たとえば，20世紀前半のイギリスの哲学者ジョージ・エドワード・ムーアは，自分が手を挙げているということを証明するほうが，それを否定する懐疑的な議論よりはるかに説得力があると唱えました。小さな赤子でも母親の顔は瞬時に識別できるため，顔の認識は，「基礎づけされた」知識とされます。このような**基礎づけ主義**には二つの立場があり，信念に関する見解を二分しています。このうち「基礎的な」信念を認める立場（合理論的か経験論的かによらず）は，それ以上の正当化は必要ないと主張します。

基礎づけ主義 ▶ それ以上根拠を問えない知識を基礎に据えることで，信念を正当化しようとする立場です。

哲学者ジョージ・エドワード・ムーアは，ほかの経験論者と同じく，知識の基礎を経験に求めました。

ゲティア問題

比較的最近の難問に，ゲティア問題があります。ここでは，真なる信念だけでなくその正当化にもある程度，運が絡むことが指摘されます。つまり，事実に惑わされて，間違いに気づけない可能性を示しています。たとえば，電話をテーブルの上に置いて部屋を出たとします。そのとき，「戻ったときには電話はテーブルの上にあるだろう（真なる信念）。そこに置いたのだから（正当化）」と考え，「部屋へ戻れば，電話はテーブルの上にある」と思うでしょう。真なる信念をもっともな理由で正当化したのですから，「戻ったときには電話はテーブルの上にある」というのは知識だといえそうです。ところが，本当は，電話はいったん泥棒に取られていたかもしれません。泥棒は数分後に良心が痛み，電話をもともと置かれていた場所に戻したのかもしれないのです。ここから明らかなことは，最初の信念が正しかったこと，そこに置いた電話がテーブルの上にあったことです。しかし，過程は最初の考えとは異なり，正当化は真実とかけ離れていました。このような場合，「電話がテーブルの上にあること」は知識だったといえるでしょうか。ほとんどの人は，「正当化したけれど不十分だったのだから，知識ではない」と考えます。ゲティア問題は，このような難しさをうまく説明しています。

整合説

懐疑論者は，経験は単なる夢かもしれないし，理性は人を誤ったほうへ導きかねないと考えます。また，基礎づけ主義は，基礎づけされた信念はあまりに単純で知識とみなせない，または，あまりに複雑で正当化なしでは知識になり得ないと批判されます。こうして，基礎づけ主義とは異なるアプローチをとったのが，**整合説**でした。

整合説 ▶ 人の経験と理性を整合（両立）させることで，知識になると考える立場です。

正当化が互いを裏づけ合うとき，正当化は循環してしまうように思われます。しかし現実の世界でも，多くの証拠に裏づけられ，パズルのピースのようにぴたりと収まる（裁判で勝訴できるような）ことは，信じるに足ると思いませんか。このような帰結は，正当化がもたらし得る最高の結果です。整合説は合理論も経験論も扱うことができますが，難点は，まるで綿密に練られた小説のプロットのようにいくつもの証拠が整合しても，真実を表していない場合もあるということです。

信頼性主義 ▶ 信念は，事実との信頼できるつながりによると考える立場です。

基礎づけ主義も整合説も，知識を得る人の精神の内に注目します。ところが，近年では，こうした**内在主義**的な考え方は誤りではないかという議論が出てきました。適切な正当化は精神の外で成立する（**外在する**）ものであり，個人の精神の状態よりも，事実との正しいつながりが必要ではないかというのです。外在主義の中でもスポットを浴びているのが，**信頼性主義**です。ここでは，優れた視力，知能，効率的な科学機器などの信頼性が立証された手段によって，事実とのつながりを最高のものにすることができると考えます。一方の内在主義では，人は確実に知っていることに基づいて行動するのだから，最終的な決断は認知主体の内部で行われると主張します。ただし，外在主義の強力なリアリズムは魅力的で，科学の客観性に関する現代の見解にも合致しています。

内在主義 ▶ 最終的な決断は認知主体の内部で行われると考える立場です。

客観性

極端な相対主義は，「真理」も「事実」も存在しないのだから確実な知識は存在し得ず，主観的な信念または一つの文明が共有する観点しか存在しないと論じます。しかし，知識を成り立たせるには，信念の客観的な正当化が必要です。ここでは，適切な正当化と不適切な正当化を区別してみましょう。

適切な正当化	不適切な正当化
「目撃者が10人いる。だから，この出来事が起きたのを信じる」	「私はそうあってほしいと思う。だから，この出来事が起きたのを信じる」

このように，自分の信念をより客観的に捉えようとすることで，たとえ完全に成功することはないとしても，真実や事実に少しずつ近づいていくことができるのです。

相対主義は，知覚，理性，言語に関する疑問をよりどころにしています。知覚はさまざまな場所で行われ，その経験にさまざまな概念が当てはめられます。理性はかつて普遍的なものとみなされていましたが，今では，文化的偏見や個人感情に強い影響を受けるとも考えられています。いずれの言語も時とともに変化し，ほかの言語にはない前提条件が確立されていくため，完璧に翻訳することはできないといわれます。

感覚の違う者同士または複数の観察者が合意することで，広義の客観性を得られます。ここで，人間の記憶に頼るとしましょう（頼らない人はいないと思いますが）。人間は物体を知覚し，知覚したものをそのまま記憶にとどめることができます（物体の不動性）。さらに，感覚の違う二人の人間から，一つの物体について同じ情報（一次性質）がもたらされることがわかると，他者を信頼して知覚したことを報告してもらったり，それによって自らの認識の確かさを裏づけたりすることもできます。科学者のモットーは，「信じないなら，自分で行って見てみよう」です。

先入観

論証には先入観がつきものです。人は，「とにかくこれを信じよう」と決めた事柄に対して合理づけを行うのです。数学，形式論理，コンピュータ言語の分野では，できるだけ先入観の影響をなくして，議論の余地がない結果を出すよう努めます。ところが，証拠には解釈が必要ですから，証拠に対する客観性を得ることは実に困難です。そのため，現代の法廷では，法医学的分析，録音，録画，写真を使って，事実に近いところで合意することを目指しています。

二つの言語間で完璧な翻訳をすることは不可能だといわれます。その理由は，文の本当の意味がその言語の文脈の中でしか理解できないこと，それぞれの言語に固有の世界観があることです。つまり，同一の事実を伝えることができる二つの言語は存在しませんし，完全な客観性もあり得ないのです。とはいえ，客観性を最大化しようと考えるとき，これらの指摘は悲観的すぎます。詩の翻訳はかなり難しいかもしれませんが，科学論文や取扱説明書はそうではないはずです。用語が専門的であればあるほど，より正確に翻訳しやすいでしょう。このように，科学では感情的な用語を避け，数学的言語を好んで使います。

文脈主義

知識があるとみなされるかどうかは文脈に応じて決まる。これが，現代の中心的な考え方です。あまり要求が厳しくない文脈では専門家といわれる人も，厳しい文脈ではそうは呼ばれません。また，自分よりも博識な人に会うまでは，自分こそが博識だと思っている人もいるでしょう。「知識」という言葉は，状況によって意味が変わるのでしょうか。それとも，知識があるかないかははっきりしているけれども，日常会話など，正当化にさほど説得力がなくてもよいときもあれば，法廷など，確固たる正当化が要求されるときもあるということでしょうか。文脈主義の主張が正しければ，最も要求の厳しい文脈でしか客観性を確保することはできません。現代社会では，これが一般的な考え方になっています。

誰を専門家（有識者）と呼ぶかは文脈によって変わります。法廷では，専門家に要求される基準はとても高くなります。

懐疑論

相対主義は事実と真理の存在を疑いますが，懐疑論は，事実と真理がたとえ存在したとしても，人間がそれらを知識として得ることができるかどうかを疑います。**グローバル懐疑論**は，どんな知識も存在し得ないとする大胆な主張です（そうだとすると，その主張が確かな知識かどうかも確かめようがないのですが）。

グローバル懐疑論 ▶ どんな知識も存在し得ないと考える立場です。

哲学の世界で，より限定的な懐疑論は次のような事柄を疑います。

- 宗教
- 道徳的価値
- 他者の精神
- 自我
- 必然性
- 意味
- 合理性
- 帰納
- 因果関係

疑うのは自由ですが，哲学者であれば，疑いの理由を語らなければなりません。古代ギリシャ人は，「すべての偽は真のように見える。何かを信じる理由があるなら，それを否定する理由も必ずある」と言いました。デカルトは，「普段から夢に見たことを信じていると，この世のすべては鮮やかな夢かもしれないという考えを否定するのは難しい。そうでないとすれば，外部にある何らかの力が私たちを惑わせているのかもしれない」と述べました。この言葉から，悪魔のような科学者が，生きた人間の意識そっくりのデータを水槽の中の脳に送り込んでいる様子や，映画「マトリックス」が描く，コンピュータ・シミュレーションの仮想現実を思い浮かべる人もいるかもしれません。問題は，そのような筋書きが「ありそう」かどうかではなく，「実現可能」かどうかです。仮にいずれかが本当に実現できるとしたら，知識の存在は不確かなものとなります。

すべての認識論は，このような諸々の疑問への取り組みだといえるでしょう。もし，基礎づけされる確かなこと，またはどんな懐疑論にも屈しない強い信念が存在するならば，知識は信頼できるかもしれません。プラグマティズムでは，役に立つ行動は，知識が確実である証だと考えます。グローバル懐疑論は否定し難いように見えますが，学術演習としてそれを退けてみるのもよいでしょう。たとえ知識をもたない状態でも，恐れを抱えつつ今そこにある人生を生きなくてはならないのですから。

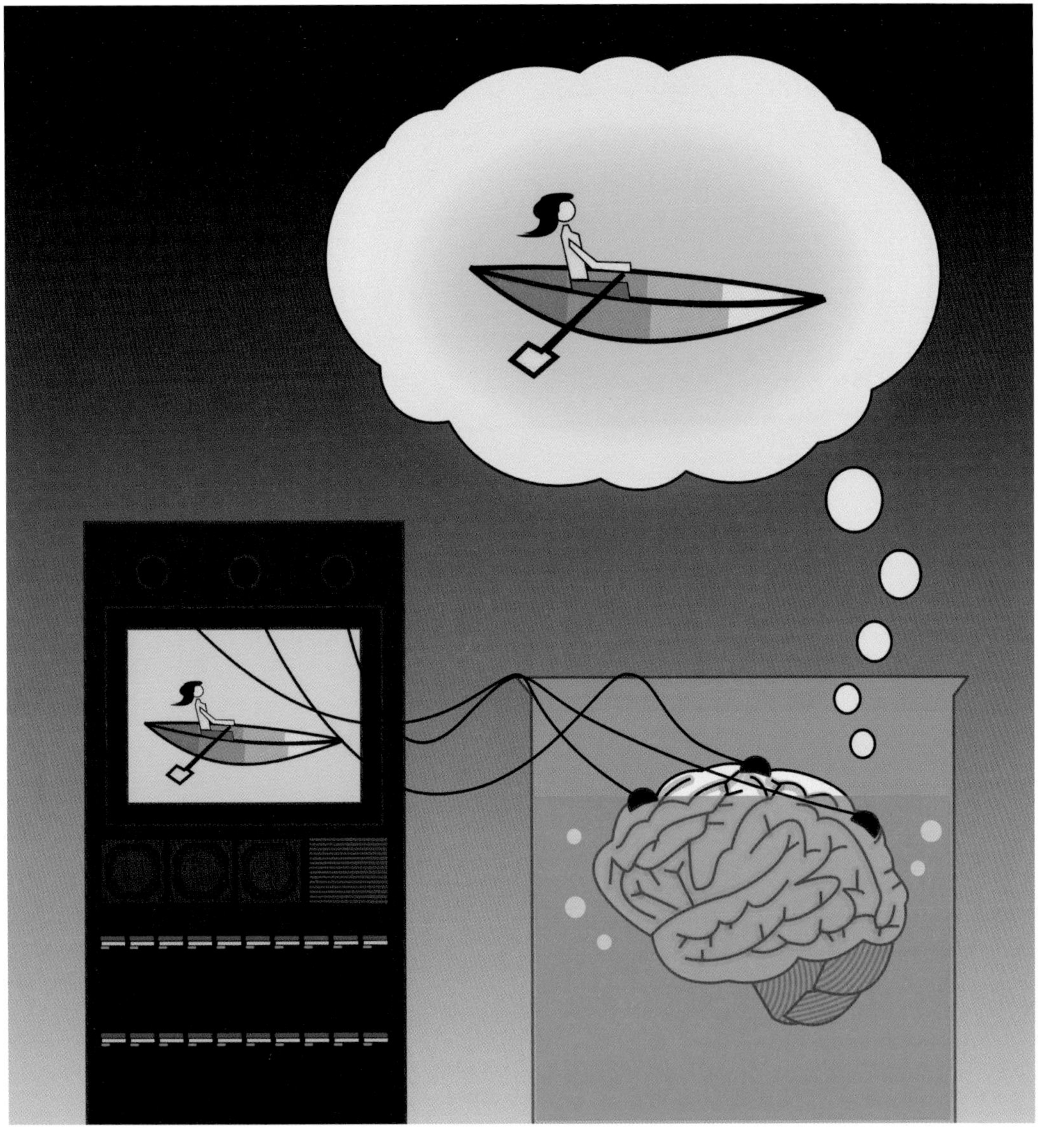

「水槽の中の脳」という思考実験は，人の経験が信頼できるものかどうかを問います。

新プラトン派とキリスト教徒
(200〜1350)

ヨーロッパで唯一神への信仰，つまり，キリスト教が広まったとき，最も人気を博したのは，善のイデアを理想と説いたプラトンの思想でした。善のイデアは神の精神と同一視され，あらゆる善なるものの源と考えられたのです。古代ローマ帝国がキリスト教を受け入れると，教義間の一貫性を確立するために，神学の重要性が高まりました。そのため，以後1200年にわたって，宗教が哲学よりも優位に立つ時代が続きます。

プロティノス(205頃〜270)は，善のイデアは「一者」であると主張し，プラトンの教えを神秘主義に近づけました。「一者」は神ではありませんが，あらゆる善なるものの源です。プロティノスは，哲学の目的は，精神を浄化し「一者」と一つになることだと説きました。こうして，プラトンの思想はキリスト教神学に多大な影響を及ぼしたのです。また，**アウグスティヌス**(354〜430)は，さまざまな哲学的問題を追究した偉大なキリスト教思想家でした。彼はとりわけ時間という概念について意欲的に考察を行いました。さらに，**トマス・アクィナス**(1225〜1274)は，アリストテレス哲学をもとに神学を確立します。このため，キリスト教とは異なる信仰をもっていたアリストテレスの説は，広く受け入れられるようになりました。

これにより，100年におよぶ激しい哲学論議の幕が開きます。その多くは，「最後の晩餐《ばんさん》に供されたパンはキリストの肉に変わるのか」などの神学上の難題に端を発しています。普遍論争はこの中核を成していました。性質は実在の普遍的な特性だとする立場もありましたが，**ウイリアム・オッカム**(1285〜1347)ら唯名論は，実在するのは個物だけであり，普遍概念は精神の内で形づくられると主張しました。オッカムはさらに，プラトンが主張したように道徳的善にはほかの源があるのではなく，神の命令なのだと論じています。

また，自由意志(人間の意志で善を行っているかどうか)は重要な論点でした。人間の理性は完全に独立しているため，または，魂は身体から分離しているため，人間には自由意志があると考えられました(後者は，魂の不死を唱えるのに必要な主張でもありました)。ただし，この時代，自由意志そのものが否定されることはほとんどありませんでした。

聖アウグスティヌスは時間の
謎について考察しました。

第6章
精神（心）

精神とは何か — 意識 — 精神と身体 — 二元論 — 行動主義と機能主義 — 性質二元論 — 物理的な精神

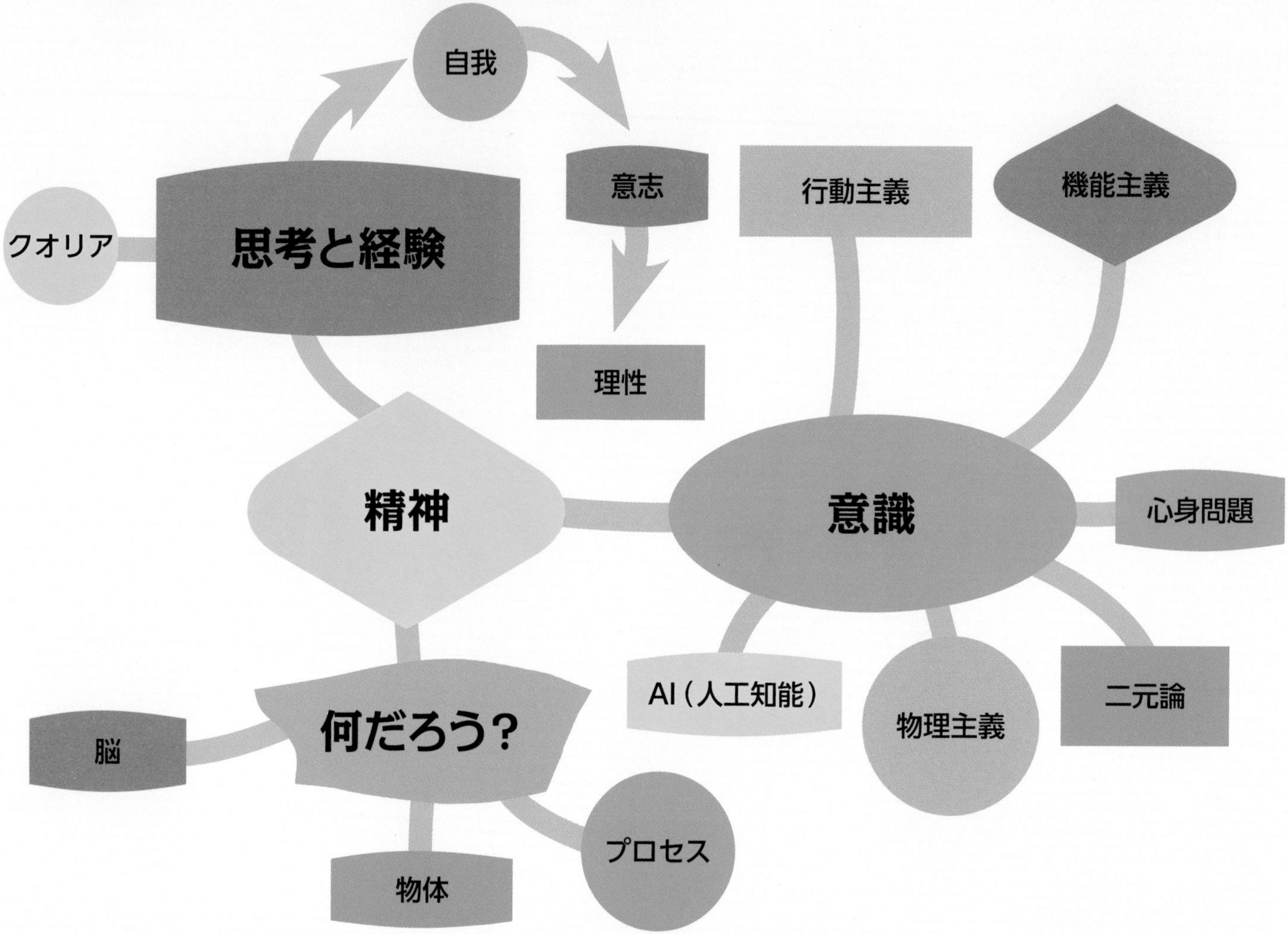

精神とは何か

哲学にとって，精神（心）は興味を抱かずにはいられないテーマです。精神は，知識や理解を深めるのに重要な役割を担い，人生の選択や道徳を考えるのに積極的な役割を果たし，その操る言語との間に一定の関係性を築きます。私たち人間は，そんな精神がもつ機能や能力，さらには精神と脳の関係性を，森羅万象の理《ことわり》を表す大理論の枠組みの中で捉えようとせずにはいられません。さて，精神とは何でしょうか。

- 独自の存在なのか，それともプロセス（過程）か。
- 意識と同じか，それとも意識を超えるものか。
- 身体の内にありはするが，身体から完全に分離しているか。
- 外界にまで拡張して存在するか。たとえば，携帯電話に保存した情報は精神の一部といえるか。
- 微小な物理的活動の集まりなのか。
- 身体をコントロールしているか，それとも反応しているだけか。
- 私たちは，自らの精神を正しく理解できているか，それとも現実を捉えることに執着しているだけか。

こうした難しい問いの数々を前にすると，「人間そのもの」に関する大きな問いもかすんでしまいます。人間がほかの哺乳《ほにゅう》類と同じようなものなら，人の精神は，実験用のネズミの精神と同じように説明できます。しかし，人間はもっと高尚なものだと仮定してみましょう。たとえば，人間は不死の魂をもつ。人間には，ネズミよりはるかに大きな選択の自由がある。人間には，真理，論理，数学，自然の神秘を解明する理性がある。そうだとすると，人の精神に関する説明は，これらのことを可能にするものであるはずです。

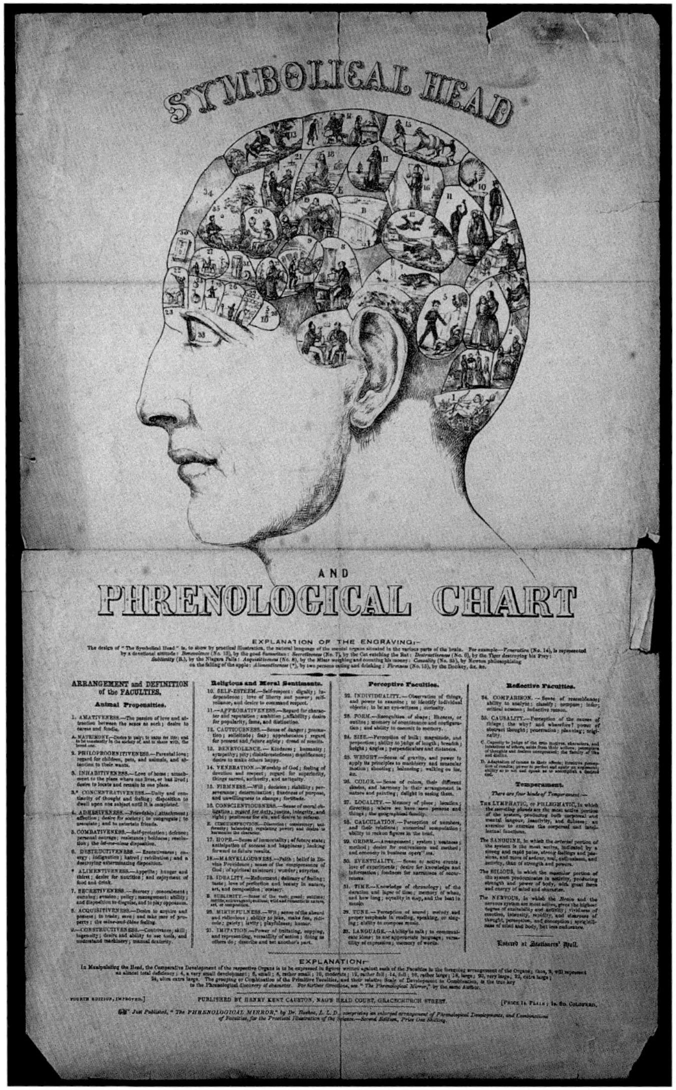

精神（心）の中で起こっていることを確実に知ることができるでしょうか。

精神は，何のためにあるのでしょうか。精神には脳が必要です。与えられた環境で自ら生き抜こうとする生命体だけが脳をもっています。ここでは，この「生き抜く」という視点から見てみましょう。大型の動物が自ら生き抜く力をもたなければ，危険な世界で命を保ち続けることはできないでしょう。必要なのは，マルチタスク。しかも，高速な処理が求められます。

パン屋へ向かうときには，買いたいパンと目的地，買いたい理由，自分の身体の動き，刻々と感覚で捉えられるもの，危険の察知，パンを買ったらどうするかなど，さまざまなことを同時に考えなくてはなりません。

これらすべての活動には，はっきりとした統一性があります。精神が，このまとまり全体を生み出すといえるでしょう。動物には，程度こそ異なるものの，明らかに精神がありますが，動物にどれほどの意識や考え深さがあるのかはわかりません。動物の精神を理解するたった一つの方法は，その行動を最大限に究明することです。野生生物の映画に見られる動物の複雑な生態は，計画性，比較，位置情報を頭で整理できていなければ，あり得ないように思われます。巣づくり，狩り，罠《わな》づくりなどの諸活動を組み合わせて行うことは，精神や意識がなくてもできるでしょうが，あればかなり役立つことでしょう。

思考と経験

これまでに述べたことが精神の基本的な役割だとすると，タスクをこなすために精神が必要とするのは何でしょうか。哲学では，**クオリア（質）**と**志向性**という二つの面に注目してきました。まず，人は世界を体験することで，それに反応を示します。たとえば，尖ったものを踏んでしまった人は，すぐに足をもち上げます。痛みがそうさせるのであって，論証や信念はまるで必要ありません。クオリアは，これら差し迫った感覚体験を表す言葉です。痛みの辛さや色の赤さを示すクオリアは，その先の行動について考えるよりも先に現れます。一方，精神には，特に経験していないのに信じていることが多くあります。これらは，特定の対象についての心の状態です。このように何かについて考える力を，志向性といいます。信念は物事について考えるものですが，精神（心の現象）がない太陽は月について何も考えることはできません。

人は太陽と月について考えますが，精神がない太陽や月は，人間について考えません。

クオリア ▶ 差し迫った感覚体験のことです。
志向性 ▶ 特定の対象についての心の状態です。

精神は，実際の体験（クオリア）と何かに向けた思考（志向性）を行います。いずれの活動も，精神が外界を表すことを示しています。

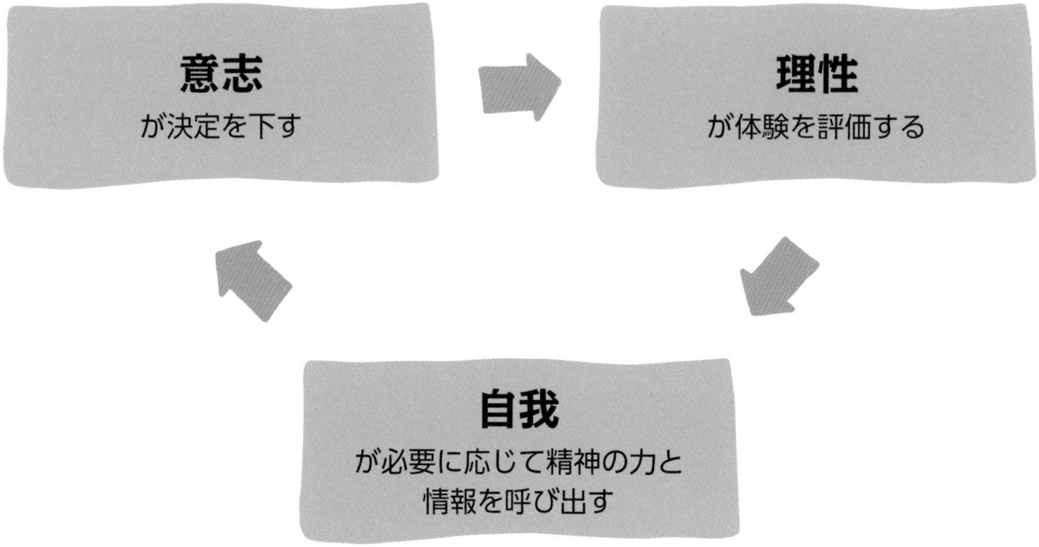

意識をもっているのはあなた一人で，周りは意識がないゾンビだらけかもしれません。

人間には，さらに高次の思考が見られます。すなわち，「自分は本当にこのパンを欲しかったのだろうか」「もしかして曲がる所を間違えたのだろうか」のように，人は，思考について思考するのです。

他者の精神についての見解もそれぞれです。他者が精神をもっているかどうかは，はっきりとわかっていません。普段，私たちは他者にも精神があると当たり前のように考えますが，実は根拠がないのです。もしかすると，意識をもっているのはあなただけで，残りの全人類には意識がないかもしれません（哲学では，この意識がない状態を「ゾンビ」といいます）。自分の行動は自分の精神で説明できるのだから，自分の行動と同じような他者の行動も同じように説明できるはず，ともいえます。また，他者も自分と同じような脳をもっていると思われることも重要です。

精神は実に個人的なもの。そのため，**他者の精神**の証明はまだなされていません。ここで他者の精神の存在を受け入れても，さらに問いが生まれます。他者の精神が経験するものは，自分のものと似ているのか。これが，**逆転クオリア**の謎です。二人の人間が，まるで違うクオリアを経験したとしても，その事実は永遠にわかりません。たとえば，トマトを見たり，砂糖を味わってみたりしたときに，一人の目には青いトマトが映り，砂糖は酸っぱく感じられたとします。しかし，普通に「赤い」や「甘い」などの言葉を使っている限り，経験の違いは露見しません。そのため，「同じ対象を前にすると，あらゆる人はまったく同じ経験をする」と考えるべきではないのです。

このイラストから，青いトマトを経験する人もいるのでしょうか。

意識

古代ギリシャ哲学では，精神のみならず，身体に宿る生命の感覚を指す**プシュケ**が注目されていました。プシュケは，植物にもあると考えられました。長い間，古代ギリシャ人は，思考は脳内で起こるということに思い至りませんでした（頭部の怪我からこれに気づいたといわれます）。脳がきわめて重要であることがわかると，議論の的が絞られ，意識が論じられるようになりました。その後，自覚できない知覚，記憶，願望，不安，動機の影響から，精神には無意識という側面があることが少しずつ明らかになりました。

プシュケ ▶ 身体に宿る生命の感覚です。

意識 vs 無意識

現代の研究により，無意識の精神活動について多くのことがわかりました。無意識とは，「決定した」と自覚する前に脳で行われた決定のような精神活動を指します。盲視の人は，脳に損傷があり，視力がないといわれます。ところが，試験を行うと，本人はそうとは気づいていないけれども，視覚情報を捉えているという結果が出るのです。この視覚情報の無意識の流れは，あらゆる人間に起こります。ですから，目から入ってくるビジョンは，思っているより無意識で捉えたものが多いのです。

ロボットは意識を経由せずにたくさんのタスクをこなせます。これが,「考える」とは何かを定義することを難しくしています。

意識は，精神の最も鮮明で最も重要な部分です。意識にのぼることは，言語化したり，評価したり，比較したり，論証の対象にすることができます。ロボットは意識を経由せずにたくさんの簡単なタスクをこなしますが，このような仕組みは「考える」と呼ばれます。そのため，哲学でも科学でも，人の意識の説明は**難しい問題**だといわれてきました。「ロボットであるとはどんな気持ちか」と尋ねても，おそらく「ロボットには気持ちなどない」という答えになるでしょう。ですから，最大の難関は，人が精神活動を「行う」のではなく「体験する」理由を解明することなのです。そうだとすると，クオリアの解明は，志向性を解明するよりはるかに難しいといえます。ロボットをプログラミングして車の製造や階段の掃除をさせることはできますが，ロボットにお気に入りの香りをもつようにさせることは難しいのです。

はたして精神と身体は別々のものでしょうか。

精神と身体

思考を理解したいだけなら，精神と脳の関連は大した問題ではありません。しかし，より大きな視点で哲学を論じるときには，この精神と脳の関係はかなり重要です。精神と脳はまったく異なると唱える立場と，まったく同じものだと主張する立場があり，これら二つの極論の間で議論が行われています。

精神と脳は異なるとする立場では，精神はかなり特異な存在とみなされます。つまり，非物理的なもので，通常の物理的な実体とはまったく異なる制限があるものとされます。これにより，因果法則からの自由を得られる（自由意志が生まれる）だけでなく，生物学や社会の影響を受けない純粋理性，さらには霊的な存在や不死が可能になります。この説は，一般的に，（おそらく数学を含む）思考の世界が独立した存在であることを意味し，精神世界の可能性を高めています。

一方，精神と脳は同じものだとする立場では，精神は脳の一側面であると考えます。この立場は，現代物理学や神経科学によって後押しされていますが，思考，感情，選択，理性の経験に対して妥当な説明を与えるに際し，大きな困難に直面しています。

物理主義 ▶ あらゆるものは物理的だと考えます。したがって，精神も完全に物理的だとします。

物理主義は，還元主義と消去主義に分けられます。

還元主義	消去主義
精神は実在する 精神は，脳の物理的な事象に還元できる	精神は存在しない 精神は，物理的な活動だ。人類が風，温度，気圧などを識別できるようになったとたんに存在物ではなくなってしまった「天気」のようなものだ

二元論

古代ギリシャの哲学者デモクリトスは，原子とその運動のみが存在すると考え，精神と身体は分離していないと唱えました。しかし，次第に二元論が主流になっていきました。

デモクリトスは，あらゆるものは原子でできていると考えました。

二元論 ▶ 精神は非物理的だとする信念です。

二元論には十分な根拠がありました。精神は脳と関連していますが，脳には思考が働いていることを示す特徴が見られません。この時代にまだ顕微鏡はなく，脳の神経細胞は発見されていませんでした。精神を検証した17世紀の哲学者デカルトは，精神は非物理的なものだと示す多数の特徴を見出しました。

・精神は全体として統一体（一つの存在）だが，脳は切って分割することができる。

- 魂になった状態を夢に見たりするのだから，本当に身体が存在するかどうかを疑うことはできるが，精神の存在は疑いようがない。疑うというプロセス自体に精神が必要だからだ。
- 脳と異なり，精神に触れることはできない。容量，形，重さもない。したがって，精神は物理的なものではない。

ここで，明らかな問題点があります。脳と精神がまったく別種の実体（物理的な実体と非物理的な実体）で，共通点がないとしたら，どのように影響し合っているのでしょうか。精神は身体の痛みを感じ，身体は脳の決断に従います。しかし，それらはどのように作用し合っているのでしょうか。ある説によると，脳内の特定の位置で相互作用が行われているはずですが，人類はそれを説明できないといいます。別の説では，相互作用はなく，精神と脳の調和は超自然的な手法で説明するしかないとされています。

ルネ・デカルトは，「我思う，ゆえに我あり」という名言を残し，疑う能力があるのなら，疑うべき自我が存在することを明らかにしました。

過剰決定 ▶ 精神的な原因が余分であることです。

二元論に対する批判

この**相互作用問題**の深刻さから，**心身二元論**は退けるべきだと批判されています。特に，精神と身体の間にこのように明確な境界線があり，精神は非物理的なものだとすると，ある物理的事象がほかの物理的事象を引き起こすとする，標準的な因果法則では説明できません。物理的原因の連鎖が突然終わるとき（痛みが物理的な存在である脳から非物理的な精神へ移るとき）と，その後，突然再び現れるとき（足を動かすという決断が非物理的な精神から物理的な脳へ移るとき）を，人は目撃することになります。足を動かすのに必要十分な原因が物理的事象に見られ，精神的な原因は余分である場合，その動きは**過剰決定**されているといえます。

これに加え，生物学と神経科学での目覚ましい発展（真剣に考え込むときに脳がブドウ糖を消費し尽くす様子を見ることができるなど）により，精神を物理的に解明することの妥当性が，以前よりはるかに高くなりました。自然淘汰によって人間は進化したという一般論をとると，人類は，別体である精神に触れなくてもその行動を説明できる小動物に，より近いと考えられます。今日では，精神の二元論はもはや取り上げられておらず，より穏当な精神論が展開されています。

行動主義と機能主義

行動主義▶客観的に観察できる行動によって精神を捉える立場です。

精神論の一つとして，精神とは何かを考え直す立場があります。精神を物体や物質ではなく活動やプロセスだと位置づけた場合，もうそこに二つの異なる事物は存在しません。脳は物理的な実体で，精神は，行動のパターンなどの脳の抽象的な側面です。**行動主義**と呼ばれるこうした見方は心理学から起こったもので，これ以降，心理学は，非科学的かつ主観的にしか捉えられない精神ではなく，客観的に観察できる行動に注目するようになっていきます。哲学の行動主義では，精神とはそのような行動のパターンであり，かつ，問題を解消するものだとしています。しかし，俳優は痛みを感じていなくても痛みの挙動を示せます。また，精神的に強い人は，ひどい苦痛を感じていても表情には出しません。頭の中で暗算をしたり，歴史の年号を思い出したりするように，行動にはまるで現れないのに精神が何かを行っている状態はたくさんあります。このように，外に現れる行動が必ずしも精神を表すわけではないため，行動主義の人気は短いものでした。

機能主義

ここからさらに進化したのが，**機能主義**です。精神は行動の体系だとする考えを踏まえたうえで，行動は，外界で観察できるものではなく，脳そのものの内にあると考えました。

機能主義▶精神は，脳そのものの内にある，行動の体系だと考える立場です。

脳はコンピュータのハードウェアであり，精神はその上で働くソフトウェアだと考えられ，その流れは視覚化して捉えられます。コンピュータをモデルとしたもの，各機能を因果的役割で区別するもの，各機能の目的を定義すべしとするものなど，機能主義にはさまざまな主張があります。謎めいた要素がなく実に明快で，精神は，脳内プロセスのパターンを抽象的に描写したものだとしています。これは非物理的な実体によって裏づけられますが，どちらかというと普通の生物学のよう

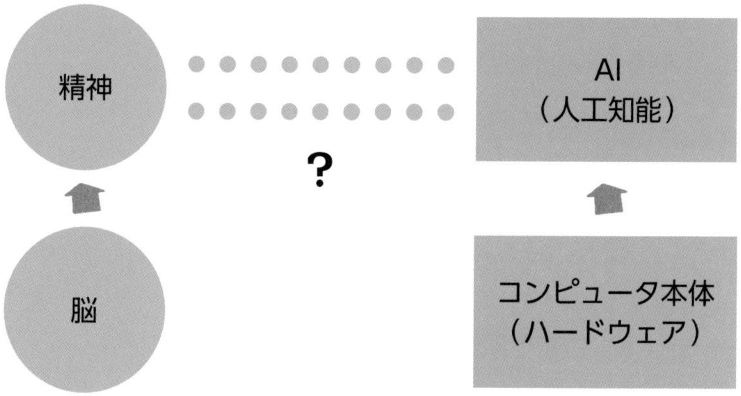

です。

機能主義への反論をいくつか紹介しましょう。まず，優秀な翻訳者がもつ技能のすべてを備えた機械システムをつくることは可能です。ただし，このシステムには，翻訳に際して精神が行うべき理解というものがありません。この場合，諸々の機能よりも意識をもった精神が重要だと反論されています。また，**逆転クオリア**をもつ人を例に挙げた反論もあります。たとえば，多くの人には赤く見えるものを青だと捉えた場合でも，逆転クオリアをもつ人は「赤い」という言葉を使って話すので，その人の機能や行動は変わりません。機能主義では，この人が心の中で経験した違いを説明することはできないのです。また，機能主義は，意識の難しい問題に回答することができません。なぜ，人は特定の方法で物事を経験するのでしょうか。機能だけが必要なら，体験は必要ないはずです。機能主義では，精神の内にあるあらゆるものを，ほかのものとの関連によって説明するので，それ自体がもつ本質的な性質について，何一つ伝えることができないのです。

性質二元論

精神は特別な存在だけれども，非物理的な実体ではないと考えるのが，**性質二元論**です。

性質二元論 ▶ 精神は，脳という物理的な実体から生み出されると考える立場です。

20世紀のアメリカの哲学者ドナルド・デイヴィッドソンは，このような考えを裏づける精神の特別な特徴は，理性に従って行動する能力だと考えました。理性は人の行動を決定しますが，物理的な原因とはまったく異なります。また，物質のように，厳密に物理法則に従っているわけでもありません。本質的に，精神は特異なもの，はみ出しもの。それでいて，脳という物理系の一側面なのですから，精神は脳とは別の実体ではなく，一種の性質だといえるでしょう。性質とは，**発現する**ものです。つまり，脳の物理的要素ではありませんが，脳によって生み出されます。結果として得られる重要な特徴が，**下方因果**です。つまり，発現した精神が何かを引き起こす原因（行動するための理由）となるのです。この原因は，脳が引き起こしたわけではないにもかかわらず，脳と身体に影響を与えます。この説によると，精神は，それ自体がもつ力を確保しつつ，脳で起こることを忠実にたどり，精神だけの世界で暴走することはないといわれます。

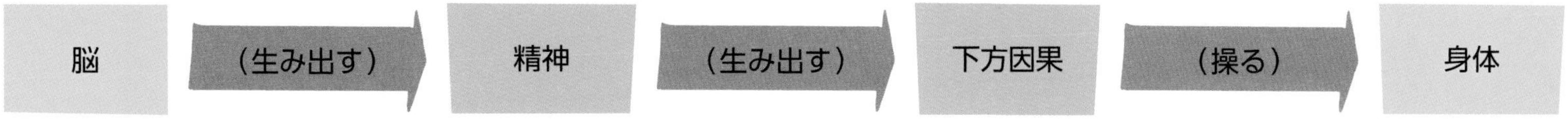

性質二元論は，現代科学の立場からさほど乖離《かいり》することなく，精神はきわめて特別な存在だと主張します。この説に懐疑的な立場からは，それまでの二元論を現代風にしただけだといわれています。精神は物理的なものではなく，それ自体で何かを引き起こす原因となるため，脳を観察しても，何が起こるかを予測することはできません。そのため，物理科学にとって，精神は永遠の謎なのです。こうして見ると，性質二元論は，精神を完全に理解する試みを放棄したかのように見えます。哲学の一派，**新神秘主義**は，これを受け入れて人は精神の謎を説くことはできないと考えます。精神は脳を直接的に捉えられず，脳は精神が内にあることを視覚的に示せません。そのため，理論のもととなる証拠はまったくないというのが新神秘主義の主張です。

新神秘主義 ▶ 精神の謎を解くことはできないと考える立場です。

物理的な精神

新神秘主義とは真逆の見解に，精神（心）の**物理主義**があります。精神の存在を否定するか，または，精神は純粋に物理的な事象にすぎないと考えるのが特徴です。

物理主義 ▶ あらゆる心の事象は，物理的な事象だと考える立場です。

物理的な文脈で解明されることが増え続けているため，現代科学は，物理主義を支持しています。たとえば，かつては魔法のようなものだった「生命」は，化学の分野で深く理解されるようになってきました。しかし，多くの哲学者は物理主義に抵抗を示しています。物理主義は，理性，価値観，芸術，愛などの人生において大切な事柄をないがしろにするからです。純粋な物理界では，あらゆる価値がまったく同じように扱われます。分子は複雑だからシンプルな電子よりも優れているなどという考えは一切ありません。

物理主義への支持は，主に心身二元論への反論に見られます。

- 物理界には，絶え間ない因果（原因と結果）の流れがあり，そのすべては観察可能だ。ただし，非物理的な精神は，この流れとまったく相容れない。
- 一般的な科学法則は普遍的だと考えられるが，二元論では，これらは人間の内には適用できないことから，普遍的ではないとしている。

問題は，人の精神的な営みのすべてが，物理的な言葉で説明できるかどうかです。現代の脳研究に関しては，以前より詳細に物理的な説明が行われるようになりましたが，クオリアや純粋理性などの精神の特徴を，物理的に説明することは難しいように思われます。私たちは，トマトの表面から物理的な情報を得られます。しかし，はたしてトマトの赤さを「物理的に体験」できるものでしょうか。

死

死ぬと，脳の機能は停止します。物理主義では，同時に精神も終わりを迎えると考えます。そのため，物理的な事象としての精神は，進行中のプロセスだと捉えられます。これによると，精神の存在とは，滝のようなものです。目まぐるしくダイナミックな滝は，何の変哲もない水の移ろいから成り立っています。通常，二元論を論じる際には，物理的な実体ではなく，使用する概念によって説明します。人類は，いまだ精神と身体の統一を確認できていないために，これらに関するまるで正反対の議論が発展し，私たちが使う言語に定着したのです。この点において，物理主義を批判する立場は，意識を挙げています。いくら複雑でも単なる物理的な諸活動から発現するものにしては，意識はかなり驚くべきものだというのです。また，精神は，分子の集まりとはまるで違う方法で，特に意識によってまとめられていると主張しています。

AI（人工知能）

AI技術の発達も，物理主義を後押ししています。AIは，優秀なチェスプレイヤーなどのスキルを再現します。こうしたスキルは，かつて，天才プレイヤーの精神のみが得られるスキルだと考えられていました。AIが人の知的活動に入り込むにつれ，精神はコンピュータのように物理的なものではないかと考えられるようになりました。しかし，コンピュータには人の心を打つ小説を書くことも，うまい冗談を言うこともできません。こうした限界があるため，AIの進化はまやかしだという批判もあります。

精神は滝のようなもの。目まぐるしくかつ華やかですが，実にシンプルな何ものかの振る舞いによって成り立っています。

デカルトと合理論
(1620～1720)

17世紀の近代科学の登場は，哲学を生まれ変わらせました。**ルネ・デカルト**(1596～1650)が，自らの研究を正当化するためには宇宙論に踏み込まなければならないと感じていたのもこの頃です。古代ギリシャの懐疑論に影響を受けたデカルトは，自著『省察』の中で，基本に立ち戻って絶対確実な知識があるかどうかを問い直しました。また，自分自身の存在を証明したり，精神の内の生得観念を追究したり，存在論的証明を用いて神の存在を立証したりすることで，科学知識の強固な礎を築きました。知識は経験ではなく判断によるものだと論じて，現代合理論を立ち上げたのもデカルトです。さらに，脳と異なり，精神は物理的な実体ではないと説く二元論を唱えたことで知られています。

バルーフ・スピノザ(1632～1677)は，その自由すぎる考え方が原因で，生まれ育ったユダヤ人コミュニティを追われました。スピノザは，デカルトの二元論を否定して，精神と脳は一つの実体だと考えました。また，神の存在論的証明を受け入れたものの，汎神論の視点で議論を展開しています。世界にはたった一つの実体しかないため，一切のものは神と同一だと考えたのです。このように型破りな宗教観により，スピノザは問題児だとみなされました。さらに，スピノザは自由意志も幻として退け，あらゆるものは必然的に規定されていると説く決定論を擁護します。自著『エチカ』では，厳密な幾何学の形式で自らの形而上学を示しました。

デカルトとスピノザに続く偉大な合理論者は，優れた数学者でもあった**ゴットフリート・ライプニッツ**(1646～1716)です。ライプニッツはデカルトに感銘を受けたものの，スピノザには批判的でした。あらゆるものには理由があり，矛盾などあり得ないという前提から始めています。ライプニッツによると，神は存在し，あらゆる可能世界の中から最善の世界を選びます。悪魔は避けられない交換条件として存在します。自著『モナドロジー(単子論)』では，自然には基礎があり，その基礎は，活発で反応する多くの実体によって構成されていると主張しました。それらの原子のような実体，モナド(単子)は，精神ではないものの，精神のような(非物理的な)存在です。人の精神はそれぞれ分離しているが，神の力によって，身体と予定通りに調和します。また，ライプニッツは，アイザック・ニュートンに対抗して，相対的な空間論を擁護しました。

デカルトは知識の強固な基礎を見出し，近代科学に貢献しました。

第7章
人格

ヒトと人格 — 自我 — 人格の連続性 — 自由意志

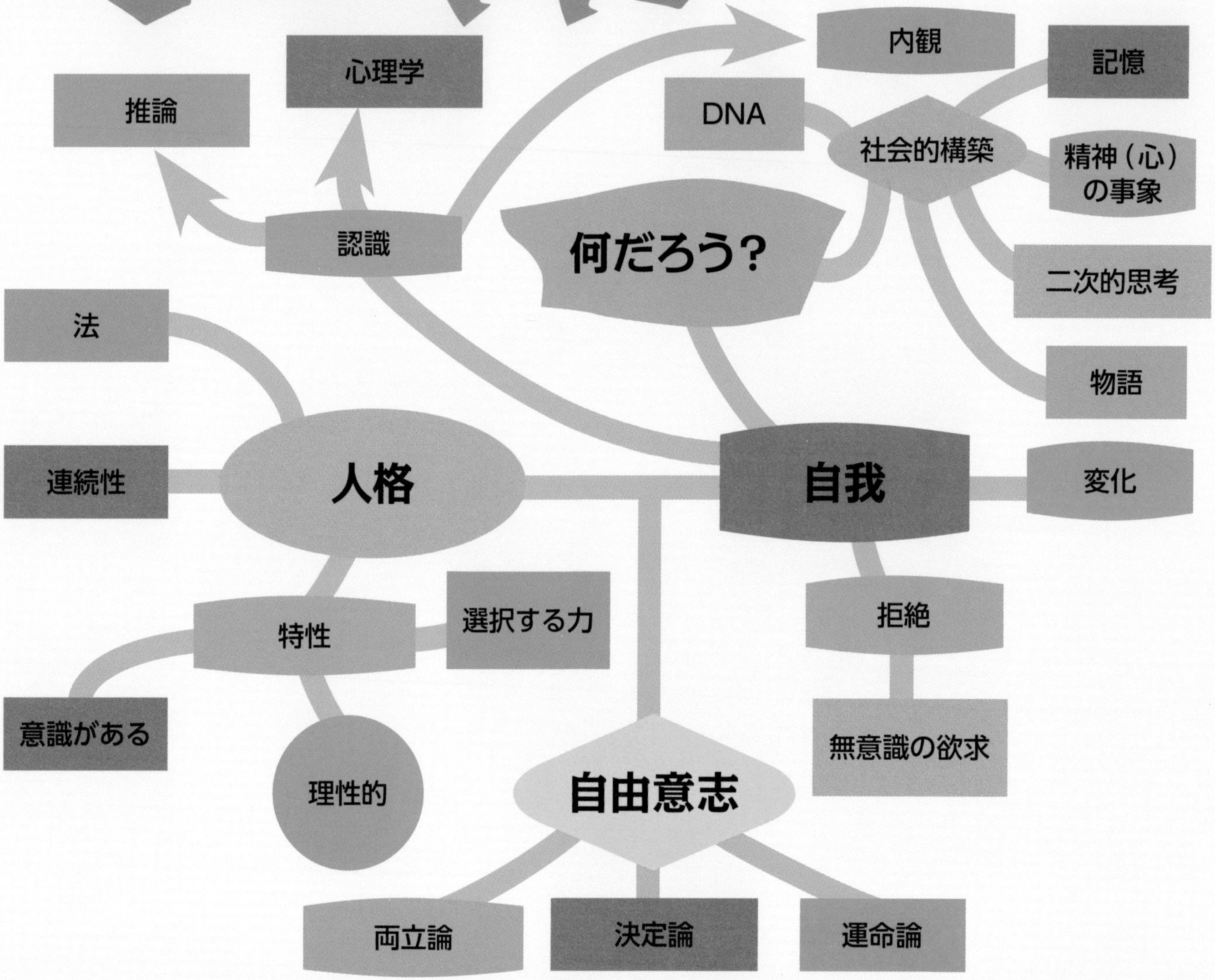

ヒトと人格

生物としての「ヒト」の存在は，実際に産声を上げる前に始まり，死んで呼吸が止まってもヒトであることは変わりません。一方，ヒトが自らの行動に対して法的責任を負える状態のことを，**人格**と呼びます。この概念は，法律上の必要性から生まれました。ずっと同じ人格であり続けていることを前提に，有罪判決を受けたり，契約を結んだりします。人格にとって重要なのは，ヒトの身体をもつことではなく，「意識がある」「分別がある」といった精神的な性質です。法の定義によると，人格とは必ずしもヒトである必要はなく，会社や街であっても人格になり得えます（法人など）。ここで，三つの重要な問いを考えてみましょう。

- 「人格」に必要な性質とは何か？
- いつ「同じ」人格であり続けるのか？
- 人格をもたないヒトとはどんな存在か？

自己責任を負うために必要な性質とは何でしょうか。たとえば，自らの行動について言い訳をする必要を感じないのであれば，きちんと自己管理しながら行動したといえるでしょう。17世紀のイギリスの哲学者ジョン・ロックは，「人格は，意識があり，理性的で，ある程度の知性があり，自己認識をもち，連続的で，選択する力をもっていなければならない」と述べました。この考えは，今も広く受け入れられています。

ジョン・ロックによる人格の要件

意識がある	自己認識をもつ
理性的	連続的
知性がある	選択する力がある

どのように同じ人格であり続けるのかは，さらに難しい問いです。生まれたての赤ん坊と，その将来の姿である老人を，私たちは同じヒト（同じDNAをもっている）と考えます。ところが，ロックの意見では，同じ人格であり続けることは難しいことです。なぜなら，歳とともに精神の状態は大きく変わり，幼児期の人格や高齢期の人格と働き盛りの年代の人格の間には，ほぼ共通点がないからです。ここで，幼少時代に形成されてから脳が損傷を受けない限りまったく同一であり続けるもの，つまり，**自我**があると考えると，話は簡単です。そうだとすると，たとえ思考，気分，経験が変化しても，そうした行動の主体である自我は決して変わりません。そのため，人格については，主に自我やエゴに注目した議論が行われています。

ジョン・ロックは，人格とは，意識があり，理性的で，自己認識をもち，連続的なものだと述べました。

自我

テントウムシに自我はあるでしょうか。それとも，自我は人間特有のものでしょうか。

ある瞬間に「あなたには自我がありますか」と問われて，「ある」と答えたとします。少し経ってから同じ質問を受け，「その自我は，先刻の自我と同じですか」と尋ねられた場合，人は，いったいどんな答えを出すのでしょうか。初期の仏教は，自我の存在を完全に否定していましたが，自我があると主張するのには，十分な理由があります。思考や経験は，偶然に左右されるのではなく，主体（行為者）の働きによって変化します。主体は，過去を踏まえ，先のことを計画して行動します。さらに，その結果として起こったことを比較検討し，また次の行動を起こします。たとえば，数学の証明のように論証を重ねていくときには，一貫して同じ見地から論証をまとめ上げなければなりません。そうした瞬間，行為者は，変化するバラバラなパーツの集まりではありません。発車しようとする電車に駆け込む瞬間と同じで，すべての精神（心）の事象が一つの目的を果たすことに向けられているからです。精神（心）の事象には，一時的で些細なものも含まれますが，記憶，人間関係，大切な信念など，人間にとって重要度の高いものもあります。

植物やテントウムシに自我はあるでしょうか。一個の生物の関心事はそれなりに統一性がありますが，植物に自我があるとは考えにくいです。なぜなら，植物には意識がないからです。そうだとすると，自我をもつためには意識が不可欠なのでしょうか。数学の証明をしたり，電車に駆け込んだりするときには，意識が必要でしょう。ただし，人間には無意識の状態もあります。実のところ，自我とはそれほど厳密なものではなく，なくては困るというほどのものではないのかもしれません。仮にテントウムシに意識があったとしても，そのほかの自我の条件を満たしているようには見えません。きわめて短い思考のつながり，ほんのわずかな計画性，最低限の信念しかないはずです（確認はできませんが）。精神活動が複雑になればなるほど，その焦点をより長く保ち続けることが求められます。言語に関する例を挙げましょう。長くて複雑な話をしなければならないときには，複数の人が話すよりも，一人が一貫した説明をすることが必要です。

カントは，自我を経験や論証の必要条件と考えていました。

18世紀のドイツの哲学者イマヌエル・カントは，「人は内なる自我の存在を知覚することはできないが，生まれながらに知っている，この自我のようなものは明らかに必要だ」と認めました。自我は観察によって確かめられるものではありませんが，経験や論証を行うための必須条件だと考えられます。その存在を捉えることができなくても，人の精神活動を解明するうえで，自我は不可欠です。ただし，これらの議論は，精神（心）の状態ばかりに注目していますが，身体の役割も見過ごせません。本人は内面に自我があることを自覚していても，他者は顔や体形からその人を識別するものです。今日では，精神（心）は身体と緊密に連係し，思考は身体の影響を強く受けると考えられています。そうだとすると，自我だと感じているものは，自らの身体のイメージにかなり近いのかもしれません。つまり，もし現実に片足を失った場合，自我の一部が失われたと同然です。また，性転換をすると，別の人格になることになります。

自己認識

自我の存在を認める説のほとんどは，**内観**，つまり自らの精神（心）の観察をもとに，議論を展開しています。内観は，己を理解し，知識に確かな根拠を与えるのに役立ちます。合理論では，少し考えれば内観によって得られる自明の真理があり，経験と組み合わせることで，そこからさらに多くの真理を導くことができるとしています。

ただし，内観には明らかな問題があります。内観で自我を見つめようとするのは，自らのしっぽを追いかける猫のようなもの。なぜなら，自我を映し出す鏡は存在しないからです。自らの感情を見きわめること，物事を正しく理解できているか確かめることなど，内観にもさまざまな面で限界があります。腹を立てているときや焦っているときは内観できなくなるので，そうした状態をその場で観察することはできません。さらに，現代の心理学研究では，人が自ら発信する「自分の動機」や「自分の道徳原則」は，かなり信頼性が低いとされています。なぜなら，実際の行動は，「自分の目標」だと発信したことと，かなり高い頻度で矛盾するからです。また，人に最近目にした出来事を報告してもらうと，驚くほど不正確な場合があります。このように，内観には明らかな限界があるため，十分な注意が必要です。

内観で自我を見つめようとするのは，自らのしっぽを追いかける猫のようなものです

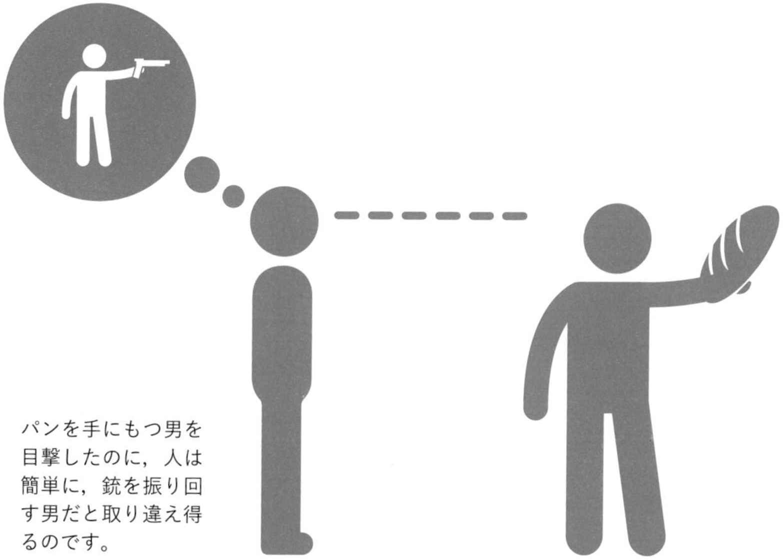

パンを手にもつ男を目撃したのに，人は簡単に，銃を振り回す男だと取り違え得るのです。

とはいえ，内観は知識のよりどころでないと言い切るのは，乱暴すぎるというものでしょう。己の精神活動を自ら認識しようとしてもはっきりわからないかもしれませんが，他者に評価されるよりは確実です。また，どれほど脳のスキャンや心理実験を行っても，被験者が内観して自らの考えを報告してくれなければ，結果は出せません。さらに，子ども時代に経験したと確信していること，それも鮮明に記憶に残っていることは，いくら精神（心）の信頼性が低いといわれても，簡単に退けることはできません。自我を確実に理解できるわけではありませんが，内観によって，自らの本質や連続性について多くのことがわかります。

自我の否認

自我を疑う				
仏教徒	**イマヌエル・カント**	**デイヴィッド・ヒューム**	**フリードリヒ・ニーチェ**	**現代の神経科学**
自我は存在しない。	自我は知覚できないが，経験や論証から存在を推測することはできる。	自我は存在しない。人間は精神（心）の事象の「束」にすぎない。	私たちは無意識の欲望にかられて行動する。生涯を通じて「私」を構成する不変の存在はない。	脳には「自我」の役割を担う部位はないが，二次的思考を基盤に機能していると考えられる。

自我の存在に敢然と反対したのが，18世紀イギリスの経験論者デイヴィッド・ヒュームでした。彼は，自分の精神（心）を観察しても，自我の影も形も見つからないと主張し，そこにあるのは体系化されずに絡まり合った精神（心）の事象だけだとして，これらを「束」と呼びました。自我を想像することはできても，その存在を裏づける証拠はありません。さらに，神経科学にも，ヒュームの見解を後押しする部分があります。脳に自我の役割を果たす構造が見当たらないのです。しかし，ある程度の機能調整を行わなければ，思考することはできません。ここで，自我の根拠になり得るのが，**「二次的」思考**（思考についての思考）の存在です。二次的思考とは，重点を置くべき作業（たとえば，本書を集中して読むこと）を決めたり，自らの振る舞いを反省したりする，人の思考の一部です。

生まれてから死ぬまで，人は「決して変わらない何か」によって構成されている。懐疑論では，この考えは誤りだと考えます。19世紀のドイツの哲学者ニーチェは，ヒューム以上に悲観的に，内観で己を理解できるという見方を疑いました。ヒュームにとって，少なくとも経験の「束」は確かに存在するものでした。ところが，ニーチェはその経験の「束」さえも疑い，それは，完全に人の解釈次第なのだから確かに存在するとはいえず，人は，得体の知れない無意識の衝動に突き動かされているのかもしれないと主張しました。ニーチェは，精神（心）の奥底に眠る力に，自分自身が押し流されているかのように感じていたのです。

デイヴィッド・ヒュームが精神（心）の中に見出したのは，不変の自我ではなく，精神（心）の事象の束でした。

変化する自我

さらに影響力が大きかったのは，18世紀から19世紀にかけて活躍した哲学者ヘーゲルの主張です。ヘーゲルは，内観で自我を捉えることはできないが，他者の精神（心）との関わり合いの中で自己の本質を知ることができると唱えました。この考えは社会学の中で発展します。自我は「**社会的構築物**」と捉えられ，詳細な説明が行われました。さて，不変の自我が存在するとしたら，それはどのようにつくられるのでしょうか。家系やDNAによって（先天的に）決まるのでしょうか。それとも，幼児期に（後天的に）培われるのでしょうか。大人になると，感情，意見，選択は周囲に影響されるようになりますが，ヘーゲル以前の考え方では，人は影響を受けつつも，自分であり続けるとされていました。ところが，自我を社会的構築物だと捉えると，すべてが覆されるのです。

ヘーゲルは，他者の精神（心）との関わり合いの中で自我を知ることができると説きました。

自我の形成			
ゲオルク・フリードリヒ・ヘーゲル	**カール・マルクス**	**実存主義**	**ポストモダン哲学**
他者と関わる経験を通じてのみ，自我を理解できる。自我は社会的構築物だ。	人の精神（心）は，経済的・政治的状況によって形づくられる。	人は自分の理想に応じて，自我をつくり変えることができる。	自我とは，現在進行中の人生劇場の主人公だ。

こうした社会的な視点をいち早く取り入れたカール・マルクスは，意識の本質は自分を取り巻く経済的・政治的状況によって形づくられると主張しました。彼は，人の精神（心）は社会の統制者によって形成され，ほとんどの人はそれぞれの社会的地位にふさわしい意識を身につけていくとしています。

より個人主義的なアプローチをとったのは**実存主義**で，自我のありようは無限だと唱えました。ただし，社会に流されるのではなく，自らの手で自我を形づくるように促しています。人間には二次的思考があるため，自分の理想に応じて自我をつくったり，つくり変えたりできるのです。現代では，自我の探究を物語性への愛着と結びつける説もあります。ここでは，自我とは，人生を歩みながら（ほとんど考えもなしに）成長していく私たちの姿，つまり，進行中の物語の登場人物だと考えます。人には「**物語的な自我**」があり，その自我こそが次なるエピソードの主人公なのです。この物語的な自我の説によると，個人の人生には統一性と目的があり，自分の物語と並行して，他者の物語も進行しています。私たちは不変の主人公ですが，さまざまな出来事を経験して変わっていくのです。

カール・マルクスによると，私たちの意識は経済的・政治的状況によって形づくられます。

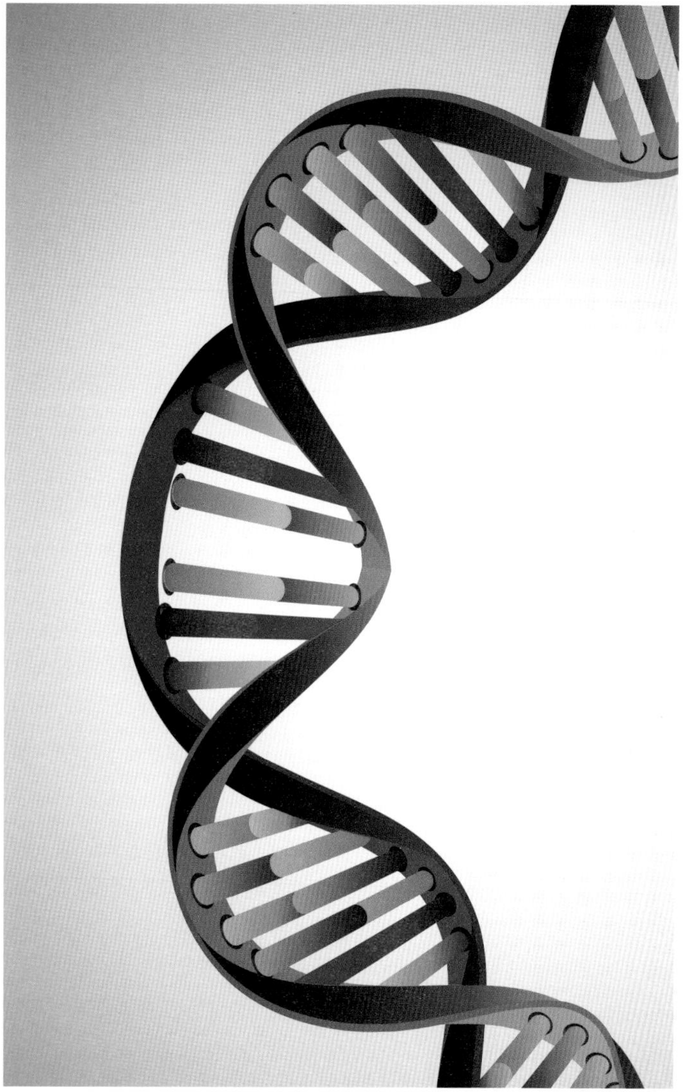
社会的状況が変わっても，あなたのDNAは変わりません。

人格の連続性

法制度は，人間はずっと同じ人格を保ち続ける（連続的である）という前提でつくられています。私たち人間も，幼年期から老年期まで，自分は本質的に同じ人格だと考えています。しかし，自我は常に変化し，社会の影響を受けて大いに形を変えていくのに，人格は同じままであり続けられるでしょうか。このような変化を目の当たりにしてなお，自我に関するあれこれに執着するべきでしょうか。

これに対する明らかな解決法は，身体に注目することです。身体は，少なくとも時間と空間の中で存在し続けています。「現在の身体」は「幼児期の身体」とは違いますが，いったいどの瞬間に変わったのでしょう。身体のDNAは同一です。写真には同一人物が映し出されています。人が「人格」を成す特性をもつか否かにかかわらず，その人の身体のありようには，大きな意義があるとみなされているのです。とはいえ，幼児期の自我と大人の自我との間に，共通点はほとんどありません。5歳で交わした約束を，30歳になっても守り続けるべきだと思う人は少ないはずです。

記憶

ロックは，現在の自分が5歳の自分と同じだと信じることではなく，かつて5歳だったことを「覚えている」ことが肝心だと主張しました。人生の日々は，長い**記憶の鎖**で一つにつながっています。これらは，人生という物語の一部とも考えられます。しかし，人は，自分だけの大切な思い出，個人的でささやかな記憶を心にしまっておくこともあります。ここで，ロックは大胆に主張します。「起こった出来事を覚えている限り，その時の人格と今の人格は同じである。その出来事をすっかり忘れてしまったとき，それは己の一部ではなくなる」。さらに，「認識できるなら，身体は人格の一部だ。つまり，小指は己の一部だが，髪は己の一部であるときもそうでないときもある」とつけ加えました。ロックによると，人は自らの意識そのものです。そして，この認識の一部であり続ける限り，同一の人格でいられるのです。

ところが，まもなくして，18世紀のスコットランドの哲学者トマス・リードがこの説の問題点に気づきます。ロックによると，30歳の時点で幼児期の記憶をもっている場合，幼児期の人格と30歳の人格は同じです。同様に，老人が30歳の頃の記憶をもっている場合，30歳の人格と老人の人格は同じです。しかし，もしその老人が，30歳の記憶はあるのに幼児期の記憶はない場合はどうでしょう。老人の人格は，幼児期の人格と「同じでない」（忘れてしまったから），かつ「同じである」（老人の人格は，「幼児期の人格と同じ30歳の人格」と同じだから）ことになり，矛盾が生じます。同じ理屈でいうと，たとえ犯罪行為をしても，それをすっかり忘れてしまえば，有罪ではなくなってしまうのです。このため，記憶喪失は，犯罪者にとって非常に好都合といえます。

ロックの説が正しければ，幼児期の自分を覚えている限り，その頃の自分と今の自分は同じです。

自我のありか			
場所	**身体**	**記憶**	**脳**
その批判	身体は時とともに変化する。	人は物事を忘れるもの。したがって，記憶喪失の犯罪者は無実だ。	脳を切って二つに分けるとすると，一つの身体に二つの人格が存在しているようだ。

現代医学が示す根拠

こうした大きな批判にもかかわらず，現代において，この学説はふたたび脚光を浴びています。それは，興味深い証拠が現れたためです。まず，身体が正常に機能する限り，ヒトは半分の脳だけでも生きられることがわかりました。また，（医学的処置の一環で）外科医が左脳と右脳の結合部を切り離したところ，一つの頭に二つの人格が存在しているような動きが見られました。もしある人の右脳か左脳を他者の身体に移植したと仮定すると（十分現実的です），どちらがその人なのでしょうか。その人の意識が続いていく場所はどこかと考えるなら，いずれの脳にも注目すべきです。すなわち，右脳と左脳はそれぞれ別の意識をもち，二つの生が展開していくのです。

とはいえ，当初の批判がなくなったわけではありません。揺るぎない中央制御部分によって，現在の思考を整理したり，未来を計画したり，出来事を記憶したり，それらを人生という物語に編み込んだりしなければ，記憶や統一性のある意識をもつことはできないでしょう。

キツネが悪さをしても責められません。キツネにはほかに選択肢がないとされているからです。

自由意志

人間の意志は「自由」でしょうか？　天候の挙動とは異なり，人間の意志はその行動を完全にコントロールできる（人間は，自らの意志で自由に行動を選べる）のでしょうか。多くの思想家が，**自由意志**がなければ，道徳的責任は存在し得ないと考えています。キツネが悪さをしても責められないのは，キツネにはほかに選択肢がないからです。一方，人間の大人が褒められたり批判されたりするのは，自らの行動を完全にコントロールできる（自らの意志で自由に行動を選択できる）からです。そこでまず，自由意志とは何か，そして自由意志をもつことができるかどうか，という問いを考えてみましょう。

自由意志に関する最も強い主張は，超越的存在に関連しています。「超越している」存在は，自然界を支配し，おそらくは諸法則をつくり出す存在で，それらの法則の枠外にあるはずです。こうした存在には，外界の影響から解き放たれた，選択する力が必要です。因果法則により原因と結果の連鎖があるとすると，完全に自由な超越的存在は，過去の出来事の結果ではない原因，つまり，無から始まる原因を生み出すはずです。自然界の一般的な因果法則にからめとられている，純粋に物理的な実体に，そうした選択力があるとは思えません。個別の実体か，特有の性質かはわかりませんが，精神（心）には，物理的性質から自由になった領域があるに違いありません。

両立論 ▶ 物理的な存在に完全な自由はないが，行為者因果が働くとする立場です。

自由意志に関する，より控えめな主張（**両立論**）では，「物理的な存在に完全な自由はないが，特殊な自然の因果関係（**行為者因果**）が働くため，完全に外界の原因によって引き起こされる天候に比べ，より自分の意志に基づいて行動を決められる」と考えます。意識がある，論証することができる，または二次的思考がある存在には，行為者因果が働くのです。

自由意志の存在を支持する立場には，自由意志ほど明白なものはないという声もあります。人は，何かを選択しなければならないとき，選択肢を吟味し，十分に時間をかけたうえで，ベストだと思う行動を起こします。これら全体を意識的に行っていることから，行動を完全にコントロールしている（自らの意志で自由に選択している）と考えることができます。

衝動に直面したとき

激しい衝動に直面したときでさえ，私たちには行動を選択する力があります。

- 薬物依存症の人は習慣的な薬物摂取をやめることができる。
- 囚人が拷問に抵抗する。

「衝動に屈することしかできない局面」というものはありません。人間が理性によって検証を行うことからも，自由意志の存在を裏づけることができそうです。そもそも理性という概念は，因果の支配を押しのけ，冷静に距離を置いて考えることを要求します。つまり，自由意志がなければ，人間は理性的な生き物とはいえません（そして，人間は理性的でないというのは誤りに思えます）。ある行動をとる理由があるときには，そうしない理由も思いつくことでしょう。そんなとき，意志だけがどちらを選ぶかを決められます。こうして，意志はあらゆる因果法則を押しのけるのです。二次的思考（思考についての思考）を重視するなら，こうして自由について考えること自体が，人間の自由を証明しているといえるでしょう。

自由意志の存在に否定的な立場は，そうした楽観的な考えは錯覚だと主張します。17世紀のオランダの哲学者スピノザは，「人は自由に選択しているつもりだが，その選択を引き起こす，隠れた原因に気づいていないだけだ」と述べました。今日では，**潜在意識**が，隠れた動機のみならず隠れた理由のありかだといわれます。また，真の選択する力を人間が捉えられるかどうかは証明できません。一見すると自由に行動したようでも，その最終的な決断の出どころは，実際にはわかりません。一方的に意識に現れるさまざまな思考のように，決断もただ思いつくだけなのでしょうか。神経科学では，脳は，「そうしよう」という考えが意識にのぼる前に，最終的な行動を始めることが明らかになっています。

スピノザによると，人は自由に選択しているのではなく，その選択を引き起こす，隠れた原因に気づかないだけなのです。

決定論 ▶ 人間の行動を含むあらゆる出来事には，それに先立ち必然性を与える原因があるとする立場です。

自由意志を否定する説の中には，**決定論**があります。ここでは，人間の行動を含むあらゆる出来事には，それに先立ち必然性を与える原因があると考えます。雨はしかるべき条件がそろえば降りますが，人間の思考や決断も同じだというのです。原理上は，今この瞬間の出来事を完全に知っていれば，すべての未来を予知できると考えられます。ただし，こうした決定論の確信は，（必然性より確率を扱う）量子力学によって揺るがされています。さらに，**運命論**を唱える立場もあります。これによると，未来はすでに決まっているのだから，人が行う決断は無意味なのです。

運命論 ▶ 未来はすでに決まっていると考える立場です。

大部分の哲学者は，運命論を冷めた目で見ています。人の選択がすでに決められた運命の一部なら，これからも選択を続けてもかまわないと考えられるからです。

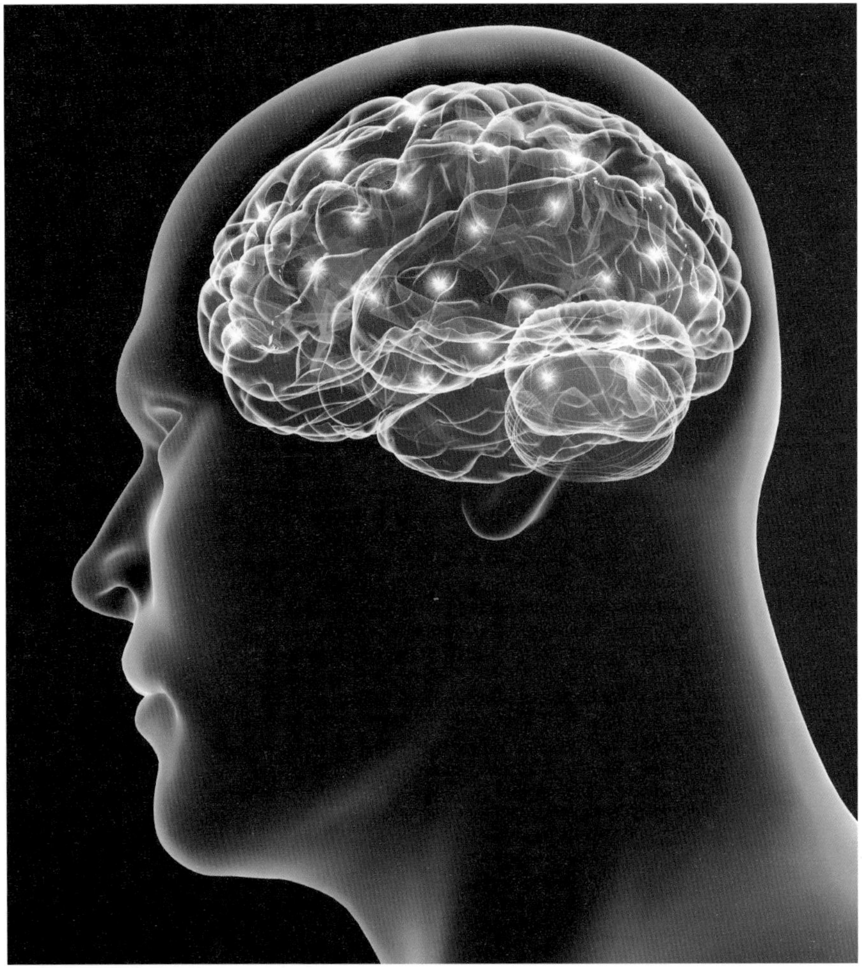

現代の神経科学では，決断が意識にのぼる前に，脳が実行し始めていることが明らかになっています。

ジョージ・バークリーは，神が万物を知覚していると考えました。

経験論
（1600～1820）

17世紀には，科学の登場により経験論が盛んになりました。**トマス・ホッブス**（1588～1679）は，思考は脳の物理的な動きにすぎないと唱えました。自由意志や理想的な道徳的価値は，人間同士の合意にすぎず，存在の余地はないというのです。ホッブスは，神が存在する証拠は見当たらないとしたうえで，「人間同士の合意だけが政府を正当化する」と述べ，**社会契約**という政治思想を提案しました。こうしたホッブスの思想は，社会全体の合意の執行者である絶対王政を後押ししました。

ジョン・ロック（1632～1704）は，デカルトが唱えた生得観念を否定して，「人の心はまっさらな紙であり，経験だけが知識をもたらす」と述べました。神，三角形，馬といった概念は，経験同士の比較や単純化から生まれるというのです。ロックは，現実の特性である，形や重さなどの一次性質と，主観的で誤解を招く恐れもある，色やにおいなどの二次性質とを明確に区別しました。また，ヒトは十分に成熟した**人格**とは別物だと主張しています。政治においては，社会契約論を擁護して，所有権が社会の基盤だと説きました。

ジョージ・バークリー（1685～1753）は，人が実際に知るのはあくまで心の内面にある経験であって，実在するはずの事物そのものを知っているわけではないと捉えました。「木」の知識は，精神（心）の中にある特定の形や色を認識しているだけだというのです。聖職者だったバークリーは，神が万物を知覚していると考え，「人間が認識しなくても，神が認識するから実在が確保される」と考えました。この独創的な主張は，実在を物理的ではなく精神的なものとして捉えていることから，**観念論**的経験論と呼ばれます。

デイヴィッド・ヒューム（1711～1776）は，著名な経験論者の中で最も懐疑的な人物でした。ヒュームは，その実体を経験できないからとして，自我の存在すらも疑います。さらに，ヒュームの疑いは因果律にも及び，人は出来事同士のつながりを単純化・パターン化しているだけだと考えました。また，帰納（習慣的な経験からの学び）には論理が見出せないと断じ，奇跡など信じるべきではないと主張します。そしてあらゆる観念は，知覚から得た印象に分解できると考えました。ヒュームの思想は，後世の経験論に絶大な影響を与えています。

優れた経験論者だった**ジェレミー・ベンサム**（1748～1832）は，快楽や苦痛の経験から道徳法則を導き出しました。一方，彼が唱えた**功利主義**は利他的で，万人の喜びの最大化（と苦痛の最小化）を目指すものでした。

第8章
思考

思考の形式 — 思考の仕組み — 内容 — 概念 — 行為を理解する — 行為の意図 — 意志が引き起こす行為

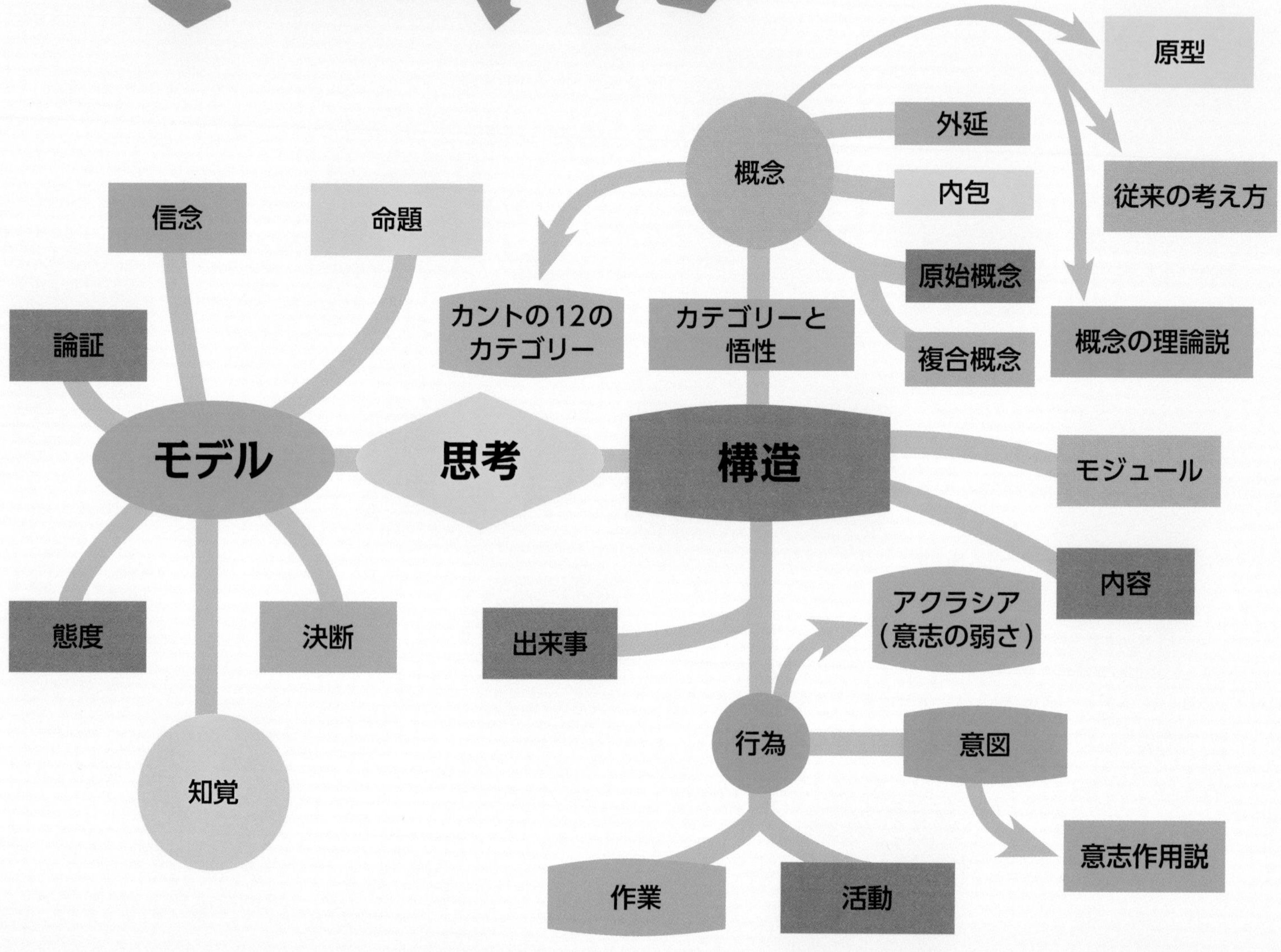

思考の形式

本章では，精神（心）の本質，心と身体の関わり，自我による心のコントロールなどの疑問は脇に置き，思考の源泉よりも思考の本質に迫ります。哲学では，より広いテーマである真理，知識，行為，価値と関連させて，思考を研究しています。

「思考」とは，意識にのぼるあらゆるものを（場合によっては，無意識下で起こる心の事象も）含む，漠然とした言葉です。まずは，思考を種類ごとに分類してみましょう。

感情には，何かに対して抱くもの（たとえば「ネズミがこわい」）と，単なる心の状態や気分（たとえば「憂鬱《ゆううつ》だ」）とがあります。欲望は動機の一種ですが，感情的な側面もあります。神経科学によれば，すべての思考は（暗算でさえも）見方によっては感情的です。

命題 ▶ 真偽の判断が可能な思考です。

思考の形式	知的能力
感情	集中する
命題	ルールに従う
態度	物事の様相を抽象化する
判断	一般化する
信念	テーマを客体として扱う（たとえば，経済）
知覚	類似点を予想する（たとえば，ピンと張った糸は「まっすぐ」だと推測する）
想像	物事を理想化する
記憶	
理由	
動機	
決断	

命題とは，真偽の判断が可能な言明（思考）のことです。頭の中で，「電車が遅れている」という思考を日本語や英語の形にできるとき，その思考は命題です。**命題態度**とは，命題に対する反応です。

「電車が遅れている」という命題に対して，その是非を考えたり，恐れたり，期待したり，腹を立てたりすることをいいます。中でも，命題を真だと判断すること，すなわち，電車が遅れていると「信じること」は，特に重要な態度です。

知覚は，**精神（心）の事象**をもたらします。とっさに湧くありのままの思いもあれば，概念体系をもとに形づくられる考えもあります。精神（心）はまた，記憶で埋め尽くされています。記憶とは思い出せる物事だと思われていますが，人は思い出せる以上のことを覚えています。事前に思い出せなかった場所や人の顔も，いざその場に立つと正しく認識できるものです。なかなか物事を覚えられないときには，自分の心なのにちっとも意のままにならないと腹が立つこともあるでしょう。そして，人間には，一度も経験していない物事を想像できるという，驚くべき能力が備わっています。ランダムに現れるイメージの数々が，最後には一つの像を結び，会ったこともない人の顔を想像できるのです。

理性に基づく**論証**は，哲学者にとって重要な思考の形式です。論証には，真なる信念を得るための理論的な形式と，適切な行動をとるための実践的な形式があります。理性の位置づけとしては，純粋理性を神聖視するような見方から，諸文化が生み出す多様な合理性に対する懐疑論まで，さまざまなものがあります。思考における理性の役割を知ることは，思考論を整理するのに役立つでしょう。

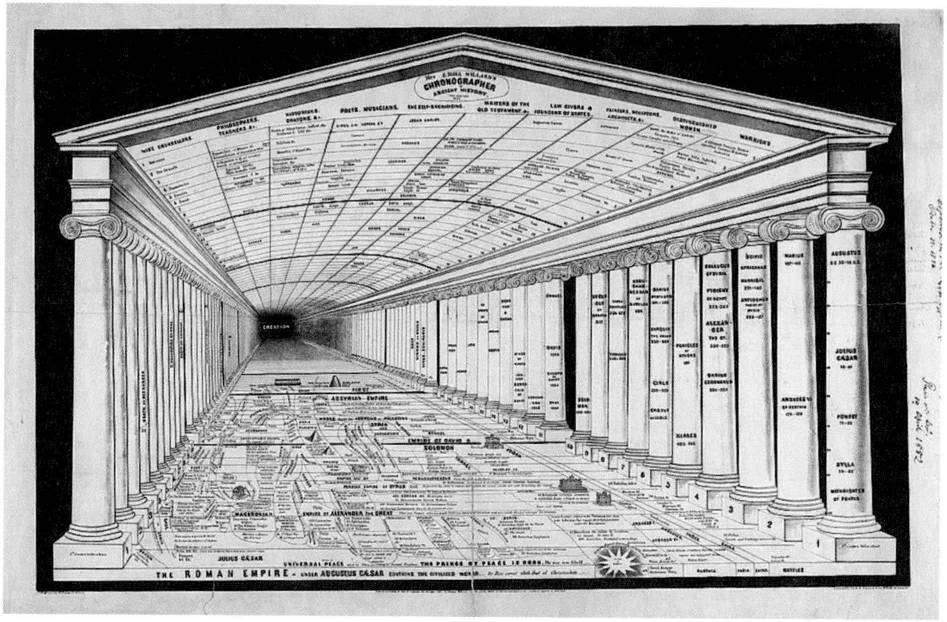

精神（心）を埋め尽くす記憶ですが，いつも鮮明かつ正確であるとは限りません。

思考の仕組み

哲学者たちは，思考の全体的な特徴からいったん離れて，どんな構造が思考の基盤となるべきかを論じました。18世紀のドイツの哲学者カントは，精神（心）には「**悟性のカテゴリー**」がある，という重要なアイデアを示しました。カントは，精神（心）が経験を得るために絶対必要なものは何かを問い，量，質，関係，様相の４つの柱のもとに分類した枠組み，概念の12のカテゴリーを提示します。アリストテレスやヘーゲルは，カントとは異なるカテゴリー体系を示しているため，思考の仕組みについての合意は得られていません。しかし，人間は，おのずと精神活動を構造として捉えてしまうようです。

現代の思考の哲学は，人はどのように言語を獲得するかを考えることから始まりました。子どもは，教えられなくてもすぐに正確に話せるようになります。精神（心）には，文法や概念の獲得に必要な機能を含むモジュールが備わっていて，それが経験を通して発動するとも考えられます。しかし，言語のためのモジュールがあるなら，心理学，生物学，物理学，幾何学を扱う精神（心）的能力のためのモジュールもあるのではないでしょうか。

どんな人にも心の声があって，電話の場所や出発の時を教えてくれます。それぞれのモジュールは，進化の過程における人類の一歩を表しているのかもしれません。アメリカの哲学者ジェリー・フォーダーは，心の**モジュール性**を提唱しました。さらに，脳は，コンピュータの機械言語に似た心の言語，**思考の言語**を用いて，考えをまとめるときのイメージや概念を表現すると考えました。

心のモジュール性

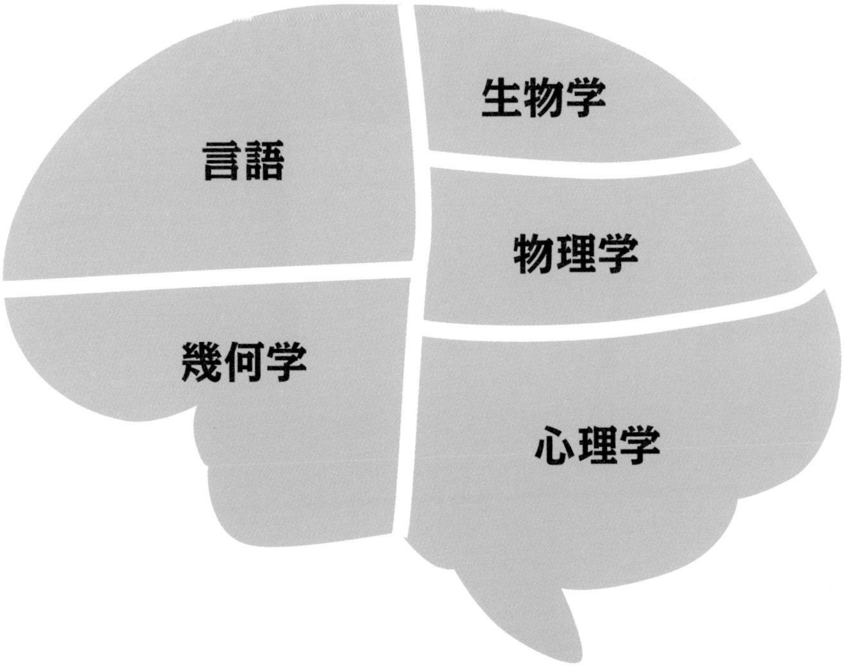

ジェリー・フォーダーは，心のモジュール性を提唱しました。

たとえば，「シマウマ」という言葉を聞いたとき，その言葉にまつわるあらゆる知識が呼び起こされます。

「シマウマ」から，次のようなイメージが引き出されます。

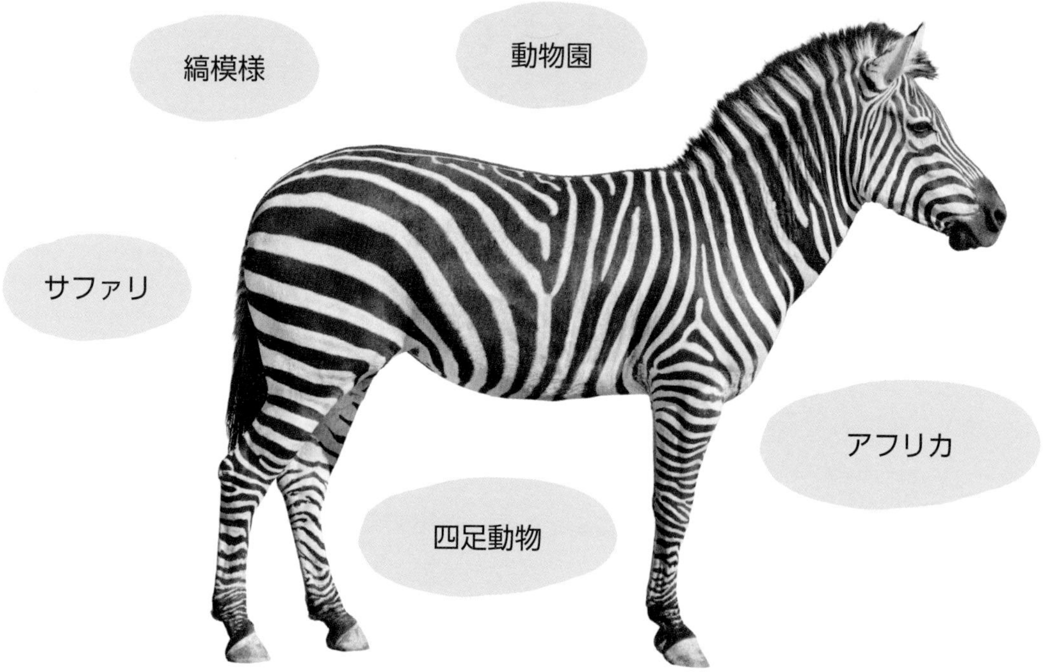

これは，整理されたデータシステム内のファイルを開くのと同じです。心のファイルという概念は，思考を説明するのに便利です。先ほどの例では，「シマウマ」が，この心のファイルのファイル名にあたります。時には，一つのファイルに二つのファイル名がつくことも（たとえば，「ムンバイ」と「ボンベイ」），二つのファイルに同じファイル名がつくことも（たとえば，同じ「プリマス」という名前の二つの町）あります。

精神（心）は，丁寧に整理されたファイルシステムのようなものだと考えられます。

フレーム問題

精神（心）の仕組みを解明するためのもう一つのアプローチは，思考する機械をつくることでした。AI（人工知能）は，チェスのように緻密でルールに基づく思考に関して，これまでのところ大きな成功を収めています。ただし，AIは，告別式でその場にふさわしい発言をするなど，考慮すべき背景事情が多いタスクは得意ではありません。これは，**フレーム問題**と呼ばれます。AIに長く会話を続ける能力をもたせることは，AIの研究者が目指す一つの理想ですが，いったいどこまでできれば機械が「考えている」といえるのでしょうか。

チェス競技のようにルールに基づく思考に関しては，AIは非常に優秀だとわかりましたが，いったいどこまでできれば「本当に考えている」といえるのでしょうか。

内容

「犯罪」について考える刑事と犯人。二人は同じことについて思考しているのですが，おそらく，思考の**内容**は異なります。内容とは，その思考の中身です。思考が言葉で表現されている場合は，思考の内容とは，その言葉の意味（聞き手が相手の話を理解するために把握すべきもの）に該当します。ただし，思考の内容が変化することもあります。たとえば，「ベネチアは美しい」という思考の内容（言葉の意味）は，ベネチアを訪れる前と後で変わるかもしれません。

また，人類が初めて馬に出会ったとき，馬の存在が，人間の精神（心）に馬という概念を生んだのでしょうか。それとも，人間が，馬について考えるためのツールとして，馬という概念をつくり出したのでしょうか。この関係は，そう単純ではありません。なぜなら，「馬」という概念には，動物全般に関するほかの諸概念（「エサをやる」「走る」）も含まれるからです。

思考は，人の精神（心）の中に浮かび上がります。その内容は，殻に覆われた種子のように，思考の中に包まれています。しかし，ここで，大きな問題点がありました。現代アメリカの哲学者ヒラリー・パトナムは，「多くの人は，見てもどの木がニレの木かわからない。それにもかかわらず，会話で『ニレの木』という言葉を使うときには，誰もが同じもの，つまり実際のニレの木を指している」と述べました。このように「ニレの木」の概念を共有するためには，その知識のある人に，実際にどれがニレの木かを決めてもらう必要があり，ほかの人間はそれに従っているというのがパトナムの主張でした。これによると，「ニレ」の内容は，人の精神（心）の中にあるのではなく，言語の社会的な性質の一部であることがわかります。この見解を，内容に関する**外在主義**（または**広い内容**）といいます。私たちの精神（心）と思考は，個性と社会についての含意をもちつつ，世界へと広がっているのです。

思考は，種子を覆う殻のように，内容を包み込みながら精神（心）の中に息づいていると考えられています。

概念

思考を理解するうえで最も重要なのが，**概念**です。動物にも思考があるので，動物の振る舞いを説明することができます。また，巣という概念をもっているから，鳥は巣を守っているのでしょう。動物も思考しているという見方は肯定できなくても，人類が言葉に先立って概念をもっていたことは確かです。小さな子どもでも物事を分類できること，大人になれば新しい概念をつくってから，それを何と呼ぶか考えられることがその理由です。ただし，言語が介在すると，二つの言葉が

巣を守っている鳥は，「巣」の概念をもっているのでしょう。

「雲」の外延は，実際の雲から理論上存在可能な雲まで，世界中のあらゆる雲を指します。

同じ概念を表したり（たとえば，いずれも「歩道」の意味をもつ「pavement」と「sidewalk」），曖昧《あいまい》な言葉が二つの概念を表したり（たとえば，『銀行』と『岸』の意味をもつ「bank」）します。

概念には，**外延**と**内包**があります。「雲」の外延は，実際の雲から理論上存在可能な雲まで，現実世界に存在するすべての雲を指します。一方，内包とは，ある事物が外延に属するかどうか判断する基準です。概念に関するほとんどの議論は内包に注目しますが，論理学者は外延を好みます。なぜなら，外延は論理的思考の対象であり，より明確に理解できるからです。最もシンプルな概念を「**原始概念**」といい，そうでない概念を「**複合概念**」といいます（何をもって概念を「シンプル」とみなすかは難しい問題ですが）。人間には，「物体」などの生得概念があり，その数は非常に多い可能性もあります。概念はどこから来たのかという問いには解決の糸口が見えないため，概念の本質を巡って議論が行われています。

古代の見解では，正確に定義することで概念の本質を理解すると，その概念の必要十分条件が得られるとされてきました。たとえば，「雲」の必要十分条件は，大気中に存在すること，蒸発した液体でできていること，目に見えること，統一性があること，空を覆いつくせるほど大きくはないことです。これらの条件をすべて満たすものが，雲と呼ばれます（ただし，哲学上の定義の多くは，辞書よりも厳密です）。

「ゲーム」を定義する

「ゲーム」などの概念は，定義不可能に思えます。ウィトゲンシュタインは，異なるゲームの間には「家族的類似」があるが，定義を行うのに共通の性質は必要ないと述べました。コーヒーカップめがけてペンを投げ入れる遊びと，アメフトの試合とを比べてみましょう。どちらも「ゲーム」と呼ばれますが，特に共通点はありません。これは難問であるにもかかわらず，多くの人が定義を試みてきました。もっとも，ウィトゲンシュタインの主張が間違っている可能性もあります。

原型	典型例	知識の集合
完璧な雲	さまざまな雲の実例	雲に関する一般的な情報

ここで，自分の心にある「ヒョウ」の概念を思い浮かべてみましょう。とても標準的なヒョウのイメージが浮かぶのではないでしょうか。このようなヒョウの原型を求めるには，ほかの「候補イメージ」に対して特徴を比較し，検討を行います。これにより，思考の効率が高まり，ヒョウという概念の明白な特徴に注目することができます。一方で，斑点があるかヒゲがあるかなど，どの特徴が重要かという疑問も残ります。ただし，多くの場合，原型のあるべき姿は漠然としています。たとえば，典型的な「家具」や「交通手段」とは何かという質問は，実に答えづらいものです。

概念の理論説

概念は小さな知識の集合体だと考えるのが，**概念の理論説**。目に見える実例にとらわれず，概念を把握するには豊富な情報が必要だと論じます。たとえば，「馬」の場合，「哺《ほ》乳《にゅう》類である」という知識，さらに，哺乳類は「食べて，飲んで，眠るもの」，そして「乗ることができる」という知識が必要です。ただし，理論説はやや主観的です。概念に関する知識は人それぞれで，自らの概念が他者の概念と一致することはないと主張しています。

ボート以外の交通手段を見たことがなければ，「交通手段」の概念は非常に限られたものになります。

概念の適用範囲は，その典型例（たとえば，さまざまな交通形態）が多いほど説明しやすくなります。ただし，ボートしか見たことがない人と，馬しか見たことがない人の間では，「交通手段」の概念はまるで違ったものになるでしょう。概念を正しく説明するには，これまでに紹介したさまざまな説を組み合わせる必要があるのかもしれません。

行為を理解する

　私たち人間は（たとえ哲学者であっても），理論よりも実際の行為について，多くの時間をかけて考えます。そのため，行為をめぐる精神活動は非常に興味深いテーマだといえるでしょう。そこに道徳が絡んでくるとなおさらです。人は行為を計画し，選択し，判断します。また，特に責任問題を見定めようというときには，行為の段階や構成要素をはっきりさせる必要があります。

　まず，「行為」と「出来事」の違いを見ておきましょう。地震は，行為ではなく出来事です。地震を「行う」人はいないからです。就寝中に足がつるのも，行為というより出来事です。行為であれば，意図，理由，動機などに基づいて決断する「行為者」によって引き起こされるはずだからです。ロボットを行為者といえるかどうかはわかりませんが，行為論では主に，意識的で計画的な人間の行為を扱います。

活動と作業

「車で出勤した」という例を考えてみましょう。これは，単一の行為か，複数の行為の組み合わせか，それとも数えきれないほどの小さな行為の連続でしょうか。何をもって行為といえるのでしょうか。また，どれほど続くのが行為なのでしょうか。行為を分類するときや，行為同士の関係を示すとき，結果を予測するときには，この点をはっきりさせておいたほうがよいでしょう。たとえば，ウォーキングという行為は，「活動」です。ウォーキング中でも，「私は今日ウォーキングをした」と言うことができます。一方，食器洗いという行為は，「作業」です。終わらせなければ「私は食器洗いをした」とは言えません。この重要な問題は，行為間の因果関係と関わっています。私たちは普段，ある出来事がもう一つの出来事を引き起こすと考えます（たとえば，「地震が津波を引き起こす」）。しかし，「卵を焼いたけれど，朝食をつくるという結果にはならなかった」というケースもあります。現実が連続する因果の鎖だとすると，あらゆる行為をそれぞれ切り離して考える必要があります。ところが，実際には，どう記述するかにもよりますが，行為同士は重複します。ボールを投げる動作にははっきりとした終わりがあるので，作業の場合は区切りが明白です。しかし，一つの行為は，意図，意志の力，動きのうち，どこから始まるのでしょう。もし行為が動きなら，観察や計測が行えますが，欲望，動機，意図，決断が絡んできたとたん，行為を正確に説明するのは難しくなるのです。

どこが始まり？

レンガが人の上に落ちてきたこと自体は，犯罪ではありません。それを落とそうとする誰かの意図があって，初めて犯罪になるのです。

行為の意図

「人の足の上にレンガを落とした」。法律上，この行為が犯罪となるのは，落とした人にそうする**意図**があった場合のみです。意図とはいったい何か考えてみましょう。

- 意図は，感情か判断か。
- 人は自らの意図を知っており，説明できるか。
- 意図は，思考のカテゴリーの一つか。それとも，ほかの知的能力で構成されているか。意図には複数の種類があるか。
- 集団で意図を共有できるか。

動機は，意図とは異なります。理由や欲望が動機となって人を行為に駆り立てるとき，そこには，その行為をしようという意図はないからです。ほとんどの行為は，意図ではなく動機で説明することができます。動機を分析すれば，なぜ意図が生じて，実行に移されたかがわかるからです。したがって，動機には，言葉で表現できる理由が含まれると考えられます。欲望こそが行為をもたらす主な理由だと主張する哲学者もいますが，強い欲望は，それが不道徳だとみなされた場合には，行為**しない**理由にもなり得ます。理由に因果的効力（何らかの結果を引き起こす力）があると考えれば，理由が優位に立つという考え方はより強固になり，結果として，実際に理由が行為を引き起こすことができるようになります。理由が行為を動機づけていると考えなければ，行為と責任について合理的に議論することは困難です。

ベネチア旅行をしようという意図は，長期間もち続けることができます。

事前の意図と持続する意図

自分が行動するときの意図を分析してみると，不安のような生々しい感情はないことに気づくでしょう。意図は，「しなくてはならない行動」に集中しているからです。動物の行動を見れば，大抵その意図が読み取れます。しかし，意図には強い決意に基づいたものとたいして気乗りしないものがあり，外に現れるときと現れないときがあります。また，事前の意図と持続する意図もあります。「ボタンを実際に押す前に『押そう』と思う」のが事前の意図。「ベネチア旅行の間中，『ベネチア旅行をしよう』と思い続ける」のが持続する意図です。意図とは，自分との約束のようなものかもしれません。

右へ曲がろうとすると同時に左へ曲がろうとすることはできません。

判断と欲望

「意図とは判断である」と考える立場に対して，「意図は欲求と信念で構成される」と主張する立場があります。判断だとする立場は，意図的にレンガを落とした人には，その行為の理由があるはずであり，その理由が落とすという判断を導いたと考えます。一方，欲求と信念で構成されるとする（デイヴィッド・ヒュームの理論を踏まえた）立場は，行為者は，単に感情的な欲望とレンガの振る舞いに関する信念の組み合わせをもつだけで，行為を起こすのにそれ以上必要なもの（判断など）はないと説きます。これを批判する立場は，妥当な欲望や信念があっても実際の意図は生まれないが，行為を控えさせる要素（怠惰や良心など）については欲望で説明がつくと主張しています。

意図を行為論から完全に除外してしまう前に，意図の特徴を確認しておきましょう。たとえば，右へ曲がろうとすると同時に左へ曲がろうとすることはできません。また，右折した先に目的地があるのに左へ曲がろうとすることはまずありません。さらに，白鳥に乗って月まで行こうとすることもないでしょう。つまり，意図とは，矛盾がなく，望む結果にふさわしく，実現可能らしく見えるものです。そうだとすると，意図は，単なる欲望よりもはるかに合理的に思われます。

車の下敷きになった人を救い出すのに，たった一人で車を持ち上げようとはしませんが，集団でなら持ち上げようとするでしょう。では，集団で意図をもつことはできるでしょうか。一人で共通の目的に向かうことはできますが，ほかのメンバーにも同じ意図を共有してもらおうとする必要があります。つまり，意図には社会的な側面もあるのです。このように一人ひとりの気持ちが集まって集団の目標になると考えることができますが，この場合の「気持ち」は，ただ何かをしたいという思いよりもずっと複雑です。

意志が引き起こす行為

従来は，**意志**から行為がもたらされると説明されてきました。中でも最もシンプルな説は，**意志作用説**。行為をもたらすものは意志の力以外にないと考えますが，そこでは身体動作が考慮されていません。

意志作用説 ▶ 行為＝意志の力と考える立場です。

歩こうとする意志があるのは，歩くこととは違います。意志そのものに，行為から独立した原因性（「行為者因果」）があるという見方もあります。この見解に対する最大の反論は，「（内観してもそんなものは見つからないから）意志など存在しない」，あるいは「知的能力または行為直前の欲望を，独立した精神（心）の状態（意志）と誤解している」というものでした。ところが，議論はここでは終わりません。現代の神経科学によって，思考と行為を操る中枢，つまり，まさに「意志」と呼ぶにふさわしい存在がある程度裏づけられたからです。意図，理由，欲望が精神（心）の中にそろっていても，行為を始めるにはゴーサインが必要です。実際に行動するには司令塔が必要なのです。

歩こうとする意志は，実際に歩くこととは違います。

二度と食べないと決心した後でチョコレートを食べてしまいました。そうしようと決断したのでしょうか。それとも，ただ欲望に屈しただけなのでしょうか。

意志の弱さ

古代ギリシャ人は，**意志の弱さ**（ギリシャ語で**アクラシア**＝自制心のなさ）に関する難問に頭を悩ませていました。行為を司るのは，判断でしょうか，それとも欲望でしょうか。二度とチョコレートは食べないと堅く決心したのに，誘惑に負けて少し食べてしまったら，それは欲望が行為を司っていることを意味します。頭の中には，互いに矛盾する行為の原因があるのです。しかし，ソクラテスは，判断だけが行為をもたらすと信じていました。ソクラテスなら，「チョコレートを食べないという自らの判断を自分自身が十分に信じておらず，『チョコレートを食べるのはよいこと』や『チョコレートは自分には悪影響を及ぼさない』という隠れた信念があったに違いない」と説明したでしょう。道徳的責任に対する姿勢は，行動に対する考え方に影響されます。さらに，私たちには二次的思考があることも忘れてはいけません。二次的思考があるから，何かを欲しないよう強く欲することができ，理由づけが適切ではないと判断できるのです。

カントとヘーゲル
（1780～1830）

イマヌエル・カント（1724～1804）は，合理論的思索と経験論的懐疑との境目を見つけようとしました。カントは，形而上学は，精神（心）を分析しなければならないと考えました。なぜなら，人は精神（心）に備わった**カテゴリー**を通じて現実を認識するからです。現実自体を知ることはできませんが，人は何らかの形で物事を経験しているはずです。そしてその経験のありようを，ア・プリオリな方法で分析することが，人類にできる精一杯だとカントは考えました。こうして，精神（心）が哲学の最も重要なテーマになったのです。また，時間，空間，因果関係も，人間が現実を捉える手段です。カントの理論の多くが，今の私たちの思想の前提となっています。私たちは自我や自由意志を前提としていますが，これは合理性にとって必要だからです。また，カントは，意志と一致する合理的な行動原則から道徳法則を導き出せるとしました。政治面では，社会契約論を支持し，理性的存在としての人間を尊重しましたが，さらにそれを国家間の関係に広げて論じました。さらに，美を独特で理性的な快楽のあり方として捉えています。神をめぐる従来の議論は認めませんでしたが，神の存在は，道徳法則の絶対的前提だと考えていました。

カントの言説の解釈をめぐって，哲学は二つの潮流に分かれます。いわゆる，**分析哲学**と**大陸哲学**（ドイツとフランス）です。分析哲学は，カントの道徳および政治的思想，そして形而上学における精神（心）の役割についての見解を高く評価しました。一方，大陸哲学は，人間が現実自体を直接には認識できないことをカントが証明したと考え，観念論に傾倒しました。

ゲオルク・ヘーゲル（1770～1831）は，前提をもたずに思考を始めることを目指し，現実を解明しようとしました。晩年のヘーゲルに衝撃を与えたのは，人間の思考における，社会や歴史の重要な役割でした。ヘーゲルは**弁証法**という手法を用いて，ある概念から別の概念が必然的に生み出され，自然界の合理的な原理をたどるように進化していく過程を説明しました。自我は個人ではなく社会との関わりの中で見出されるもの，そして社会とは，契約によるものではなく天然の有機物だとヘーゲルは考えました。

ゲオルク・ヘーゲルは弁証法
という手法を発展させました。

第9章
言語

意味とは何か ― 指示 ― 意味論 ― 命題 ― 分析性 ― コミュニケーション

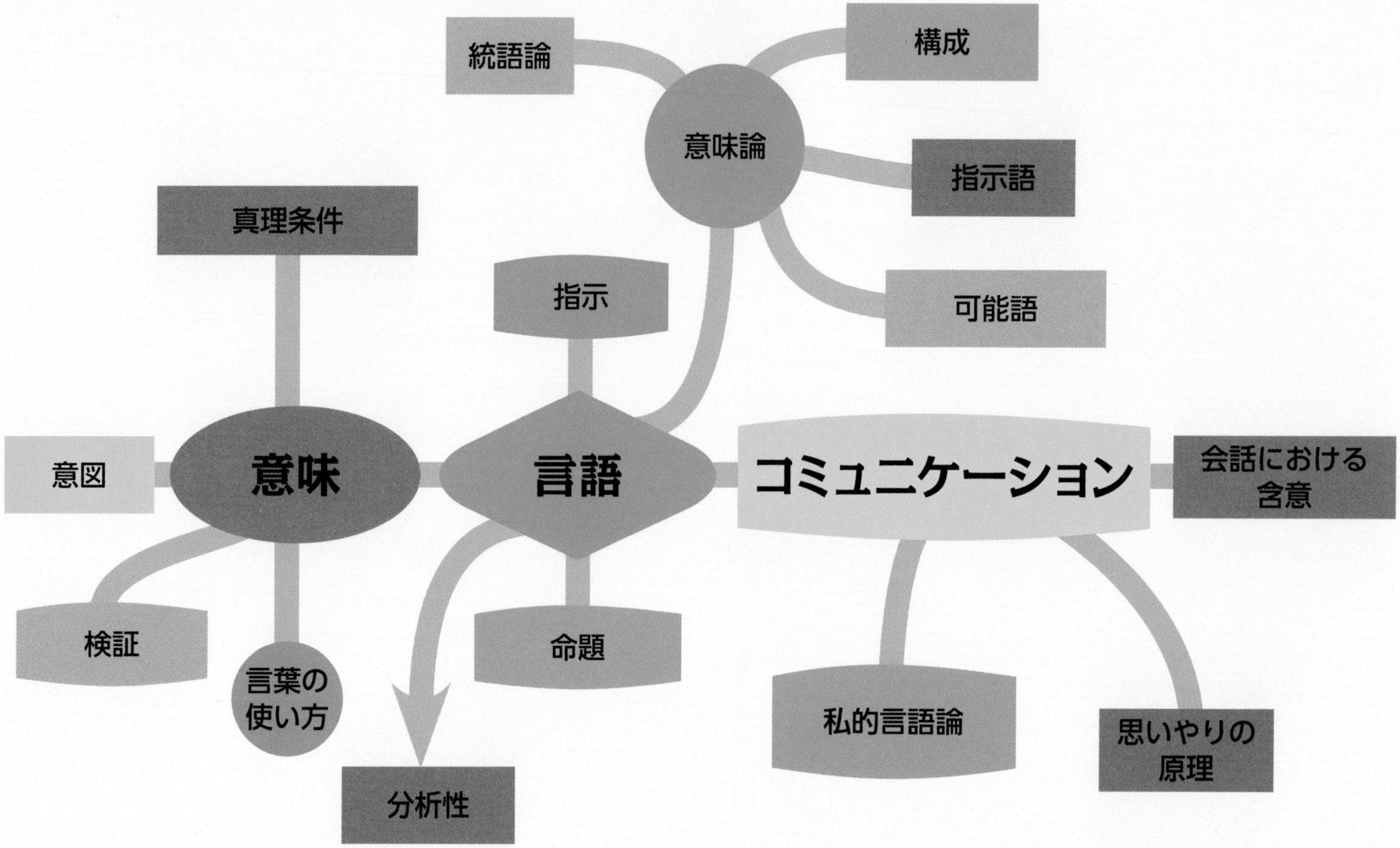

意味とは何か

現代哲学は，世界（事実）そのものよりも，世界と精神の関係を探ることに注力してきました。言語は，かつて思考から知識へと直結する，明快なものと思われていましたが，今では，そう単純なものではないと考えられています。ここで重要になる概念は，「意味」。どのような意味で使われているかがわかれば，言語を周りの雑多なノイズから切り離し，明確にすることができます。最古の言語論では，言葉は「観念」と結びつくだけのものだとされていました。しかし，19世紀から20世紀にかけて活躍したドイツの哲学者ゴットローブ・フレーゲは，意味の中に複数の要素があることを見出しました。たとえば，「そのパスワードは『カジキ』だ」という文があります。「カジキ」という言葉には，文字通りの意味（魚の一種）と，パスワードとしての意味があります。「ジェームズは体調不良だ」という文の場合，述部「体調不良だ」からは，特定の情報がわかります。しかし，「ジェームズ（は）」は，ただ人名を示しているだけです。このため，フレーゲは，意味には，語義（言葉の内容）と指示（論じるべき項目を示すこと）が含まれると主張しました。

また，意味には，隠喩，強調，皮肉などに見られる，ほかの側面もあります。そこでまず，文字通りの意味または単語や文の語義を理解することが必要なのです。

言語学では，人が日常的に使う話し言葉を分析することで，意味を探究しています。これにより，意図，声のトーン，文脈，ボディランゲージなどの「話すこと」の側面をつなぎ合わせた，複雑な理論の数々が生み出されました。哲学では，論理と真理により大きく注目し，文の「厳密かつ文字通りの意味」を研究する傾向があります。そのため，まずは，言明がどれほど明快に事実と結びついているかを知らなくてはなりません。

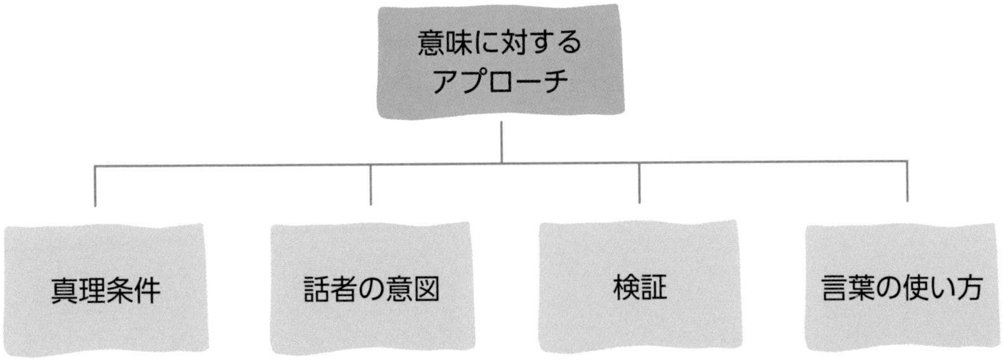

フレーゲは，意味には語義と指示が必要だと唱えました。

「豚が空を飛ぶ」という文は，豚が本当に空を飛んだら世界はどうなるかを意味しています。

真理条件

文の真理条件は，どのような状況でその文が真となるかを示します。真理条件的意味論では，「鳩が空を飛ぶ」は，鳩が実際に飛ぶ状況を意味します。「豚が空を飛ぶ」は，豚が本当に飛ぶ世界がどのようであるかを意味します。この説には，意味と現実を直接結びつけるという利点があり，懐疑論に陥る危険性を減らせます。しかし，物理的な対象を「意味」とみなせるかどうかははっきりとわかりません。

その代わり，真理条件は，現実の鳩ではなく，人がもつ鳩の表象にあるということができます。これらは画像として考えることができますが，それではあまりにも具体的（その中にいる鳩の数を問題にしたり）すぎて，意味を観念に戻すことになり，この意味論の一番の長所が失われてしまいます。また，ドイツ語の文が実際に意味することはわからないが，その文の真理条件だけはわかるという事態になりかねません。

真理条件的意味論は，（嘘や偽りを結果論とみなして）真理を述べることを人間の基本的な行為としているため，とても魅力的な理論だといえます。この意味論では，隠喩や感情表現ではなく真理にスポットを当てていることから，厳密かつ文字通りの意味を十分に説明することができるように思われます。最大の問題点は，文の真理条件を調べる前に，文の意味を知る必要があることです。ただし，これは意味を解明しようとする多くの理論が抱える問題なのです。

話者の意図

言語はまずコミュニケーションであるという観点に立つと，**話者の意図**を考慮しなくてはなりません。会話では，何かを考えた人が，その考えを聞き手に伝えようとします。そのため，話者の考えを聞き手に理解させようとする意図から意味を見出すことができます。この意図基盤意味論は，何が伝わるかを突き止めるのではなく，心理学的に重要な意味の特徴を捉えているとされています。

検証

強い経験論では，あらゆる精神的な存在は，実際の経験に直接的または間接的に結びついているとされています。意味もまた然り。検証を推進した論理実証主義では，文の意味とは，検証を行う（行い得る）方法だと位置づけました。定義は検証の対象にならない場合もありますが，このような**検証主義**は，検証できない文は意味をもたないと主張します。形而上学や宗教の高邁《こうまい》な論説は，それらに対する証拠や反証が妥当ではないため，意味をなさないとされました。さらに，印象的な言葉でも実際にはまったく無意味であり得るという重要な指摘がなされています。しかし，この検証主義は，すぐに問題点に行き当たりました。

検証主義 ▶ 意味とは，検証を行い得る方法だと位置づける立場です。

基本的な問題点は，検証不可能な文にも明らかに意味があるものがあることです。たとえば，「ソクラテスは頭痛になったことがある」という文を考えてみましょう。検証できる可能性はまるでありませんが，意味は理解できます。また，よりシンプルな反論としては，文を検証する前にその意味を知っておかなければならないというもの，検証主義そのものを検証することはできないというものもあります。「ソクラテスの友人だった」と仮定して「原理上」の検証を行うなど，さまざまな改変が試されましたが，検証は難しすぎる方法のようです。

言葉はチェスの駒のようなもの。使い方を知らなくてはなりません。

ある極論によれば，ナポレオンのことを述べた文の中で指示対象を捉えるには，文中のナポレオンの記述に頼るしかありません。

言葉の使い方

いわゆる「意味」はかなり曖昧《あいまい》だと考える哲学の一派は，**言葉の使い方**を通して意味に取り組みました。20世紀にイギリスで活躍した哲学者ウィトゲンシュタインは，言葉の意味は，チェスの駒のもつ意味のようなものだと唱えました。いずれも使い方を知らなくてはなりません（必要なのは，ルールに従うという能力だけです）。これにより，意味の問題を大きく単純化することができました。ただし，それに伴う問題点も浮上しました。たとえば，「アーメン」が「そうでありますように」という意味だと知らなくても，「アーメン」を正しく使うことができます。よくできた対話型ロボットに対して多くの人が感じるように，言語を理解するとは，言葉の使い方を知ることだけにとどまらないのです。

指示

言葉がもつ「指示対象」とは，その言葉が指し示す実際の事物です。言葉には意味だけでなく指示対象があるため，言語と事実とのつながりを説明できるのです。また，指示対象は，文（命題）の真理を裏づけるのにも役立ちます。科学用語が何ともつながらないのであれば，理論同士を比較することも，最適な理論を挙げることもできません。いったい，この言葉と現実との直接的なつながりは可能なのでしょうか。一つの極論によると，ある文の中でナポレオンが指示対象になっていれば，ナポレオンという人物がその文の意味に含まれます。この対極にある説では，指示対象を捉えるには，文中のナポレオンの記述に頼るしかありません。つまり，指示対象は事実に直結しておらず，精神（心）の中にしか存在しないことになります。

指示（事物を指し示すこと）は，現代哲学において重要なテーマです。言語がどこまで世界の真理を表現できるのかが，その議論にかかっているからです。指示の記述理論は，思考と現実はつながらないと説く反実在論に近い立場をとります。一方，指示の直接理論は実在論寄りです。

構成的な文と全文

指示が言語と事実をつなげるのであれば，文は**構成的**な（複数の構成要素からなる）ものだと考えることができます。つまり，文は，精神（心）の中で少しずつ組み立てられているのです。「ナポレオンはモスクワから帰還するときに苦労した」という文について，構成的意味論では，人は言葉をレゴブロックのように組み立て，完全な構造をつくると考えます。

これに対する全文的意味論では，観念や文を部分ではなく，丸ごと完全なものとして捉えると主張します。また，言葉は，完全文の中での役割によってのみ理解されるとしています。これが正しいとすると，言葉の指示の重要性は下がり，完全な思考が現実とつながる様子を説明する必要が出てきます。

二つの指示理論は，それぞれ構成的意味論と全文的意味論に対応しています。

- **直接理論▶**「ナポレオン」の意味は，その人物だけではない。「ナポレオン」という言葉は，その人との直接的かつ歴史的つながりをもっている。
- **記述的理論▶** ナポレオンに対する指示は，その人物を同定できる事実と記述の知識を含む。

直接理論は，特定の実在の人物が過去に存在して，その名前を使うことでその人と私たちはつながっているという実在論的な仮説に基づいています。一方の記述的理論は，ナポレオンについてのわずかな観念（その真偽は不明）だけに基づいています。これらの観念によって，私たちは話題にのぼっている人物について合意しているのです。

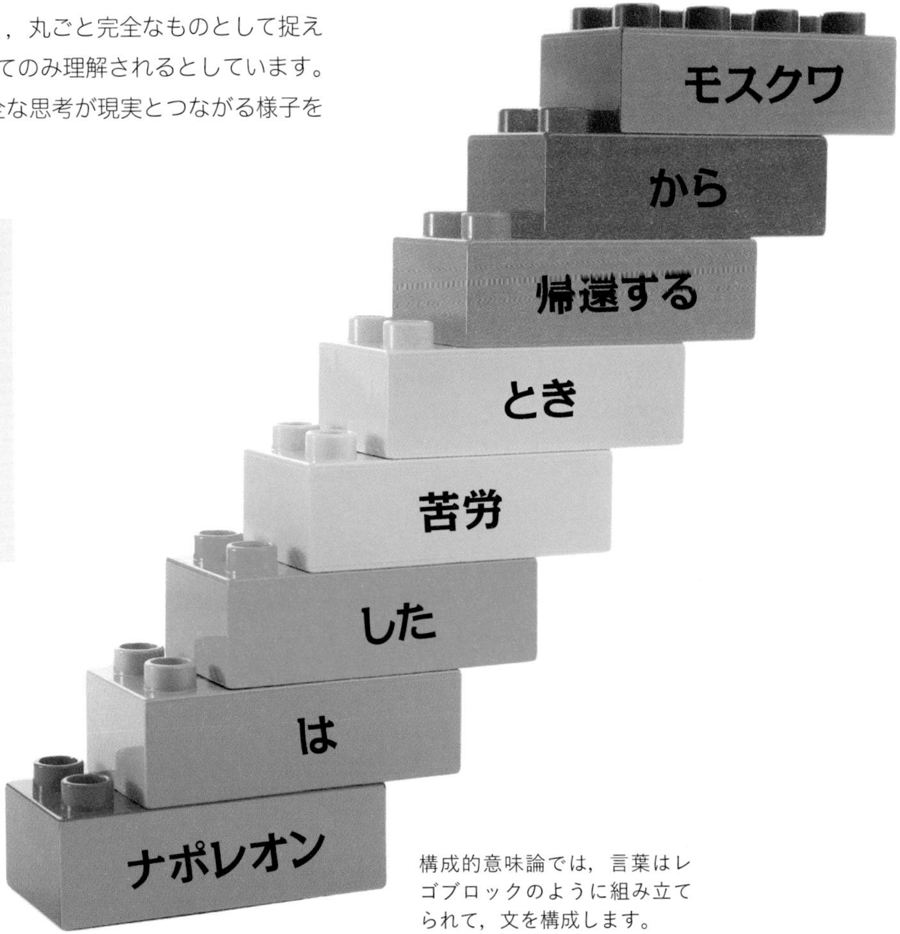

構成的意味論では，言葉はレゴブロックのように組み立てられて，文を構成します。

「ナポレオンはアウステルリッツの戦いの勝者だった」という記述。歴史家の意見がこれに矛盾すれば，ここから指示対象を求めることはできません。

因果連鎖

言語と事実を最も強く直結させるのは，一人の赤ん坊が「ナポレオン」と名づけられた瞬間までさかのぼれる因果連鎖でしょう。しかし，この**指示の因果説**にも，問題点がありました。赤ん坊のナポレオンにさかのぼる因果のつながりは捉えられますが，「直角三角形の斜辺」の概念は，抽象的で何かを引き起こす原因にならないため，その因果はわかりません。つまり，この説は数学には対応しません。また，未確認生物（UMA）とされる巨人ビッグフットの話は，おそらく実在しないものを指示しているため，因果連鎖はありません。因果説を改善した理論では，その言葉が生まれたときに指示が始まり，それが言語コミュニティによって維持されているとしています。

記述理論は，現代アメリカの哲学者ソール・クリプキによって強力な批判を受けています。史実では，ナポレオンは「アウステルリッツの戦いの勝者」です。ところが，「実際は，ナポレオンはアウステルリッツの戦いで敗北した」と主張する歴史家がいれば，これらの記述は矛盾します（「アウステルリッツの戦いの勝者はアウステルリッツの戦いで敗北した」というのと同じことになります）。「ナポレオン」という指示対象を確定するために使われる記述は，どんなものでも否定できません。なぜなら，これらの記述がなくては，ナポレオンの人物像を描くことができないからです。事実，記述が正しくなくても，指示は行えます。たとえば，水の入ったグラスを持っている男性を対象にして，「マティーニを持っているあの男性」と指示できるのです。つまり，指示は，記述の真偽に基づくわけではありません。

直接理論も記述的理論も，言語そのものに，受け継がれたつながり，または正しい記述の指示的性質があると認めています。しかし，別の説では，言葉ではなく人間が対象を指示するとされています。「ナポレオン」という言葉で，人間はもちろん豚を指示することもできますが，ここで決め手となるのは，話者の意図です。通常の手法だけでなく，意味ありげな言葉や「誰のことかおわかりでしょう」などの言い回しを使って，対象を指し示すことができるのです。

意味論

文の「統語論」(構造)と「意味論」(意味)の間には，明確な違いがあります。統語論が探究する文の構造は，その文の意味とは異なります。「he likes grapes(彼はブドウが好きだ)」と「she likes strawberries(彼女はイチゴが好きだ)」という二つの英文の**構造**は同じです。ところが，構造と意味の違いはいつでも明確というわけではありません。「he is easy to please(彼を喜ばせるのは簡単だ)」と「she is eager to please(彼女は好感を与えたがっている)」という二つの英文は，同じ構造をもっているように見えますが，その意味を見るとそうではないことがわかります。しかし，一般的には，構造はかなり機械的なもので，**意味**を通じて初めて成り立つものだと考えられています。

ペガサスは架空の存在。文中の「ペガサス」に対象を割り当てられるでしょうか。

主語と述語の形式

意味論は，統語論と同じ構造をもっているかどうかを探っていきましょう。ほとんどの言語は，主語と述語の形式をとっています。標準的な文には主語と主語に起因する述語(特徴)があります。たとえば,「the willow tree is dropping its leaves early this year(今年, あのヤナギの木は例年より早く落葉している)」。この英文では，対象と特徴の意味を捉えて，それらをそれぞれ構造の要素に割り当てることができます。しかし，多くの問題点もあります。

- 「no leaves are blocking the drain this year(今年は，どんな落ち葉も下水溝を詰まらせていない)」の主語は，「no leaves(どんな落ち葉も)」ですが，この主語は何も指示していません。
- 広義と狭義の思考内容は異なるという前提に立つと，ニレの木を知らない人は，「ニレの木は森の中で育つ」という文に何らかの対象を割り当てられるでしょうか。
- ペガサスは架空の存在です。「ペガサスは羽のある馬だ」という文には，どんな対象を割り当てればよいでしょうか。

20世紀のイギリスの哲学者バートランド・ラッセルをはじめとする論理学者たちは，表面的な統語形式とはまるで異なる，文の**論理形式**という観念を導入しました。論理形式が明らかになれば（たとえば，対象が存在するとされると），意味を割り当てるのがより簡単になります。形式論理を用いることで，一切の曖昧さを排除しつつ論理形式を記述することができます。

文は組み立てられると考える**構成的意味論**では，意味は詳細かつ完全でなくてはなりません。これを少し緩和するために，思考全体を先に考えてみましょう。こうすれば，主語の指示するものではなく，文の内容から始めることができます。「私たちは，太陽が沈む頃に散歩する予定です」という文は太陽を指示していますが，文の内容は，おそらく日没後の暗さや歩く時間帯のこと。また，指示にこだわらず，文の真理条件を突き止めることも，真理には触れず，状況だけに注目することもできます。

バートランド・ラッセルは，文の「論理形式」を見出した人物です。

「太陽が沈む頃に散歩」という記述は，太陽ではなく暗さや歩く時間帯を指示しているのではないでしょうか。

文中の概念

もう一つの問題は，概念の「外延」です。外延は，その概念が該当する事物の集まりを指します。「cordate（心臓の）」という言葉を動物に当てはめると，その動物は「heart（心臓）」をもつことを意味します。一方，「renal（腎臓の）」という言葉は，その動物は「kidneys（腎臓）」をもつことを意味します。実際，生きている動物は，必ずこれら二種類の臓器をもっています。つまり，「cordate」の外延（心臓をもつ動物）は，「renal」の外延（腎臓をもつ動物）と同一なのです。これら二つの言葉は同じ外延をもちますが，意味は異なります。したがって，一つの言葉が指示する事物の集まりを特定するだけでは，その言葉の意味を得ることはできません。これは「**可能世界意味論**」へとつながります。ここでは，「cordate」と「renal」の違いを，心臓はあるが腎臓がない動物が存在する可能世界や，その逆の可能世界として示します。つまり，言葉が実際に指示するものではなく，言葉が指示できる可能性があるものによって，意味がもたらされるのです。

「cordate」の外延は「renal」の外延と同一ですが，これらの言葉の意味は異なります。

指示語

さらなる問題は，「ここ」「今」「私たち」のような**指示語**についてです。これらの言葉の意味は，場所，時間，発話者などに左右されます。「今」という言葉には，「現在」という固定された意味があります。しかし，「現在」とはどの瞬間を指すのでしょうか。

意味には，二つの成分があります。一つ目は普遍的な意味，二つ目は場面に応じて変わる意味です。以下の二つのケースは，いずれも文脈に依存する指示語の意味論で特定されています。

- 「『今』という言葉はどういう意味か」という質問に対し，「その言葉が発された瞬間という意味だ」などの答えが得られます。
- 「『今やってくれ』というのは，どういう意味か」という質問には，「今朝のうちにやってくれという意味だ」などの答えが得られます。

いずれも，「今」という言葉の使い方を説明するために，特定が行われています。

ここから，言語を通して意味の複雑な側面を捉えようとする「二次元意味論」と呼ばれる一般体系が導かれるのです。

命題

「雪は白い」「snow is white」「schnee ist weiss」という三つの文を比べてみましょう。三つの言語で，まったく同じことが述べられています。このように三種類の表現に共通する「こと」は，「命題」と呼ばれます。命題とは，言語で表現できる完全かつ意味のある思考だといえます。また，命題は，真か偽かを判断することができます。

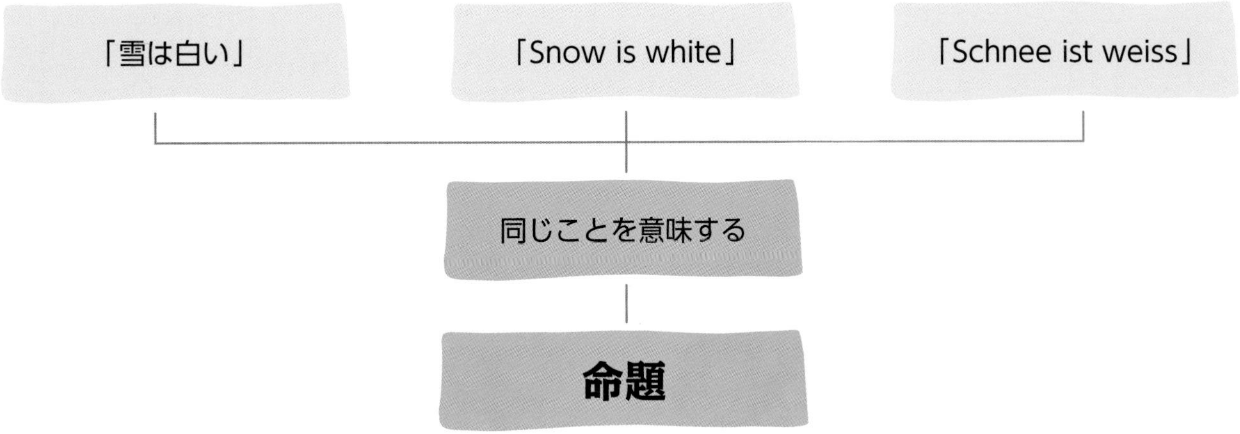

命題を批判する立場では，雪に関する三つの文は，世界のシンプルな事実に対する三つの「等しい」応答にすぎないと考え，「命題」の概念がなくてもすべてを説明できるのに，わざわざ命題を使う必要があるのかと主張します。これに対し，命題を擁護する立場は，論理，思考心理学，対話心理学のためにも，意味の通った翻訳をするためにも，命題が必要だと考えます。この立場によると，表現する言語によって，論理で真理を証明できるときとできないときがあってはなりません。内に潜む命題を正確に記述する文の論理形式さえ見出せば，すべての言語の話者がそれに合意できるはずです。それぞれの言語には翻訳不可能なニュアンスがありますが，命題は，全人類が合意できる意味の中核だと考えられています。「私が言いたかったのは……」「彼が言おうとしているのは……」という表現を使ったことがあるでしょう。こんなとき，私たちは，頭の中にある考えにぴったりの言葉を見つけるために，その考えを整理しているのです。翻訳のプロセスそのものには，文の主旨を捉えること，それをほかの言語で表現することが必要です。

命題に関する四大理論があります。それぞれの理論において，命題とは，次のようなものだとみなされています。

- 現実の特徴
- 精神（心）の事象
- シンプルな抽象的事物
- 可能世界の選択

バートランド・ラッセルは，名峰モンブランについての文には実際の山が含まれるので，これについての命題とは，順に並べられた諸々の特徴（標高，危険性など）だと述べました。この説の長所は，会話において，全員が同じテーマについて話せることです。ただし，架空の山の話を説明するのは難しく，また，一般化や抽象化を適用しにくいという面もあります。しかも，これらの成分が結びつけられて一つの命題になった理由もわからないままです。

一方，命題は，言葉にする前に整理された精神（心）の事象かもしれません。しかし，実際に心の中で命題の存在に気づくことはありません。それは，人が命題そのものよりも何についての命題であるかに注目しているからです。また，ラッセルの見解はとても具体的でしたが，命題は，可能な限り多くの思考から成っている複数の抽象物だとする説もあります。そうだとすれば，非常に多くの命題が存在し，無限に近い数にのぼることが認められます。さらに，命題は，それが真となる複数の可能世界，あらゆる可能な真理条件だと捉える説もあります。この説では，命題は状況だとみなされますが，命題の構造については触れられていません。

バートランド・ラッセルによると，名峰モンブランについての文には実際の山が含まれます。

分析性

言葉づかいや言い回しを分解して調べることで，文の真偽を検証することを**分析**といいます。「子猫は幼い猫だ」という文が真であることは，言葉の意味を分析するだけでわかります。ここで，言語を二つに分けて考えてみましょう。一つは，概念についての**分析的観念**（たとえるなら「辞書」）。もう一つは，世界や現実についての**総合的概念**（たとえるなら「百科事典」）です。経験論は，必然的真理とは，本質的に真である分析的な真理のみだと主張してきました。また，現実と可能世界のあらゆる事例を観察しなければならないため，総合的な真理の必然性は観察を通じて解明することはできない。ゆえに，総合的な真理は必然的真理ではないとしています。取り組むべき問題は，分析的な真理の本質を問うこと，分析と総合をこのように厳密に区別すべきかどうかを探ることです。

分析的観念	総合的観念
真理は，文の言葉づかいによって決定される。	真理は，文と世界との関係によって決定される。
概念について	世界について
例：辞書	例：百科事典

「子猫は年老いた猫だ」という文は矛盾していますが，「子猫」という言葉の再定義だと捉えることもできます。

カントは，主語の中に述語が「含まれる」ような真理を分析的な真理と呼びました。つまり，「子猫」という言葉に，「幼い猫」という述語概念が含まれるといえます。真偽を調べるためには，主語の成分を分解して，「この子猫は年老いた猫だ」のように文を否定すると矛盾することを確認します。しかし，これは分解する主語がある場合に限られます。たとえば，「PまたはQであって，Pではない。ならば，Qである」のような文は，どんな内容についても真理です。したがって，主語はないけれども分析的だといえます。また，「この子猫は年老いた猫だ」という文は，矛盾ではなく「子猫」の再定義だと捉えることもできます。のちの議論では，いかなる文脈においても，「幼い猫」を「子猫」と置き換えられることが分析性だと位置づけられました。

分析と総合の間の区別を退けたのは，アメリカの哲学者ウィラード・クワインです。「幼い猫」は「子猫」とまったく同じ意味をもつ（同義語である）が，ほかの言葉はより広い言語の中で異なる関係性をもつため同じ意味をもたないことを前提としているとして，分析性の試金石として置き換えを使うことを否定しました。猫の寿命などのように，意味は常に事実と絡み合い，事実を述べるには意味が必要です。そのため，理解という一つの大きな枠組みの中で，分析的な真理と総合的な真理は結びつき，区別できないというのがクワインの主張でした。

コミュニケーション

言語は，主に人の考えを伝えるために使われます。古代ギリシャ人は，弁論術（演説スキル）の価値について議論しました。当時の社会では，弁論術が大きな役割を担っていたからです。話すことの主目的は，人を自分の意見に合意させることでしょうか。それとも真理を語ることでしょうか。ソクラテスは後者の立場でした。しかし，現代の法廷や選挙では，正しさを求めるより聴衆を説得することが目的です。現代プラグマティクス（語用論）では，日常的に使われる言語に注目して，文脈と聞き手の存在によって意味や指示対象だけでなく真理も変化することを探究しています。

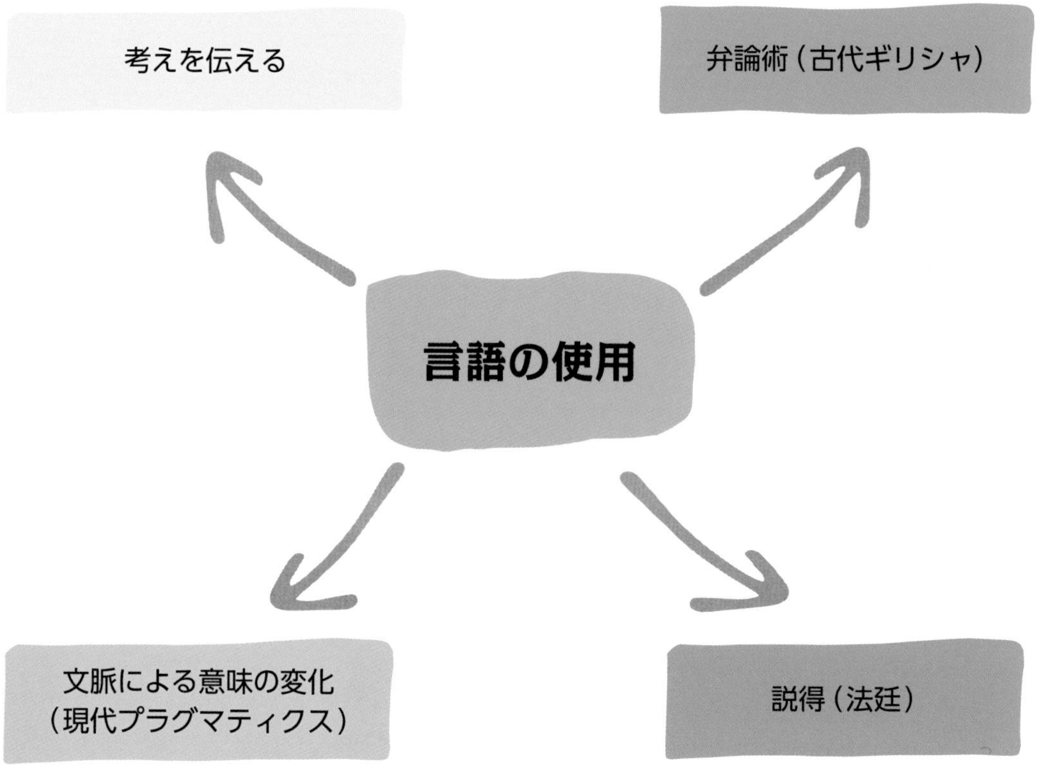

古代ギリシャでは，弁論術が大きな役割を担っていました。

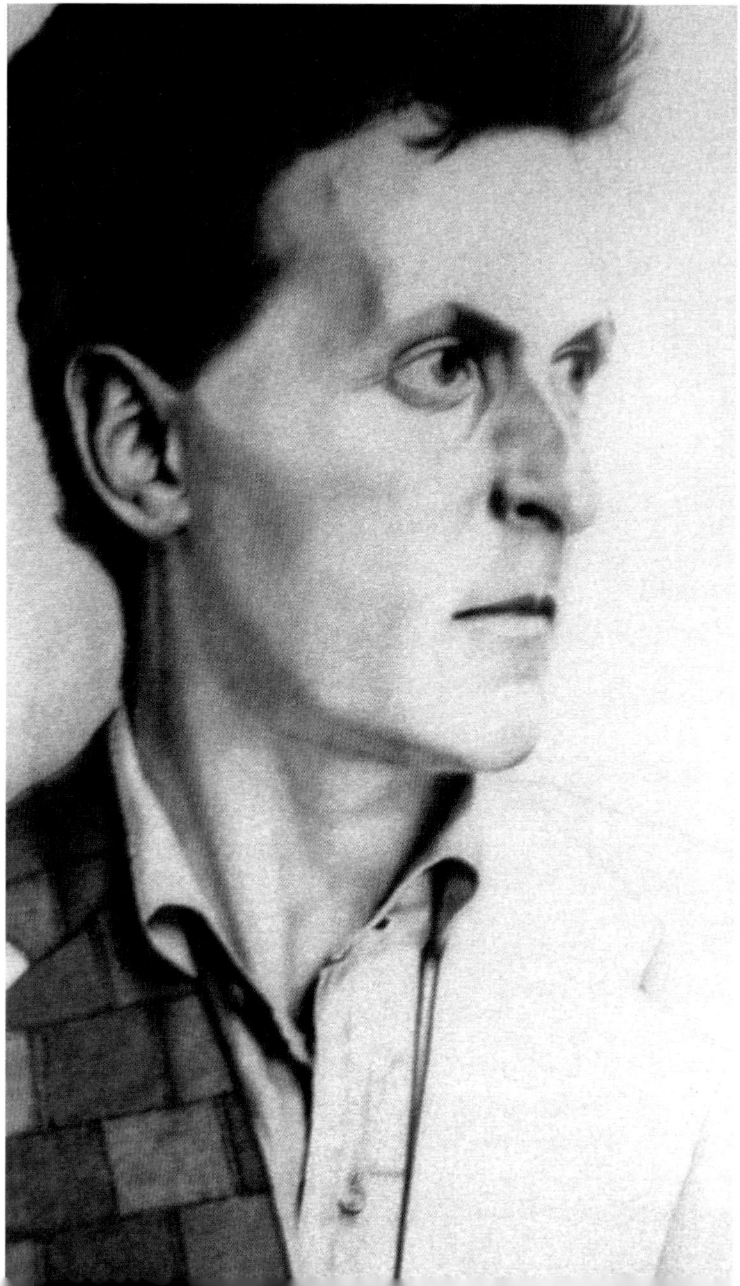

私的言語論

ウィトゲンシュタインは，人に伝達できない言語は意味をなさないと主張しました。かの有名な**私的言語論**は，言語とは規則に則るものであり，テニス競技に対してその統括団体が行うように，規則に基づいて外部から検査・観察しなければ成り立たないと主張します。その人にしかわからない私的言語は，特に，内なる心の状態を伝えようとしても役に立ちません。「青い」の意味は誰もが知っていますが，「青い」という知覚は個人的なものだからです。私的言語論は物議をかもしましたが，人間には一般に考えられていたよりもはるかに個性がないことを示したため，重要視されています。

意味と理解は，文脈に大きく左右されます。たとえば，大学入試で「正当化（証明）」を行うのは大変ですが，レストラン選びをするときの「正当化（理由づけ）」はさほど難しくありません。「ここ」や「今」のような指示語の意味は，完全に文脈に依存しています。「それらはトラブルになるだろうから，我々は団結しなくてはならない」というような文は，文脈がなくては意味をなしません。さらに考えを進めて，言葉や言明は無限に存在するが，状況によって決まる微妙な意味の違いしかないという説もあります。そうだとすると，明確なコミュニケーションは思うよりはるかに難しく，人間同士の誤解が多いことにも十分に納得できるというものです。

ウィトゲンシュタインは，私的言語論を主張しました。

会話における含意

20世紀のイギリスの哲学者ポール・グライスは，会話を正しく解釈するための一連の言外の規則（**会話における含意**）を発見しました。

会話における含意 ▶ 会話を正しく解釈するための一連の言外の規則です。

誰もが同意すると思いますが，私たちが話すときの決まりとして，適切な量の情報を提供すること，信じていることだけを述べること，簡潔に表現すること，そして，明らかに重要度が低いことは切り捨てることが挙げられます。これらの規則が正しく守られることは稀であるにもかかわらず，規則に反すると批判されます。また，会話には，会話のテーマをはじめとする言外の前提があります。さらに，気づかないうちにトピックが変わることもよくあります。哲学では，必ず前提を識別しなくてはなりません。そうすることで，その前提が導く真理を検証できるからです。

「意味」と「命題」の真価が問われるのが，言語間の翻訳です。クワインは，完璧な翻訳の可能性に対し疑問を投げかけました。さまざまな信念と言語がつくるネットワーク全体は，一つひとつの言葉を人がどう理解するかに左右されるからです。しかし，クワインの主張が正しいとすると，科学理論同士の比較は難解なものになってしまいます。そこで，これに対応できる可能性をもつのが，**思いやりの原理**です。この原理は，知らない言語の話者も同じ人間であり，同じ論理をもつと仮定すべきと考えます。

思いやりの原理 ▶ ほかの言語の話者も，自らと同じ人間性と論理をもつと仮定すべきと考えます。

そうだとすると，文化間に大きな違いがあっても，その言語同士をうまく翻訳することができます。翻訳ミスによって大変な誤解が生じることもありますが，科学理論同士を比較することも，（懸命な努力によって）互いにかけ離れた文化間に十分な理解を生むこともできるでしょう。

19世紀
（1830～1910）

19世紀に活躍した著名な哲学者は，個性の強い人ばかりでした。**アルトゥル・ショーペンハウアー**（1788～1860）は，当時の大哲学者ヘーゲルを否定し，人間の生き方に思いをめぐらせた人物です。彼は人間の本質を，自我ではなく，存在への欲望によって動く「意志」としました。さらに，動機のない「意志」は自由ではないため，人はみな生に苦しんでいるが，芸術だけが解放をもたらすことができると主張します。このように自我を否定し，厭世《えんせい》主義思想を唱えたショーペンハウアーは，最終的に仏教にたどり着いています。

セーレン・キルケゴール（1813～1855）もまた，ヘーゲルと形而上学を否定した哲学者です。人間には，生のよりどころとなる真理が必要だと唱えました。自我は，道徳的葛藤の揺らぎであり，選択を迫られるとき不安の状態にあるとしています。また，主体的な選択こそが重要であり，キリスト教への盲信を選ぶこともできると唱えました。これらの思想から，実存主義が始まりました。

オーギュスト・コント（1798～1857）は，哲学的思考における中心的な役割を科学に与えました。その**実証主義**の経験論的思想によると，測定可能かつ観察可能な事実（統計など）にのみ，真理を見出すことができます。コントは，この見解をほかの社会科学へ拡大して適用し，形而上学の地位を弱めようとしました。

カール・マルクス（1818～1883）は，ヘーゲルの崇拝者でした。弁証法的な歴史と社会の力が世の中を形づくると考えたのです。マルクスは，この説を概念ではなく経済活動に当てはめました。ここで哲学が掲げる新しい目的は，世界を変革することです。社会の階級間の緊張を通して弁証法が進み，虐げられた労働者は支配階級の資本家に牙を剥く，というのがマルクスの思想でした。

フリードリヒ・ニーチェ（1844～1900）は，ショーペンハウアーへ傾倒することから始めました。また，プラトンが唱えた超越的なイデアを嫌い，ソフィストたちの相対主義を好んでいます。ニーチェによると，あらゆるものは，おおむね無意識の力への意志に支配され，自我や自由意志は存在しません。無神論者ニーチェは，人間を進化した物理的な存在だと捉えていました。その価値観はエリート主義で，安楽な人生よりも向上心を称えました。

ジョン・スチュアート・ミル（1806～1873）は，数学や科学に対する経験論的アプローチを学び，人間が認識できるのは現象だけと唱える**現象論**を擁護しました。ミルは，功利主義の創始者，さらに政治思想のリバタリアニズムの擁護者として有名です。

チャールズ・サンダース・パース（1839～1914）は，哲学を，確実な真理に甘んじることなく役に立ちそうな理論を追う科学と密接につながるものとして考えました。人は「真理」ではなく有用なものを使って生きています。つまり，経験論を高度に実用に近づけたものが，パースが新しく主張したプラグマティズムだったのです。

キルケゴールは，哲学界に実存主義の動きを起こしました。

第10章
価値

感性論（美学）― 芸術 ― 道徳的価値 ― 基本的な価値

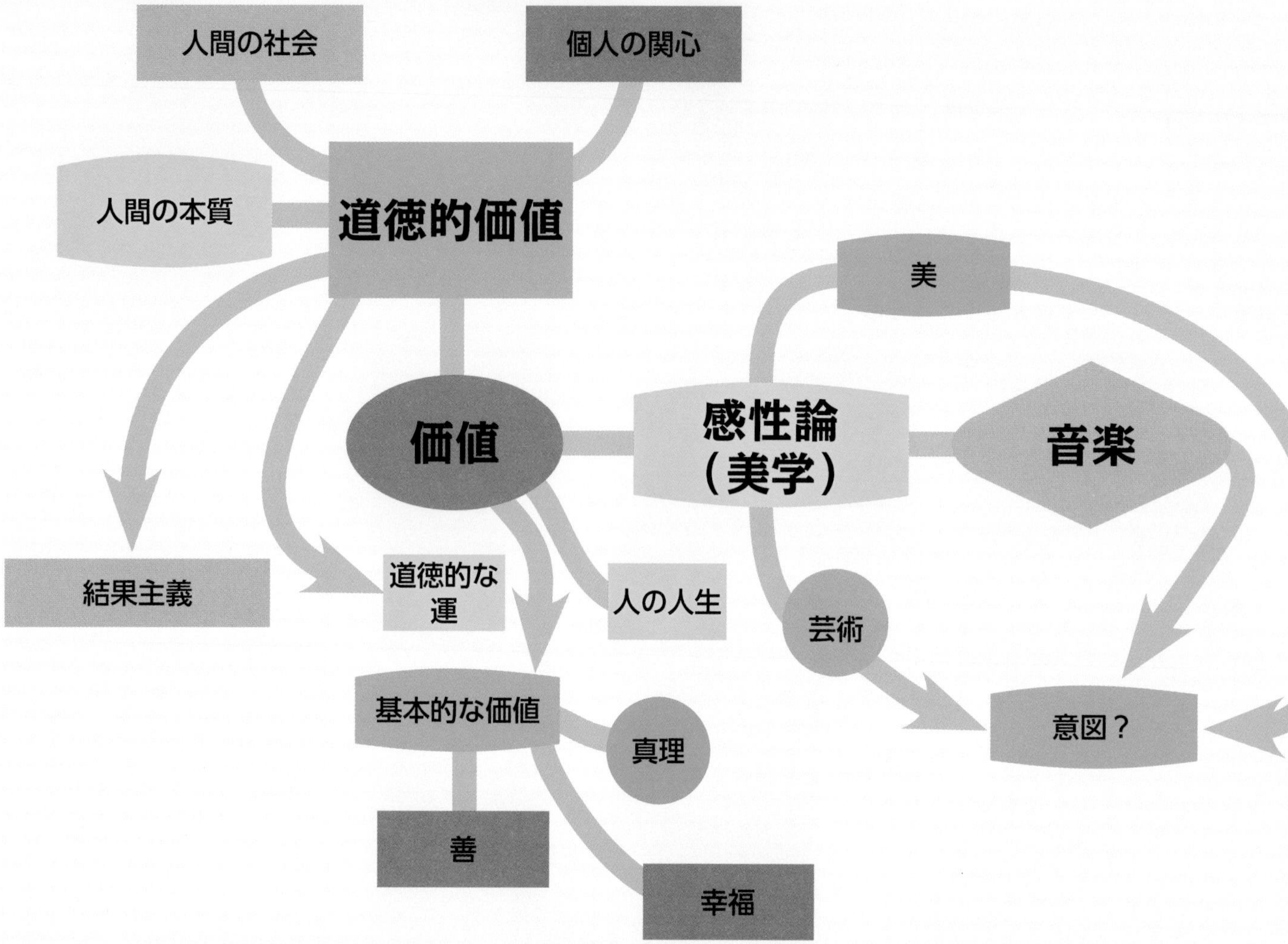

感性論（美学）

価値とは，人間を引きつけたり，動機を与えたりする一般的な概念です。私たちが重要だと考えることの中核が価値であり，人は，周りの人と価値を共有したいと思うものです。とりわけ重要なのは，個人のもつ道徳的価値。倫理体系において，行動規範（信条）よりもさらに基本的な価値が，この道徳的価値です。「己の義務を果たす」などの行動規範は，個人の価値観に照らして動機づけされていなければ，その人にとって何の効力もありません。また，社会において重要と考えられること，つまり，「市民的価値」もあります。さらに，人が魅力的ですばらしいと捉えること，すなわち，「美的価値」もあります。このように，大きな重要性をもつ価値ですが，その本質は複雑です。

- 価値とは，不変の真理を表しているものか。
- 価値とは，良識をもって生きる方法をまとめたものか。
- 価値とは，不合理なものか。
- 根拠を挙げて，気に入った価値を裏づけることができるか。
- 価値は，感情のように，ただ主張することができるものか。

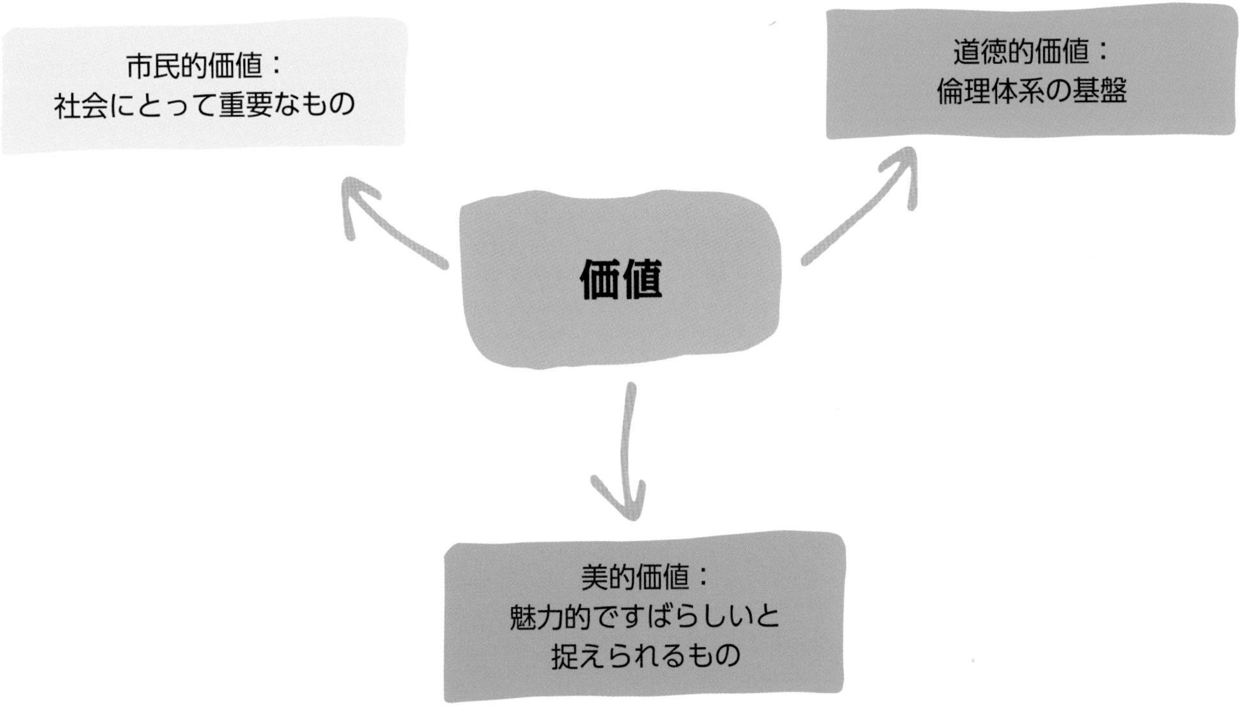

美

「美しい」といわれるものに興味がない人もいますが，誰もが，優れた才能，すばらしいテクニック，特別な努力などで達成したものには敬意を払います。古代ギリシャでは，これらはほぼ同一のこととされていましたが，現代では，美を認めることは，感受性や好みによる特有の反応だと考えられています。ほとんどの人は，たとえ芸術が嫌いでも，顔の造形や風景などの自然の美を感じ取ります。感性論は，自然や芸術についての，有意かつ特有の体験をテーマにしています。芸術は，快楽やさまざまな感情のみならず，理性，真理，知性を具現することができます。また，現代社会のあらゆる面において，重要な役割を担っているといえるでしょう。

「美しい」は，夕焼けや絵画はもちろん，スポンジケーキから木工細工に至るまで，幅広く適用できる言葉です。古代ギリシャの哲学者プラトンは，美を非常に高く評価していました。美は道徳的な価値を示すものであり，美を認めることが，知性を獲得するための第一歩だと考えた

「美」は，人，芸術作品，自然などを指すかなり幅広い意味をもつ言葉です。ほとんどの人は，何らかの美の形を認めます。

のです。プラトンの対極にある考えは，「美の基準は見る人によって異なる」という有名なことわざによって表されます。ここでは，美しいということは客観的な事実ではなく，それを観察する人の個人的な反応にすぎないという，相対主義的な見解が示されています。さらに，この相対主義説に疑いをもつ立場は，美の好みと美の判断を厳密に区別しました。美の好みとは，主観的な「自分が好きなもの」です。一方，美の判断とは，音楽評論家や展覧会の企画者などが予想する「誰もが好きなもの」や「誰もが好きになるべきもの」です。

美の好み	美の判断
個人 自分が好きなもの	批評家 誰もが好きなもの／誰もが好きになるべきもの

ロマン主義では，星空に見出せるような美の形，「崇高さ」を追い求めました。

美しいものについて，趣味の良い客観的な判断ができるのは，ほかの人たちも合意できる「よいもの」を見出す実績をもつ，経験豊かな観察者にほかなりません。かなり昔のアーティストが現代では評価されていない場合，その作品には卓越した美があるけれども，現代の人間はそれを経験していないということを意味します。

恐ろしい出来事を描いた作品でも，美しい芸術であり得ます。

美を体験することは喜びですが，どの部分から喜びが得られるかを定義するのは，簡単ではありません。ロマン主義では，一つの美の形として「崇高さ」を取り上げました。この崇高さは，星空や壮大な風景の中に見られ，常とは異なる畏敬の念，謙虚な心，気づきを呼び起こします。これに対して普通の美は，調和する事物（たとえば，すっきりした家具）の中に見られます。また，目的と完璧に一致するもの（たとえば，ヒョウの走る姿）やすばらしい想像力を示すもの（たとえば，シェイクスピアの劇）も，普通の美の範疇に入ります。よくある疑問ですが，なぜ人は，恐ろしい出来事を描いた文学作品や芸術作品を美しいと思うのでしょうか。このことから，美しいということは，ただ「心地よい」とはまったく異なることがわかります。美しいもの同士は，その美しさについても，美の程度についても比較することができます。つまり，美とは，感じるだけの問題ではないのです。

芸術

最新の感性論では，芸術作品に注目して議論が進められます。音楽，絵画，文学，舞踏などを体験すると，これらの間に共通点を見出せます。そのため，私たち人間は，これらをまとめて「芸術」とし，その本質を解明しようとしています。作品の存在形態とは何でしょうか。何があれば芸術作品だといえるのでしょうか。芸術作品の目的と価値は何でしょうか。最高の作品とそうでない作品との違いは何でしょうか。

絵画や建物は，物理的な事物として，明白な存在形態をもちます。一方, ベートーヴェンの交響曲はどのような存在でしょうか。名前があり，さまざまな特徴をもち，鑑賞する者を引きつけることから，その振る舞いはまるで事物のようですが，時間を超えて展開することから，一度にそのすべてが存在することはありません。楽譜は音がないので，交響曲ではありません。演奏は毎回少しずつ異なるため，いずれかの演奏を取り上げて「これこそ交響曲だ」とはいえません。交響曲とは，複数の存在なのか，抽象概念なのか。これは，存在論を研究する者にとって未解決の問題です。

交響曲とは何か。楽譜には音がなく，演奏は毎回少しずつ異なります。

芸術の構成要素

芸術を構成する要素は，次の通りです。

- アーティストの考え，感情，意図，想像力
- 作品の形態と内容
- 鑑賞する者の関心，感情，考え
- 芸術の社会的役割

これらの要素の相対的な重要性や非重要性を中心に議論が行われています。現代の議論は，作品だけを評価できるのだから**アーティストの意図**は重要ではないとする主張から始まりました。また，芸術はつくり手の感情（気持ち）を表現するという考えも疑問視されています。熱意に溢《あふ》れた芸術作品をつくるにはたとえば数カ月かかりますが，これは熱意（熱心な気持ち）を保ち続けるには長すぎる時間だからです。しかし，絵画におけるタイトルの重要性からもわかるように，作品の目的が重要であることは明らかです。つくり手の思いを感じ取れなければ，その作品を十分に味わうのは難しいといえるでしょう。このため，芸術作品をより深く理解しようとするなら，歴史的文脈に注目せよと唱える思想家は少なくありません。

優れた芸術は，明らかに鑑賞する者の関心を引きつけます。ロマン主義の芸術は感情に訴える傾向が強く，涙を誘うこともあります。一方，ほかの芸術は，優雅さ，驚き，魅力，または知的な満足感を与えてくれます。トップクラスのアーティストは，自らの理解を一つの作品に昇華する才能をもつ聡明な人物として，人の心を打つ存在です。また，作品の形態だけに注目し，最高の芸術とは，有機体のように全体としてうまくまとまり，その構造が作品のテーマと調和しているものと考える立場もあります。しかし，そうした理論は，「アーティスト本人が芸術だと言うものが芸術だ」と定義する現代の視覚芸術に押されています。ここでは，海辺で拾った物体でも，アートギャラリーで展示すれば芸術になるのです。

この主張を受け入れる立場は，芸術は，特定の種類の創作物ではなく社会制度だと考えます。今日では，布で覆った大きな建物も芸術作品として受け入れられますが，100年前には考えられなかったことです。

また，芸術の本質を定義する試みや，芸術の目的の理論化は，アーティ

マルセル・デュシャンの『泉』は，コンセプチュアル・アートの典型例です。現代では，「アーティスト本人が芸術だと言うものが芸術」と定義される傾向にあります。

芸術に関する諸理論－芸術作品になるものとは？

伝統的視点▶**アーティストの意図**

ロマン主義的視点▶**アーティストの感情**

現代の視点▶**アーティストの社会的メッセージ**

100年前には考えられなかったことですが，今日，クリストとジャンヌ＝クロードの『包まれたライヒスターク（国会）』は，印象的な芸術作品と評価されています。

ストによる抵抗につながりました。芸術は道徳教育の一環であるとする伝統的な見解に反して，若いアーティストたちは，芸術に道徳的目的をもたせることを完全に拒否するようになりました。しかし，こうした反抗にもかかわらず，今後も旧来の見方はなくならないでしょう。芸術が美しいものである限り，または，道徳や政治問題に関連する限り，芸術は人間にとって重要であり続け，最高の伝統芸術の統一された構造は，畏敬の対象であり続けることでしょう。一風変わった雑学は少しの間なら楽しめるかもしれませんが，ほとんどの人が「鑑賞」したいのは，ただ面白いものではなく，心を動かされるような，自らが影響を受けるようなものなのです。

道徳的価値

美のような芸術的な理想は，人に影響を及ぼします。「善」「正義」「義務」「美徳」のような道徳的価値も同様の役割を果たします。価値を検証する一番の方法は，その根源を問うことです。1.6兆kmの彼方で大きな岩が小さな岩にぶつかったとしても，私たちの精神（心）とは何の関係もないため，道徳的にはまるで問題ありません。ある流星が，たまたま地球上の都市に落下したとします。悲惨な事件ですが，誰かが意図したことではないため，これも道徳的に問題ではありません。一方，誰かが都市を爆撃したとしたら，その人物の意図とそれが与えた被害は，道徳的に問題です。宇宙にはほかにも道徳的な存在があるかもしれませんが，人類の道徳的価値は，人に関わる状況から生み出されています。

人に関わる状況における，三つの価値の根源

- 人間の本質全般
- 人間社会の習慣
- 個人の関心

流星が地球に落ちたら大惨事ですが，道徳的には問題ありません。

人類全体の価値というものがなければ，人間はとっくの昔に滅びていたことでしょう。なぜなら，人には安全，暖かさ，食物，健康，教育などが必要だからです。これらの価値が無視されてしまうこともあります（特に，戦時中）が，その存在を否定することはできません。社会の習慣からは，忠誠，法の遵守，服従など多くの重要な価値が生み出されます。ただし，価値基準は，社会によって異なるときもあります。また，個人の価値は，奴隷制や軍隊などの多くの場合には，抑え込まれることもあります。しかし，現代の自由主義社会では，個人は，自らの事情に基づいて己の価値観をもつように促されます。もちろん，これらだけが価値の根源ではありません。環境やほかの動物も大切です。また，数学には正確さ，庭づくりには計画性など，専門領域にはそれぞれ独特の価値があります。ですから，環境問題の研究者には，森林伐採の研究にあたって長期的な視点をもつこと，数学者には正確さと一貫性を重視すること，造園家には四季の変化を尊重することが求められます。

価値の真理

しかし，これらの価値に，真理や権威が含まれるでしょうか。それとも，価値とは単なる態度であり，いとも簡単に変化する感情から主に湧き起こるものでしょうか。デイヴィッド・ヒュームの有名な言葉があります。「価値の正しさや明白な事実による義務を証明する根拠は，決して見つけることができない」。このように客観的な事実と価値を厳密に区別することは，科学的な現実の捉え方や，証拠を求める経験論につながります。「親切さ」は喜ばれますが，はたして「親切さ」に価値があると証明できるでしょうか。

「客観的に正しい価値がたくさんある」ということは，ほとんどの人がそれらは正しいと合意していることを意味します。人類全体の価値は人の合意を得られますが，文化的な価値や個人の価値はそうではありません。**事実と価値の違い**は，絶対的なものではないという見方もあります。ある人を指して，「思いやりがない，あてにならない」「あの人には貸しがある」「あの人には何かが欠けている」と言う場合，これらは，価値を内包する事実のように見えます。たとえ科学に関わるときでも，人間は，価値から離れて冷厳な事実として物事を捉えることはできないとする説もあります。

状況	良い状況	街で暮らすペット
	悪い状況	街で暮らす害獣
行為	正しい行為	害獣を撃つ
	誤った行為	ペットを撃つ

結果主義 ▶ 結果が手段を正当化すると考える立場です。

結果主義では，道徳的行為において重要なのは，「良い結果を導く」ことだと考えます。望ましいのは，人が幸せになったり，健康に過ごせたりするような良い状況です。不快な行為をしなければならないとしても，それが良い結果をもたらすためであれば，十分に相殺されるのです。これに対抗する立場は，悪い行いに罪悪感をもつなら，たとえ良い結果が出なくても常に正しいことを行わなければならないと考えます。道徳性は，結果の良し悪しではなく，人の行為に関係するからです。したがって，できる限り嘘をつくべきではなく，必要に応じて平気で嘘をつくことは不道徳とみなされます。この説に反論する際に取り上げられるのが，**道徳的な運**をめぐる問題です（次ページの囲み参照）。

楽観的な立場では，価値は宇宙の真理を含んでいるので，あらゆる社会の基本的な価値同士は，一見かなり異なるように見えても，実はかなり似通っていると考えます。価値の根源は，純粋な理想や，子どもをはじめとする他者への愛情や気遣いの中にあるとしています。ただし，懐疑的な立場は，このような考えは現実よりも願望に基づいていると捉えます。真の価値が存在するということに明確な証拠がないと考える経験論では，道徳性とは賛成や反対の感情にすぎないとする**表出主義**的な見解がよく認められます。

表出主義 ▶ 道徳性とは，賛成や反対にすぎないと考える立場です。

現代の政治思想では，価値は，社会構造，特に権力層から生じていると考えられています。信頼できる従業員には，服従，義務，分別，時間厳守のような価値が必要です。そこで，権力を握るエリート層がこうした価値を奨励し，残りの人間はそれを受け入れざるを得ない状況になっているというのです。一方で，社会的に弱い立場から生まれた，革命的な価値もあります。これは，傲慢さや富の誇示を恥ずかしいことだとみなし，不正を暴く内部告発を容認します。

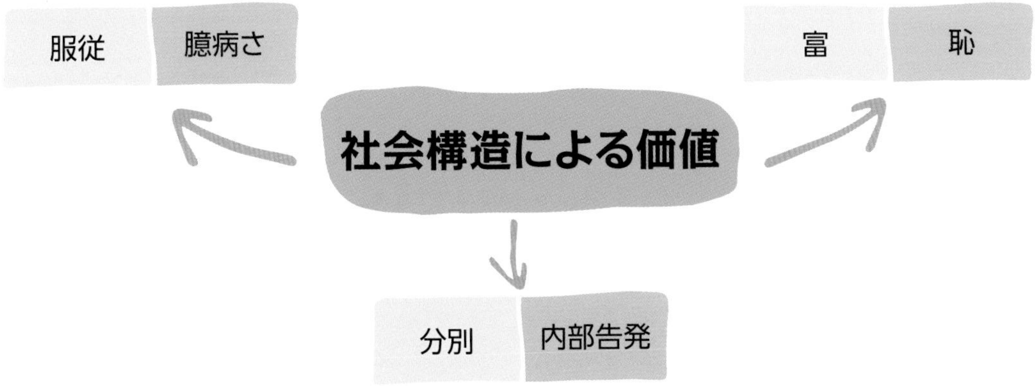

現代の価値論は，進化論の影響を大きく受けています。進化論では，価値とは，元来合理的なものではなく生物学的なものだと考えられます。これによると，あらゆる生物の基本的な動因は生存と繁殖であり，価値はこれを達成する戦略の一部なのです。すべての大型生物にとって，「友好的」や「協力的」という価値は，自らの目的を果たすために有効な手法です。他者と仲良くしなくてはならない最大の理由は，その見返りに，自分が親切にしてもらえたり，生きやすいようにサポートしてもらえたりするからです。

道徳的な運

何気なく壁の向こう側に向かってレンガを放り投げたとします。レンガがただ地面に落ちることも，人に当たって殺してしまうことも考えられます。後者の場合，投げた人はかなり厳しく評価されます。そのため，誰もが結果を気にしますが，行為ではなく人物を評価する場合，最大の焦点は意図になります。たとえ誰も傷つくことがなくても，何度もレンガを投げ続けるような人は，あっという間に友人を失くすでしょう。

基本的な価値

感情，分別，生物学，政治権力のうち，どこから生じるのかはさておき，価値が最高の重要性をもつことに変わりはありません。では，全人類の道徳的生き方のもとになる価値を見つけ出すことはできるのでしょうか。価値を最も重要視したのはプラトンです。彼は，美，善良さ，真理を理想化して，その頂点に善のイデア（あらゆる価値の源であり，永遠，不変かつ非物理的なもの）があると考えました。プラトンの生きた古代ギリシャでは，理性，知識，調和，人類の繁栄，快楽などのほかの基本的価値も認められています。さらに，宗教により，信仰，愛，謙虚さなどの価値も加わりました。現代の民主主義的価値は，尊重などの振る舞いの道徳的位置を高めてきました。もちろん，それらよりも道徳的位置が低いものの，重視されている価値もあります。長生き，財産，「勝ち組」になることなどです。

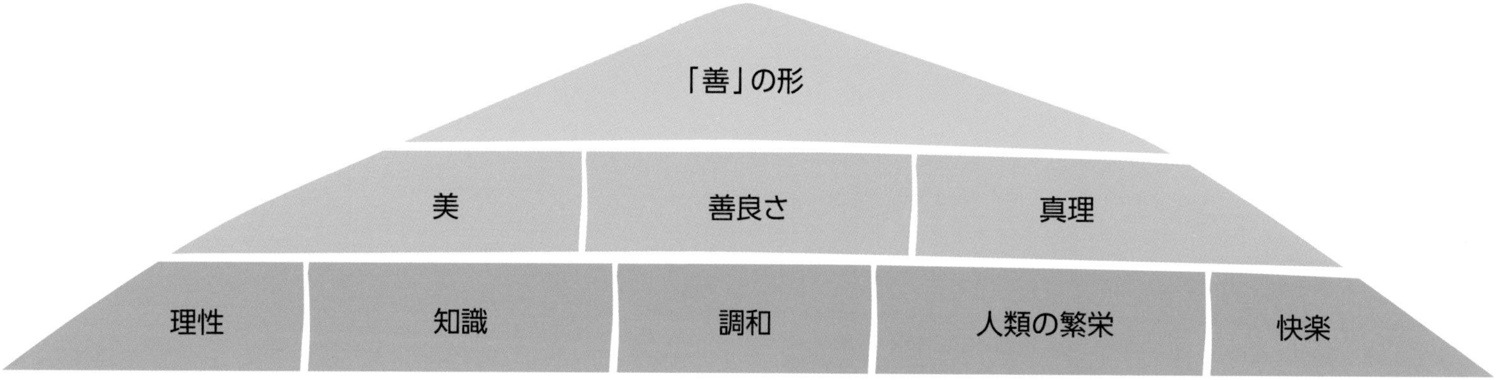

最高の価値である「善」の観念は，その曖昧《あいまい》さと存在の不確かさによって批判されてきました。一方で，「善い」という言葉はいずれの観点からも定義することができないとして，擁護されています。たとえば，快楽は本質的に善だという人があれば，善い快楽の話をしているのか，悪い快楽の話をしているのか，問いただすことができます。今日では，美が最高の価値であると考える人はあまりいません。ただし，多くの人にとって，美のない人生は空虚なものになるでしょう。現代では，真理はひどく軽んじられています。また，相対主義の観点から真理の存在を否定することが，当たり前になりました。それにもかかわらず，いつも嘘をついていれば社会生活は破綻しますし，正解を追い求めなくては科学が成り立ちません。さらに，過去に起こった真実を突き止めることこそ，歴史研究者の課題です。

啓蒙時代の哲学者は，合理的な生き方に大きな魅力を感じていました。それに続くロマン主義はこれに反抗し，合理性については，異なる文化間で意見が分かれると唱えています。合理性を愛する立場は，その規範として，数学，論理，厳密性の高い諸科学を挙げます。しかし，ここでも，絶対的な基準があるかどうかが問われています。現代では，純粋な知識と知性の地位は失墜しつつあります。最先端の物理学は，興奮と畏敬を呼び起こしますが，高い価値をもつのは新しい知識だけかもしれません。

エウダイモニア ▶ 幸福を生み出す活動です。

古代ギリシャでは，宇宙の調和に価値を見出していました。現代では，「平和と和解」が称えられることからもわかるように，社会における調和に価値があると考えられています。アリストテレスは，エウダイモニア（繁栄）の理想に基づいて，自らの道徳論を打ち立てました。ギリシャ語のエウダイモニアは，よく「幸福」と訳されますが，ただ心の気持ちよさを指すわけではありません。エウダイモニアは人生がうまくいくことを意味しているため，「人が栄えること」が最もふさわしい訳語でしょう。この概念は，何を行うかに関わります。成功した人生，称賛に値する人生が，エウダイモニアなのです。たとえば，頻繁に不幸せな気分に陥るような鬱《うつ》状態にある人でも，エウダイモニア（成功した人生）を得ることはできます。

快楽主義 ▶ 快楽を最高の価値と考える立場です。

快楽主義は，快楽が最高の価値だと考える立場です。現代の世俗文化は，快楽主義の色合いが濃くなってきています。

ほとんどの哲学者は，快楽について疑問を呈します。エピクロス派は快楽を重要視していますが，この立場ですら，自制の大切さを説いています。たとえば，節制せずに飲み食いし続けると，二日酔いに苦しんだり，肥満になったりします。このため，エピクロス派は，最高の善は友情だと捉えていました。確かに，快楽こそ唯一の善だという考えは，慎重に取り扱わなければなりません。たとえば，哲学の問題に頭を悩ませると不幸せな気持ちになるとします。そんなとき，幸福度は高まるけれど深く考えられないようにする脳の手術があるとしたら，受けるべきでしょうか。

快楽主義者たちも，無制限の快楽には疑念を呈しました。

人の基本的な性質から生まれたあらゆる価値の中で最も明白なものは，人の営みに関わるシンプルな価値です。理由もなく人を殺すと，世界中で非難されます。溺れている人や火災に見舞われた人を助けたいと思う気持ちは，全世界共通です。しかし，悩ましいケースもあります。自殺，安楽死，死刑を正当化できるほどに，人間の生とは完全に価値を失うものなのでしょうか。大きな才能がある人は，才能のない人たちよりも価値があるのでしょうか（救命ボートに乗れるのはあと一人というときに，これが問題になります）。

最高の価値を見つけるには，「あり得ない」「それをするなら死んだほうがまし」と思うことを問うのがよいでしょう。悪友から非行に誘われたとき，その非行がどの程度のものだったら，「やめようよ。そんなことをしてはだめだ」と言うでしょうか。泥棒でさえ，子どものお気に入りのおもちゃを故意に盗もうとはしないでしょう。病院に対して詐欺を働くのは，特に軽蔑に値します。戦時中には，より大きな規模で「あり得ない」ような道徳観念がうたい上げられます。

大抵の場合，戦争は「あり得ない」事態を引き起こします。

分析哲学
(1880～1940)

ゴットロープ・フレーゲ(1848～1925)は，述語論理の生みの親です。また，現代の分析哲学を創始したフレーゲは，新しい論理手法で数学の基礎を解明しようとしました。その後，言語そのものに興味を転じ，言語と現実をつなぐ「意味」と「指示」に注目して探究を行いました。フレーゲは，論理を心理学から切り離し，世界における客観的な第三の領域の一部であると捉えました。哲学をより厳密な学問にしようとしたフレーゲの志は，後世に大きな影響を与えました。

フレーゲに続いたのは，**バートランド・ラッセル**(1872～1970)です。彼は新しい論理の標準化に貢献しました。経験論者だったラッセルですが，論理と言語に注目して，論理上で数学を展開しようとしました。また，実在論と真理の対応説を擁護して，生の経験の断片から現実を推論する過程を重要視しています。ラッセルは，言語における論理形式，つまり，言葉に潜む厳密な意味を見出そうとしました。そして，科学を注意深く学び，現代の発見と哲学を一致させることを目指しました。自らの見解を頻繁に変えたこともよく知られています。

ジョージ・エドワード・ムーア(1873～1958)は論理学者ではありませんでしたが，その体系化された明確な論文は，分析哲学に大きな影響を与えました。ムーアの道徳論は，自然主義の枠組みで善を説明することを拒否しています。また，精神(心)にこだわる観念論の諸説に対抗し，素朴実在論を擁護したことで有名です。

ルートヴィヒ・ウィトゲンシュタイン(1889～1951)は，ラッセルに師事して，言語と論理を探究しました。論理とは，不変の真理ではなく単なる習慣だと述べています。ウィトゲンシュタインが唱えた論理的原子論は，実在論的な知識は最小単位の概念の集まりで構成されるとしています。また，「文は基本的な体験(事実)と結びつかなければ，意味をなさない」という主張は，論理実証主義へと派生しました。ウィトゲンシュタインは，ここで一度哲学から離れますが，のちにまるで異なる見解を携えて舞い戻ります。すなわち，実在論ではなく相対主義寄りの主張を行うようになりました。後期ウィトゲンシュタインによると，人の思考は「言語ゲーム」に影響され，言語の意味は使われる場合によって変わります。したがって，人間は道徳や宗教について絶対的な知識を得ることはできないものの，意味をもたせながら，理路整然と言語を使えます。また，言語はコミュニティを必要とするため，極端に個人主義寄りの哲学は受け入れられません。

バートランド・ラッセルは，論理の標準化に貢献しました。驚くようなことではありませんが，論理学者ラッセルはチェスをたしなむことでも有名でした。

第11章
倫理

さまざまな倫理学 — 義務論 — 功利主義 — 契約論 — 応用倫理学

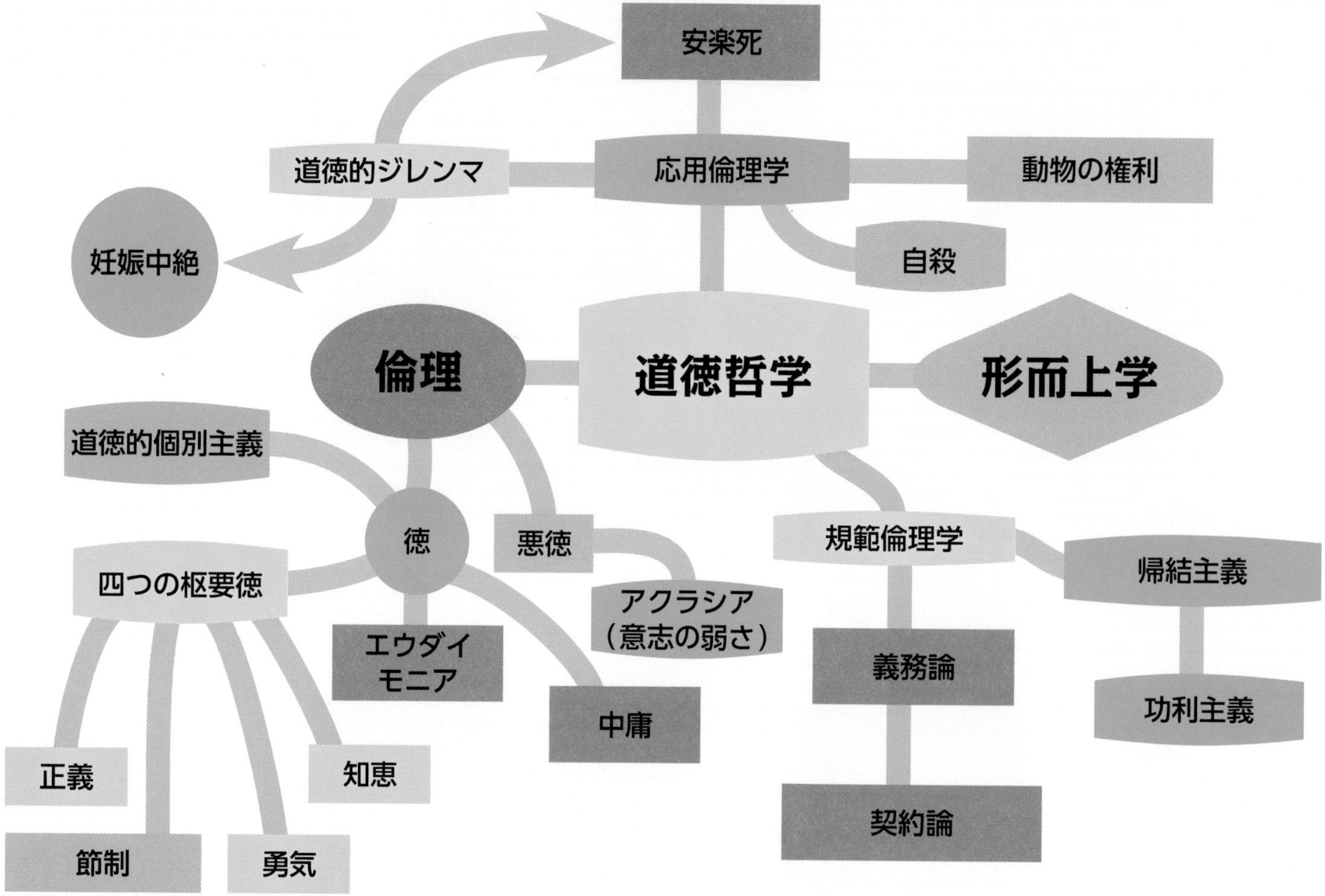

さまざまな倫理学

道徳哲学には，**メタ倫理学**，**規範倫理学**，**応用倫理学**が含まれます。メタ倫理学（高次の倫理学）では，道徳思想の中核的価値や原理，それらの根拠が探究されます。規範倫理学は，道徳的な振る舞いの規範（基準）や法則に関する学問です。そして応用倫理学は，日常生活における道徳的ジレンマを見つめます。

メタ倫理学	規範倫理学	応用倫理学
道徳思想の規範	道徳的行為の法則	日常生活の道徳的ジレンマ

古代ギリシャでは，善人の本質や善良な性格を形づくる徳に注目して議論が展開されました。また，善の行為は，善良な性格の人物がなす典型的な行いであると考えられました。その後も徳が注目され続けましたが，ルネサンス期になると，法曹界では，行為者の性格よりも行為自体の良し悪しが裁判で重要だとされるようになりました。善良な人でも有罪になるときがあり，邪悪な人でも無罪とされるときがあるからです。こうして，行為の善悪の原理に関する探究が始まりました。

ここで優位になった二つの立場があります。一つ目は，正しい行為とは，全人類が合意した普遍的な義務だという説（**義務論**）。二つ目は，正しい行為とは，幸福や喜びを向上させるものだという説（**功利主義**）です。さらに，人間同士にとって互いに有益な契約こそが道徳だという立場もありますが，冷笑的な見方としてよく退けられます。近年では，これらの三つの説に納得しない思想家らによって，徳論が復活しています。

ルネサンス以降，法曹界では，行為者の性格ではなく，行為自体の良し悪しが重要視されるようになりました。

徳倫理学

ピアノには機能があります。その機能を十分に果たしてこそ，ピアノには価値があります。徳論は，これと同じ根拠で人間の価値も定められるという考えに基づきます。人間には機能があり，善良な人間は，その機能を十分に果たせるというのです。古代ギリシャの哲学者アリストテレスは，人がもつ二種類の機能を特定しました。一つは，理性に基づいて論証を行えること（人類がほかの動物と一線を画す点です），もう一つは社会を形成すること（アリやハチにも共通します）です。

機能を自由に決められるのであれば，この考えは成り立ちませんが，徳論では，（局所的な違いはあっても）誰もがもつ，普遍的な「人間性」があるという考えが好まれます。

これをもとに，良い論証に関わる「知性的な」徳と，良い市民性に関わる「道徳的な」徳があるとされています。道徳的な徳が目指すものが，エウダイモニア（次ページ参照）です。

ピアノも人間も，機能を十分に果たしてこそ，価値があるとされます。

道徳的な徳の目標は，**エウダイモニア**（成功し，満たされた人生）です。

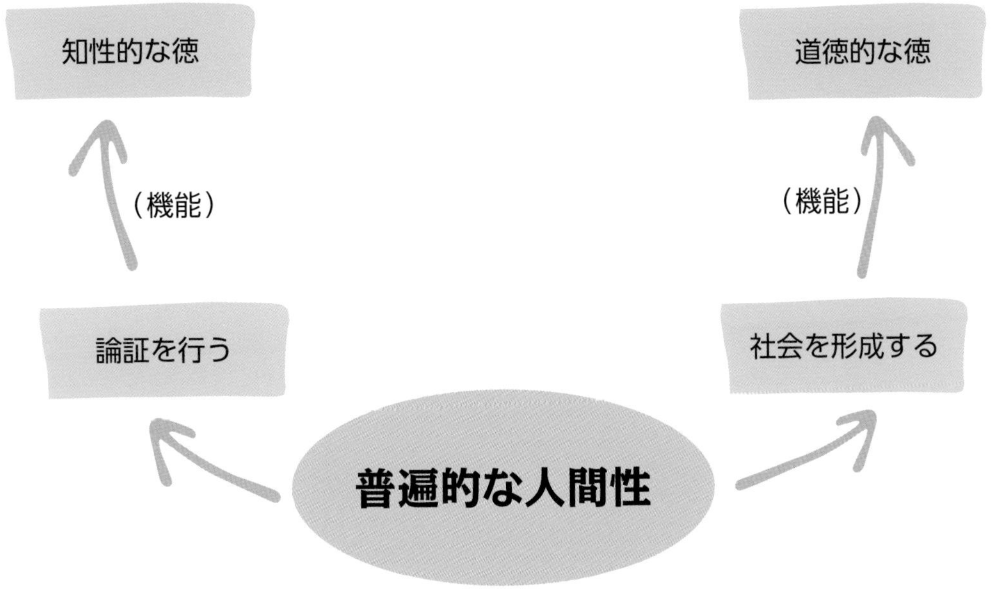

ソクラテスは，徳が教えられるのかどうかを問いました。

徳は，適切に振る舞うことの動機になります。例として，戦いで勇敢に振る舞うこと，無制限飲み放題でも節制することが挙げられます。最終的な徳へ至るには，振る舞いに五つの段階があります。最初の段階は，残忍さ。しつけられていない野生動物のように振る舞うことを指します。次に，悪徳。悪いと知りつつこれを行うことを指します。第三の段階は，意志の弱さ（**アクラシア＝自制心のなさ**）。正しいことをしたいと思いながらも誘惑に打ち勝てない状態です。

第四の段階は，善を目指し，善を行うために節制することです。前の段階よりはるかに良いですが，これでもまだ徳ではありません。行為は正しくても，理性と調和する感情を伴っていないからです。最終段階にある有徳の人とは，正しく振る舞い，かつ正しく振る舞うことを積極的に好む人です。義務を果たすことは立派な振る舞いですが，いやいやながら行っていたのでは，義務は徳にはならないのです。

徳の尺度

あらゆる徳は，過大と過小の両極端の間に起こります。徳とは，この両極端の正しい中間，つまり**中庸**です。したがって，勇気は粗暴と卑怯《ひきょう》の中間にあり，節制は快楽に関する不能と耽溺《たんでき》の中間に位置します。ただし，中庸は平均のことではなく，状況にふさわしい行いをすることを指します。そのため，怒りが正しい行為になることも多くあります。過度な穏和さと過度な癇癪《かんしゃく》・執念深さの中間に怒りの中庸があるのですが，それは怒りを引き起こす原因にふさわしいものでなくてはなりません。

ソクラテスと徳

ソクラテスは，徳に関する二つの大きな問いに注目しました。

- 徳は教えられるか。
- あらゆる徳を生み出す，単一の最高徳が存在するか。

ソクラテスは，教える人さえいれば徳は教育で伝えることができ，正しい理性によって，人は完全に有徳になれると考えていました。

アリストテレスと徳論

アリストテレスは，徳は幼少期に教えるべきだと考えていました。まず善の習慣から始め，適切な感情をもつこと（他者が悲しんでいるときに笑わないなど）を学ぶべきだとしています。子どもの理性が発達すると，真の徳の喜びを味わえるようになると彼は考えました。幼児教育を重視することは，徳論の大きな特徴です。善良なロールモデルの存在は，道徳心を養うために重要だと考えられました。

アリストテレスによると，徳が，財産，健康，友人を必要とするのではありません。エウダイモニア（良い人生）を送るのに必要なのが，財産，健康，友人，そして徳なのです。

アリストテレスによると，単一の徳は知的能力ではなく良識（**フロネシス：実践的な知**）です。私たちが思う「徹底的な常識人」は，ほとんどの社会的な徳をもっています。成功した人生（エウダイモニア）とは徳に違いないが，それには相当の財産，健康，友人などの「外的なもの」も必要だというのが，アリストテレスの考えでした。同時代のストア派はこれに意を唱え，純粋な徳だけで十分だと唱えています。

古代ギリシャ社会には，四つの**枢要徳**（中心的な徳目）がありました。

- 知恵
- 勇気
- 節制
- 正義

古代ギリシャ以降，思いやり，尊重，誠実さ，忠誠などのさまざまな徳目が加わりました。今日，思いやりがあることは立派な徳ですが，思いやりは弱さであり，悪徳だと考えられた時代もありました。ここから，性格的な特徴の評価は社会によって異なるという，徳論の問題点が明らかになります。ある社会では，機知に富む人が好まれますが，ほかの社会では，無礼者として軽蔑されるかもしれません。このように徳が社会の承認を必要とするなら，徳は相対的なものです。たとえば，殺人を犯した人は，犯罪集団やギャングの中では高く評価されることもあります。しかし，時代の移り変わりを考慮すると，ある程度の相対性は避けられません。現代では，剣の戦いではなくむしろ面接のために勇気が必要とされるのではないでしょうか。ただし，社会的な徳は，ギャングよりも幅広い見識に基づくべきです。ギャングの構成員は，社会的に見ると邪悪な人間なのですから。同じく，戦争を始める人はその国では善人ですが，世界的に見ると極悪人です。

現代の価値は少し異なりますが，古代ギリシャの四つの枢要徳は今でも重視されています。

文脈によって価値が変わることもあります。ギャングの構成員のように，人を殺したことを高く評価される場合もあります。

徳論に対するもう一つの大きな批判は，実際の行為の規準としては不十分だという点です。「善良な性格」は理解できても，具体的にどう振る舞えば良いのかはわかりません。元来，正しい行為とは，有徳な人に求められる振る舞いだと考えられていました。現代になって徳論から派生した説では，道徳的規則を否定して**道徳的個別主義**を支持します。現実では，まるで同じ状況が二度起こることはありません。そのため，シンプルな規則では，人の行為をねじ曲げてしまいます。法律の条文に厳密に従う裁判官は，裁判ごとに細かな違いに着目する裁判官に比べて，公平さの点でかなり劣ります。

道徳的個別主義 ▶ 道徳的規則は一切存在しないと考える立場です。

義務論

義務論 ▶ 道徳的義務を研究する学問です。

義務論は，道徳的義務を研究する学問です。最も有名な提唱者は，18世紀のドイツの哲学者イマヌエル・カント。合理的な一貫性に着目し，純粋理性から道徳的原理を導こうとしました。正義は，数学の冷厳な合理性によって厳正であるべきで，道徳的に矛盾をなくすためには，行為の規準となる**格律**を設け，これに従って行動すべきだとしました。たとえば，落ちていた電車の切符を落とし主に届けるのは，「落とし主はとても困るだろう。私が助けなくては」という格律に従っているのです。

行為ごとに格律があるとすると，それぞれの格律を比較して，合理性をもつ人すべてが合意するような一つの格律を見出すこと（**格律の普遍化**）で，矛盾をなくすことができます。電車の切符の場合なら，普遍的な格律は「私たちはみな，困っている人を助けなければならない」です。これには誰もが納得するでしょう。カントの**定言命法**は，状況ごとに普遍的法則を見出し，その法則に従う義務があるとしています。行為が誤っている場合，その行為の格律は，ほかの普遍的な格律と矛盾します。このカントの理論をシンプルにまとめると，「人類すべてがこれを行ったらどうなるか」という問いかけになります。電車料金の払い忘れは小さな罪だといえますが，もしも人類すべてが支払わなければどうなることでしょうか。

イマヌエル・カント（1724 ～ 1804）は，決して嘘をついてはならないと述べました。

カントの定言命法 ▶「行為の格律が普遍的法則として妥当し得るように行為せよ」と定めます。

義務論の中には，直感や良心に基づいて道徳的義務を解明できるとする立場もあります。しかし，これらはカントの説ほどの切実さや厳密さをもちません。しかも，異なる直感をもつ二人が争っているとき，これを解決することはできないのです。義務論は，結果よりも意図を重視しますが，結果を考えずに合理的な意図をもつことはできません。カントは「決して嘘をついてはならない」と述べましたが，義務を果たすことを重視しすぎたかもしれません。無実の人を守るためにつく嘘はむしろ称賛され，善意だと捉えられます。ところが，善意の人の義務は共感することではなく，普遍的な法則に従うことであり，どんなときも必ず真実を告げるべきだというのがカントの意見でした。そうだとすると，格律同士が完全に合理的で矛盾がないようにすることは，難しいといえるでしょう。

カントの説は，感情を無視していることから批判されています。理性への思いだけに基づく理論ですが，これは普遍的に受け入れられるものではありません。人間に対する優しさよりも冷厳な義務を促しています。さらに，行為の格律はなかなか合意に達するものではありません（正義のために戦っているつもりでも，裏切り者呼ばわりされることもあります）。そして，この説の最大の問題点は，特定の価値観（たとえば，「電車の切符をなくすことは望ましくない」）を前提にしていることです。矛盾がない限り，あらゆる奇妙な格律や悪意ある格律が普遍化できてしまうと批判されています。たとえば，人類すべてが盗みを働くのであれば，窃盗は悪ではないことになってしまいます。

カントの説を擁護する立場は，特に普遍化を高く評価しています。違いが大きい（敵対的でさえある）文化同士でも，冷静に合理的で矛盾がないことだけに注力することで，道徳的な合意に達することができるかもしれないのです。

功利主義

功利主義は，あらゆる道徳的行為は，**功利**（幸福と利益）の最大化，つまり一般的に人が求めるあらゆるものの獲得を目指すと主張します。道徳は最善の結果を目標にするものであり，行為者の意図や性格は（興味深くはあっても）関係ないとされます。実際の経験（主に快楽の希求と苦痛の嫌悪）に即した理論を求める経験論者たちによって，現代の功利主義は確立されています。そのため，最もシンプルな立場，快楽主義的功利主義は，「快楽を最大化して，苦痛を最小化する」ことを主張します。現代の功利主義はそこまで直截《ちょくせつ》的ではなく，幸福や好みを最大化しようとします。

功利主義 ▶ 道徳は，功利（幸福と利益）の最大化を達成することだと考える立場です。

ジェレミー・ベンサム（1748 ～ 1832）は，功利主義を提唱した主要人物の一人です。

功利主義の前提は，かなり民主的です。「各人を一人として数える」，つまり国家元首の幸せも奴隷の幸せも同じくらい重要だとするからです。また，ほとんどの行為にかかるコストや利益をかなり正確に査定できると考えます。そして，人間誰もが平等に扱われ，さまざまな結果がおおよそ明白であれば，なすべきことを概算できるというのです。功利主義は結果を数値化したために（たとえば，外食の価値は78，映画鑑賞の価値は67と定め，外食するように勧める），世間に失笑されることになりました。しかし，行動を決めるときには，比較をしなければなりません。外科医が今後の手術について考える場合には，結果の査定はできる限り正確である必要があります。おそらく，功利主義の数値的なアプローチは，当初思われたほど奇妙なことではないのです。

実用的な功利主義

功利主義は，その体系がほかの道徳論に比べてはるかに実用的だと主張しています。たとえば，予算の少ない病院は治療を優先しなければなりません。コストに対する利益を査定することが，正しい決断に至る唯一の方法です。功利主義のさらなる利点は，その道徳的決断のうちには，動物も含まれることです。動物も明らかに幸福を感じたり，苦痛を経験したりするからです。現代において，動物の権利を主張する諸団体は，功利主義哲学から発展しています。

快楽を最大化しようと考えたとき，拷問は大きな悪です。しかし，たった一度の拷問を行うことで，何千人もの命が救える場合を想像してください。また，ビルで火災が起きたとき，幸福を最大化する方法は，自分の母親を見捨ててほかの10人を助けることだとわかっていても，それができるでしょうか。これらの極端なケースは，（これまでに説明してきた「行為功利主義」とは異なる）**規則功利主義**へとつながります。規則功利主義では，「拷問はしない」「家族を守る」などの規則に従うことで幸福を最大化します。こうした規則は，長期的に見ればより望ましいとされ，たとえ誤った結果を導く可能性があっても，規則を破ってはならないと考えられます。これを批判する立場は，より大きな利益をもたらす計算を考慮しないのであれば，功利主義は義務論に近づいてしまうと主張しています。

動物の権利運動は，功利主義哲学から発展しました。

功利主義の危険性

実用的であるがゆえに，功利主義は問題事例にも事欠きません。結果のみで行為を評価することはできますが，終わりが見えないこともあります。恐ろしい殺人事件が，100年後にはすばらしい結果につながったとしたらどうでしょうか（事件が契機となり，被害者の孫が公益事業を成功させるなど）。結果だけが重要だとすると，誰も過程を気にしなくなるのではないでしょうか。友人のために自分が親切な行為をするよりも，その行為をより精密にできるロボットを買うほうがよいのではないでしょうか。幸福を最大化することが目的なら，公正さは無視してもよいでしょうか。無実の人を罰することで，今後その犯罪を抑止できるという確信があれば，その人を罰してもよいでしょうか。さらに，快楽がすべてだとすると，安くて無害な娯楽用ドラッグを発明して，家庭用水道管に流し込めばよいのではないでしょうか。

功利主義に対するもう一つの批判は，万人の幸福を目指す姿勢に関するものです。功利主義は，自らの母親であっても特に重要視せず，会ったこともない数十億もの人々に同じ重要性を見出せというのです。道徳的な要求には終わりがありません。遠い外国に住む人々の幸せを向上させることができるかもしれない時間を使って，なぜ本書を読んでいるのかと問われては身も蓋もありません。問題は，功利主義が一つの道徳的価値に注目して，ほかの価値をすべて黙殺してしまうことにあります。

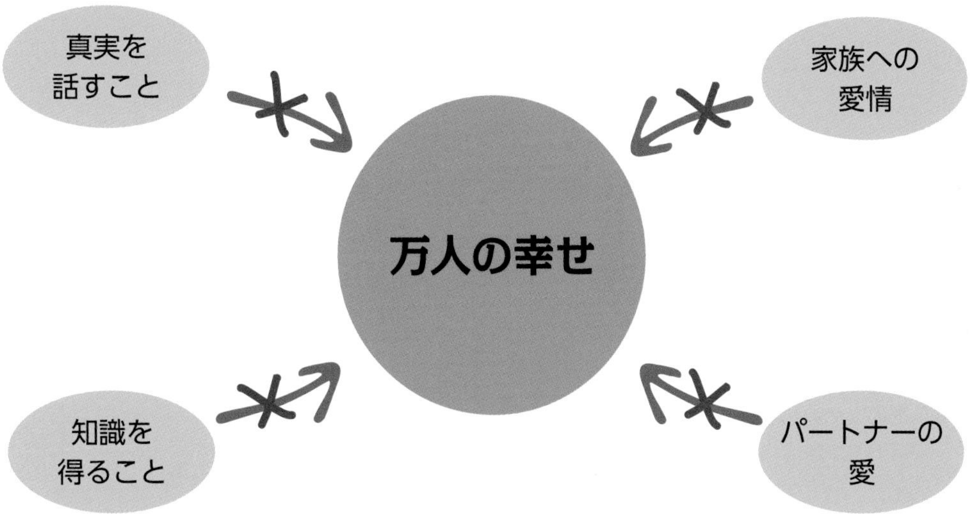

功利主義の哲学者たちは，膨大な時間をかけて功利主義とこれら多くの問題点との間を微調整しています。「結果など無視してしまえ」などと言う人は社会の脅威ですから，この努力には価値があるように思われます。功利主義は，今でも重要な理論であり続けています。

契約論

道徳などなくても，お互いに協力すれば人間の生活はうまく回る。**契約論**の道徳は，こうした考えに基づいています。契約論では，人は，常に自らの利益に基づいて善の行為をなし，その見返りに他者から助けてもらうとしています。それならば，親切なふりをすればよいだけだと思うかもしれませんが，不実な態度はすぐに見抜かれてしまうもの。ですから，最も良い方法は，心から親切かつ誠実な人になることです。両親が我が子を「人の役に立つ誠実な子」に育てようとするのは，そうしたほうがその子の人生が楽になると思うからです。親切な行為をしたのに見返りがないときもありますが，「親切な人」と評価されることが見返りとも考えられます。

契約論 ▶ 善の行為は自己利益に基づくと考える立場です。

たとえば，コーヒー代を交代で支払うなど，誰かとお互いに助け合うことを約束したとします。しかし，最初に「支払う」のは危ういもの。なぜなら，その行為の見返りが得られるとは限らないからです。そのため，この説には，事前の信頼関係が必要です。ただし，17世紀のイギリスの哲学者トマス・ホッブスは，助け合いを可能にするには，破綻した契約を強制的に実施させる政治権力が必要だと述べています。人は誰でも自己利益を追い求めます。ここから本質的な動機づけを行えることが，ほかの諸理論にはない契約論の利点です。また，契約論は，約束の不履行や裏切りなどの特定の不道徳な行為を，実によく説明することができます。

過去には，契約論はあまり人気がありませんでした。利己心は道徳の対極にあると考えた人が多く（道徳とは，**利他性**や他者への思いやりとされました），「自己利益に基づく道徳」は矛盾しているように感じられたのです。子どもに対する母の愛が自己利益だというのは，かなりシニカルな見方ですし，自己利益しか考えていないと言い放つ人を信頼することはできません。この問題の例としては，**フリーライダー**問題があります。フリーライダーとは，他者と協力し合うふりをして，他者の善意を受け取るだけの人を指します。契約論では，自己利益を求めるのは良いこととされますが，それでは，最高の道徳基準を達成するのは，脱税者や，会食に参加したのに支払いをしなかった人ということになってしまいます。さらに，他者に対して多くの恩恵を施すことができる，権力者が有利です。親切な行為を受けても見返りを差し出すことができない場合，たとえば，重い障害をもつ人は道徳の枠から外れてしまうのです。

トマス・ホッブスは，契約を強制的に実施させるには，政治権力が必要だと主張しました。

現代の進展

二つの進展があったことで，契約論は現代に復活を果たしました。これらの進展からわかるのは，これまで常に尊重されてきた寛大な道徳基準は（それがほぼ無意識のうちに自己利益に基づいていても），良い生き方を得るために必要だということです。

生物学

今日では，多くの動物は高度に協力し合い，以前の認識よりもはるかに利他的な行為をすることがわかっています。動物のDNAには，他者を助けようとする姿勢が組み込まれています。複雑なコミュニティを形成するヒトであればなおのこと。痛みに苦しむ赤の他人を見て瞬間的に同情するように，私たち人間は，道徳的と思われる振る舞いをせずにはいられないのです。

ゲーム理論

ゲーム理論は，協力の規則性を研究する学問です。人間同士が交わす一度限りの契約は危うさを伴うため，その実施には強制力が必要かもしれません。一方，継続した長期的な協力体制は，成功する可能性が高くなります。ただし，協力し合うためには，人の役に立とうとする，信頼できる，他者のために「もうひと頑張り」できるなどの高い道徳基準をもたなくてはなりません。

応用倫理学

現実の道徳的ジレンマは，利害関係の大きい生死の問題に絡むことが多く，応用倫理学はそのような事例を解明しようとします。道徳の諸理論が個人の決断を扱い，意図または結果のどちらかに注目する一方，実際の道徳的ジレンマは，多くの人に関わります。意図と結果はいずれも重要で，なすべきことを決断したうえでその結果を評価しなくてはなりません。道徳的不一致においては，他者の自己決定（自律）の権利も尊重されるべきです。

理論	実際
個人の決断 意図 **または** 結果	多くの人に関わる 意図 **および** 結果

行為の責任を人と共有する場合も，特定の行為を奨励，命令，強制される場合もあるでしょう。また，悪の行為をなすより，何もしないほうが邪悪になることもあります。意図せずに「悪の副作用がある善の行為」をなすことを，**二重効果**の現象といいます。こうした物事を評価するには，捉えにくい意図よりも明白な結果を見るほうがより簡単です。悪の副作用が不道徳かどうかは，それが予想不可能だったか，予想できる可能性があったか，または実際に予想できたかによって決まる部分もあります。

妊娠中絶

妊娠中絶は，応用倫理学が抱える典型的なジレンマです。中絶を行うことで，何らかの存在物が死に至ります。しかし，その存在物とは何でしょうか。分娩前の子どもは，微小な細胞群から始まり，9カ月たつと子宮外でも生存可能になります。これを何と呼ぶべきでしょうか。「命」「生命体」「ヒト」「子ども」，それとも「人格」でしょうか。「受精卵」や「胎児」以外に，これに合う言葉はないのかもしれません。「完全に成熟した胎児」と「新生児」の間に，明確な区別はないのです。

中絶を行う母親側に注目した議論もあります。意図と結果のいずれを重視すべきでしょうか。自己都合から強姦の恐怖によるものまで，中絶の動機はさまざまです。出産は，女性の人生に長期的な結果をもたらします。胎児の権利と母親の権利のバランスを見定めつつ，父親やほかの関係者の権利も考えられています。

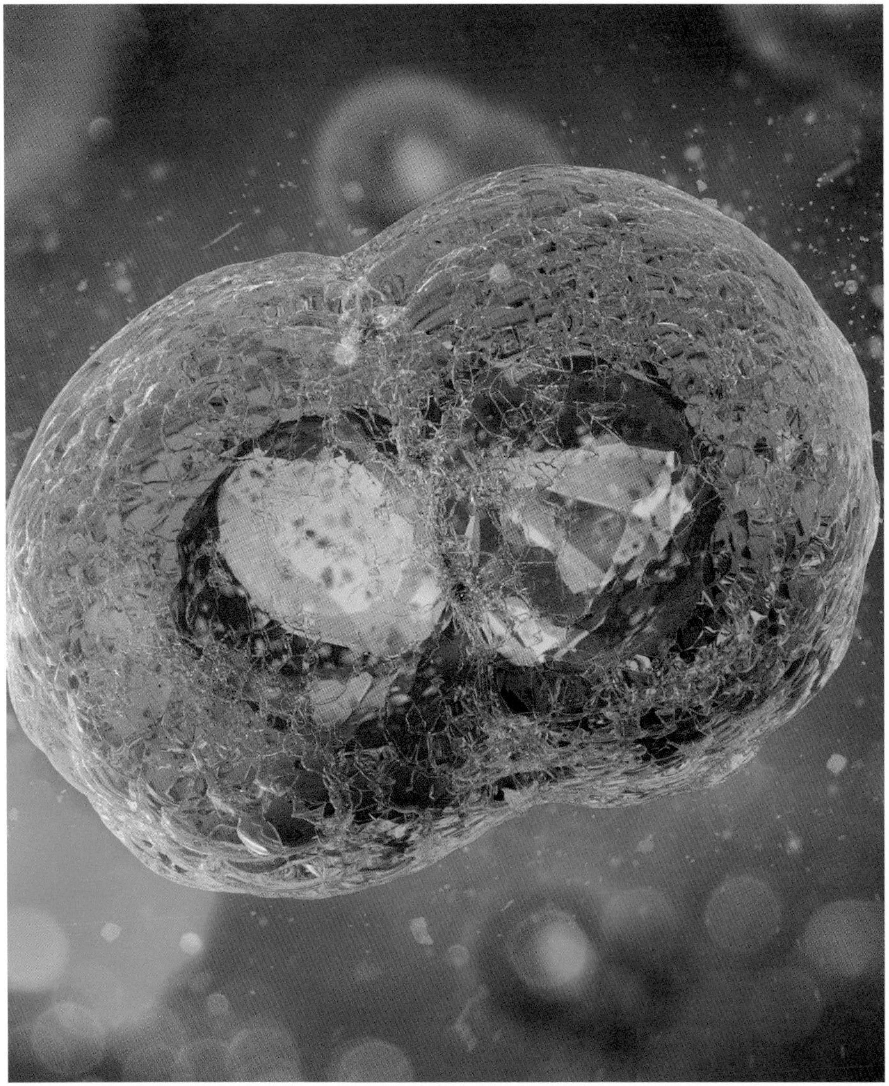

受精卵か，胎児か，それとも新生児か。どの時点で人になるのでしょうか。

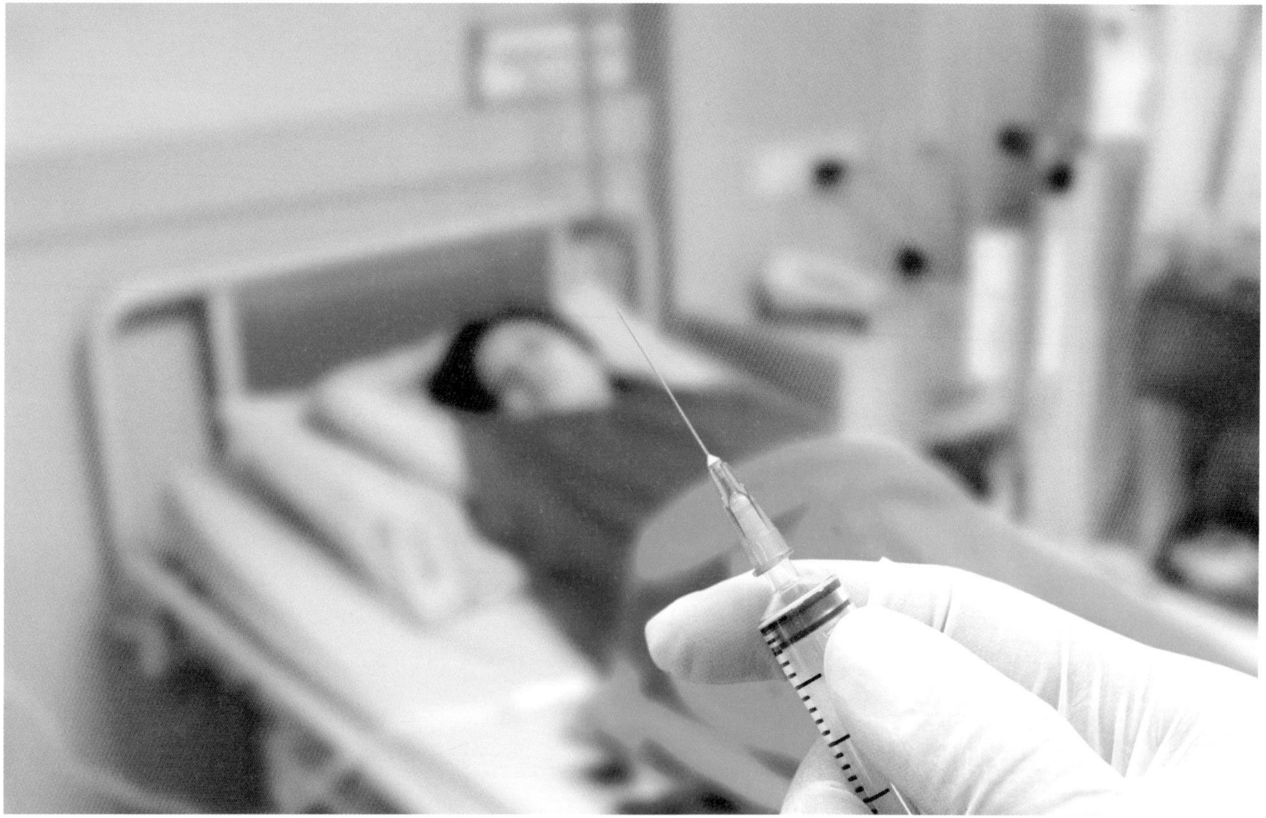

安楽死は殺人でしょうか。それとも，ただ延命治療を中止することでしょうか。

安楽死

安楽死も同様のジレンマを生み出します。極論をいえば，これは明らかに殺人です。その一方で，回復の見込みがない場合に延命治療を中止することも安楽死です。ここでは，選択の自由が重要です。自発的（本人の選択に基づく）安楽死，非自発的（本人の意思によらない）安楽死，非任意（本人の意思を確認できない）安楽死がそれぞれ議論の対象になっています。また，ある人の死が他者の利益になる場合，本人にかかる（または本人が感じる）重圧は大きな懸念だと考えられています。この分野でも，使われる言葉は重要です。「延命する」と「死に至る過程を引き延ばす」は，まったく同じことを指す可能性があります。

動物の権利

過去，人類は動物にさほど関心を払っていませんでした(ただし，動物の虐待は悪癖だと捉えられました)。功利主義の登場により，動物も痛みに苦しむことが道徳的に重要視されるようになりました。現代では，クラゲをはじめとする動物は，以前に信じられていたよりもずっと洗練された生き物であることがわかり，その権利を尊重することが求められています。動物の権利を最も積極的に推進する人々は，動物を食べることを拒絶し，生き物を殺さないように心がけます。また，ひどい損傷を受けた人間よりも健康なチンパンジーに価値を見出します。ところが，これと正反対の立場では，動物は医療研究の実験に使われたり，いわゆる「強制労働」を強いられたり，人間の娯楽として使われたりします。「人格」の概念で動物同士を比較すると，より多くの権利を尊重すべき順に，動物を分類することができるでしょう。人間が衛生的に暮らそうとすると，人間のために無数の微生物が死に至ります。しかし，ペットは，名前をつけられて家族の一員として扱われますし，ボノボ(ピグミーチンパンジー)は，簡単なジェスチャーで会話することができます。また，絶滅危惧種が(分類上種以下のものの絶滅も)大きく懸念されています。さらに，肉を食べる人の大半は，冷酷に動物を利用していないかを気にかけています。

応用倫理学では，ほかにも，自殺，罰則，性道徳，子どもの権利，後期高齢者への態度などのテーマが議論されています。ほとんどのテーマに必要なのは，明確な人格の概念と，難しいジレンマに直面したときに私たちが本当に価値を置くものを理解することです。

過去には，人間の娯楽として動物を痛めつける行為が行われていました。しかし，功利主義の観点から動物と人間双方の幸福を考えたとき，これは重大な道徳問題となります。

現象学と実存主義
(1900～1980)

エトムント・フッサール(1859～1938)は，現象学によってヘーゲルの説を復活させ，同じく前提をもたずに思考を始めることを目指しました。「カッコに入れる(外的現実と真理に関する判断を控える)」という手法を用いて，経験を純粋化しようと試みました。実在論から始めたフッサールは，のちに観念論に移り，対象は純粋経験から成り立つと仮定しました。また，思考を維持するのに必要な主観としての，自我の存在を認めています。

マルティン・ハイデガー(1889～1976)はフッサールを支持しましたが，存在の本質に立ち返っています。ハイデガーによると，人は，現実性よりも可能性からなる「精神的存在としての人間(現存在)」を探究することしかできません。自我は動的なプロセスで，死を自覚しつつ未来と関わります。また，己の道を精一杯進もうとするとき，人は「本来性」を生きると主張しました。ハイデガーが唱えた本来性への希求は，現代テクノロジーに対する否定を生み，拡大させていくことになります。

ジャン＝ポール・サルトル(1905～1980)はフッサールを高く評価し，自我の根本は，行為する自由と自らを変える自由であるという説を発展させました。ここから，社会に大きな影響を与える実存主義が起こります。サルトルは，人間の固有性質を受け入れたり，避けがたい状況に甘んじたりすることは不誠実だとしています。自らの責任は自分でとらなければならず，道徳は，結果よりも「自分らしい」決断に基づくと考えました。サルトルのパートナー，**シモーヌ・ド・ボーヴォワール**(1908～1986)は，新しく起こったフェミニスト哲学の主要人物です。女性の社会的役割において，存在の自由を唱えました。「女性」というジェンダーは社会の中でつくり上げられたもので，女性が自らの責任をとるようになれば，これを変えることができると主張しました。

ミシェル・フーコー(1926～1984)は，人間は歴史的な力関係にとらわれていると考え，存在の自由については悲観的でした。フーコーは心理学，医学，刑罰制度の歴史を研究し，人類がどのように社会的圧力に支配されているかを示しています。「人間性」や「あるべき人間像」は，人がコントロールできるものではありません。人が思考するのは，自己を解き放ち，想像したことのない何かになるためなのです。

ジャン＝ポール・サルトルは，道徳は，結果ではなく「自分らしい」決断に基づくと主張しました。

第12章
社会

正当性 — 権力 — 自由 — 平等 — 正義

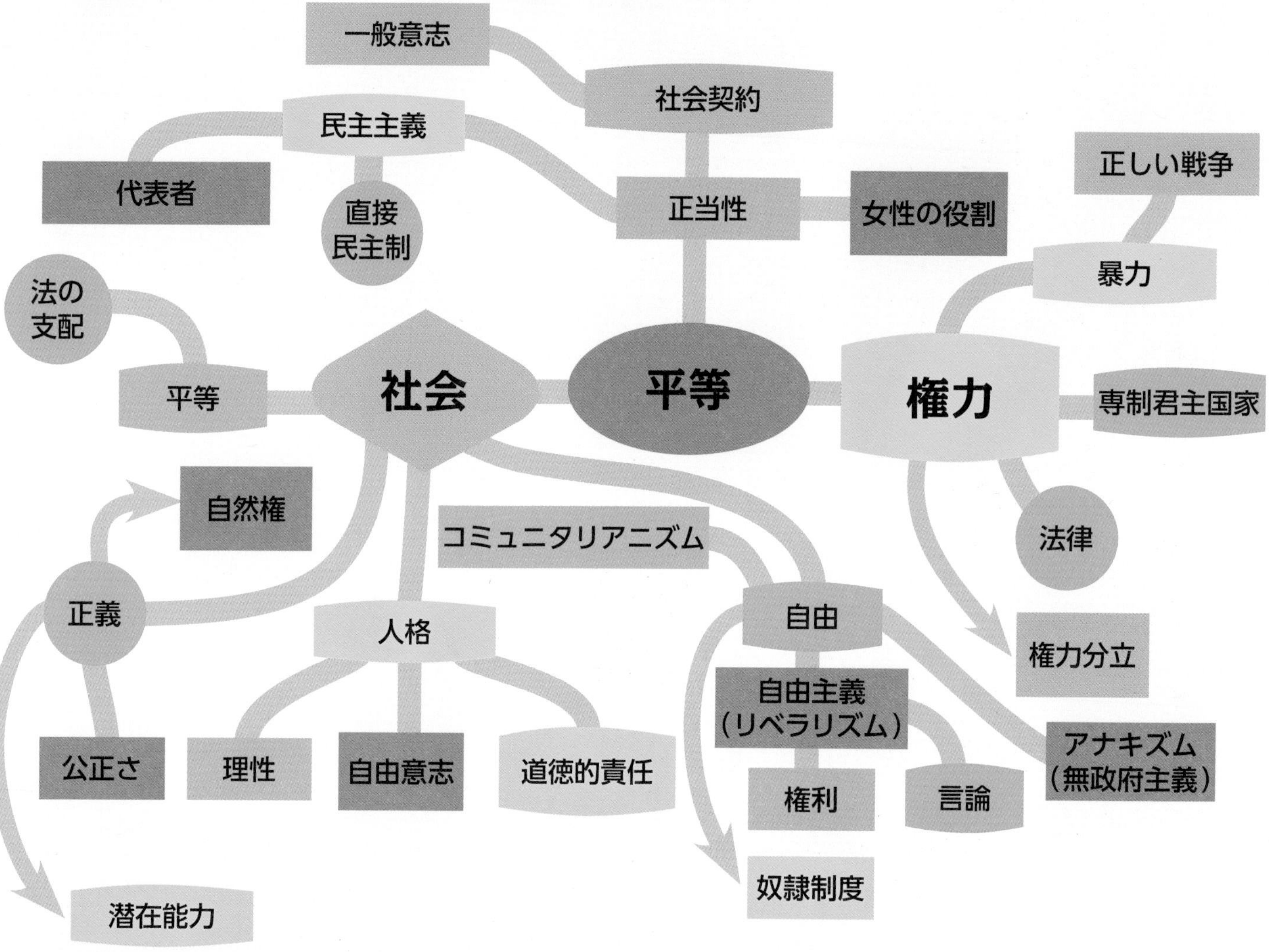

ジョン・ロックは，「暗黙の同意」の概念を導入しました。

正当性

ヒトは社会性のある種で，チームワークで結びつく部族として始まりました。人々が定住し，領土，言語，風習をもとに一致協力することで，より安定性の高い社会が形成されました。さらに，国境線や社会制度が整い，法や戦争の中央集権化が進んだことで，社会は「国家」になります。政治哲学は，このような国家をつくり上げるための最高の原理を探究します。

はじめに，合意された国家の目的があることが理想です。「効率」を主な目的として掲げるなら，大規模な奴隷制をよしとしたり，人間よりロボットのほうが国民としてふさわしいと考えたりする国家になるかもしれません。「軍事征服」を国家の目的とする場合は，社会での主な活動は「闘うこと」になるでしょう（古代ギリシャのスパルタは，実際にそのような都市国家でした）。今日，こうした見解は退けられ，国家は国民の幸せを目指すものだという説が一般的です。理論的には，そのような国家は「慈愛のある奴隷制」によって達成することができるとされています。しかし，ほとんどの人は，自由がなければ良い人生ではないと考えます。また，自らの人生にも国家そのものに対しても，ある程度の影響力をもつことを望みます。

ジャン＝ジャック・ルソーは，社会契約モデルに一般意志の概念を加えました。

統治の正当性

社会契約 ▶ 国民と支配層の間で適用される合意です。

現代の政治哲学は，統治の正当性を問うことから始まりました。一部の人間が君臨するのは，どんな権利があるからでしょうか。17世紀の哲学者トマス・ホッブスは，**社会契約**の概念を導入して，国民が合意したときにのみ，正当な統治が行われると主張しました。ホッブスに続いたロックは，社会契約の概念が具体的に捉えにくいことから，**暗黙の同意**という概念を導入しました。国家が建設した道路を利用する者は，その統治の権威を受け入れなくてはならないというものです。さらに，18世紀のルソーは，これに議会のあるべき姿を加えました。国民が合意に達して（**一般意志**を示して），統治機構を定めるとしています。

一般意志 ▶ 国民の総意です。

このアプローチに客観性を与えたのが現代アメリカの哲学者ジョン・ロールズです。想像上の**原初状態**を設定し，この状態から，多数の人が構成する集団は一致して「好ましい社会」を選択できると主張しました。人は，**無知のベール**をかぶせられた状態から始まります。無知のベールとは，人が，その新しい社会に属しながらも自らの社会的地位を知らない状態にあることを指します。このように公平な地位の人たちがその社会の構造について合意すれば，この合意は正当な統治の根拠となります。また，これに基づいて，その政策の主な方向性も決まります。ロールズは，最も弱い立場の人のための福祉もここに含まれると考えていました。

ジョン・ロールズは，人々が自らの社会的地位を知らない（無知の）状態で考えたときにのみ，正当な統治機構を決定できると唱えました。

民主主義

民主的な正当性は，国民による直接的な選択によって得られます。しかし，民主主義は，国民全体の決断によるものではありません。民主主義とは，多数派は思い通りにできますが，少数派は傍観者になるしかない形態だからです。ルソーは，多数派の選択ではなく，あらゆる国民が共有する一般意志を重視しました。では，比較的多数の少数派が統治権を認めない場合，その統治機構は統治を正当化できないのでしょうか。少数派を迫害する統治機構は自らの権威をおとしめますが，どんな原則があれば，少数派を一つの国家へと組み入れることができるのでしょうか。こうしたあらゆる人を取りこぼさないようにする姿勢には，サブカルチャー（下位文化）が徐々に認められるようになったことや，政治制度そのものに対する尊重なども含まれます。このため，民主的な投票が容認され，少数派の意志も代表されるようになりました。

小規模な民主主義体制では，議会で討論をしたのち，全員で直接的な決定をなすことができます。現代の大規模な民主主義体制では，国民の直接的な意志ではなく，**代表者**によって決定がなされます。

民主主義では，議会での討論を経てさまざまな決定が行われます。

国民から選ばれた二種類の代表者

代議員▶**国民の見解を代弁する立場**

相談役▶**人々のために考える人物**

代表者が政党員であれば，その正当性は高まります。代表者が政党と有権者の板挟みになり，忠誠が分散されるというリスクはあるものの，国民は党のマニフェスト（公約）を支持するからです。しかし，代議員も相談役も，多数派のために発言する立場または多数派の一員であるので，少数派の意見を反映できない可能性があります。ですから，優れた選挙制度とは，全国民を「反映する」代表者であり，次の選挙まで国民に対して説明責任を負える代表者を選べる仕組みだといえるでしょう。

女性の選挙権

現代においては明らかに，女性の意見を確実かつ完全に反映させることが重要視されています。最近になるまで，事実上すべての人類が，完全に男性優位の文化・社会に暮らしてきました。この偏りは，男女平等の選挙権や教育と労働における機会均等によって是正することができます。ただし，フェミニズム政治哲学は，より根深い問題があると捉えます。平等な選挙権を達成しても，統治機構や文化的な思い込み（たとえば，家族の形）は，男性主体のものであり続けました。そのため，言語，慣習，社会の行動様式を根底から考え直す必要があると考えたのです。「ジェンダー」とは，生物学だけでなく社会の慣習に基づいてつくられた概念なのです。

20世紀初頭，女性は男性と同等の選挙権を得ましたが，文化や統治機構は男性主体のものであり続けました。

個人と正当性

人が自らが統治される方法を選ぶという考え方は，単独の自我「人格」という概念に基づいています。この人格は，理性の力と自由意志をもち，道徳的責任を負うことができるとされます。この個人に基づく始点から統治の正当性を得るのは，個人の自由を尊ぶ，自由主義的社会です。この社会に属する国民は，ほかの国民を傷つけない限り自由であることが，本質的な前提とされています。自由主義（リベラリズム）哲学では，前提とする個人の単独性をどの程度維持すべきか，さらに，個人はコミュニティの活動にどの程度協力すべきかに注目します。

自由主義への批判

左派の批判▶**契約を締結する自由は，弱い立場にいる国民（たとえば，肉体労働者）が非常に搾取されやすいことを意味している。**

コミュニタリアニズムの批判▶**人間は本質的に孤独を好まず社交的であり，コミュニティの中でのみ繁栄できる。しかし，自由主義が唱える自由では，あまりにも簡単に社会から離れることができてしまう。**

伝統的な専制君主制では，土地を所有する貴族は，保護を得る代わりに支配者に臣従する義務を負いました。

権力

統治機構の正当性が理にかなっているとすると，次に問うべきは，統治側が国民に対してふるう権力の程度です。こうした権力は，その対象範囲は広い（生活のあらゆる面をカバーする）が行使させるための罰が寛大すぎる場合も，範囲は制限されるが権力自体は強い場合もあります。統治機構が自らの権力を決定するべきでしょうか。それともこれを強く制限すべきでしょうか。統治機構は権力をもつものですが，国民側も統治側に対して影響力をもたなくてはなりません。次に，統治機構の権力を少数の人間に集中させるべきでしょうか。それとも，権力はより広く分散するべきでしょうか。現代の一般的な考え方は，**権力分立**です。政府は司法制度に対して何の権限も有さないため，より中立的に憲法を施行することができます。この考えによると，統治機構（国家権力）を三つ（行政，司法，立法）に分け，それぞれを完全に独立のものとします。今日，理論上は，ほとんどの国家がこの理想の形を採用していますが，理想通りに実行できている国家はきわめて稀です。たとえば，アメリカ合衆国では，最高裁判所（司法）の判事は合衆国大統領（行政）によって指名され，上院（立法）によって承認されます。

	専制君主制	テクノクラシー	民主主義
統治様式	一人による統治	専門家による統治	多数による統治
利点	決断のすばやさ	福祉（サポートが必要な層の保護）	過剰な権力を抑制
欠点	国民生活の劣悪さ	税金	決断の遅さ

古代の哲学者たちは，穏やかな専制君主制（一人による統治）が理想の体制だと考えました。しかし，専制君主制には，明らかに腐敗の危険性があります。伝統的な専制君主は土地を所有する貴族によって支えられていたため，権力は分散されていました。この場合の国家は，支配者が保護を与えることによって統一されていました。強い権力をふるう専制君主は，少なくともすばやい決断を下す（そして，大抵の場合，主席顧問へと委任する）ことができます。また，歴史に残る偉業をなすこともあります。しかしそれが国民生活の改善につながることは，あまりありません。専制君主が存在しない場合には，軍事力，経済力または貴族の身分を権威としたエリート集団が, 国家を運営することもありました。

古代ギリシャの哲学者プラトンは，知性で選ばれた優秀な哲学者たちが国家を運営するのが理想だと唱えました。これの現代版が**テクノクラシー**，つまり，専門家の集団が大きな影響力をもつ政治体制です。自由主義哲学では，「福祉」の正当化を中心に議論が進められています。福祉が，サポートを必要とする個人を尊重するからですが，サポートに必要な費用は，金銭的に可能な者が供給します。現代では，高所得者層の税率を高くする統治機構の権力が広く認められています。しかし, **自由**, **平等**，**正義**の三大政治原則は，対立状態にあります。

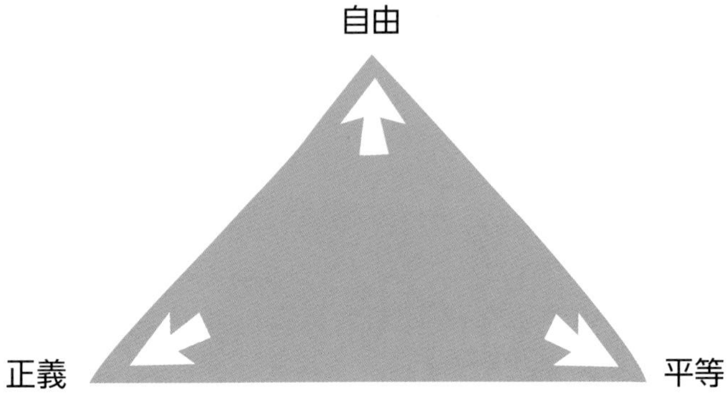

高所得者層には，自らが得た収入を保持する自由があるでしょうか。低所得者層には，高所得者層と平等に高額な治療を受ける権利があるでしょうか。多くの人が社会の恩恵を得られないのは，基本的な正義がない状態ではないでしょうか。

理論的には，民主的な選挙に勝利すれば，統治機構には完全な権力が与えられます。ところが，**民主主義**の目的の一つは，過剰な権力を抑制することにあります。そうだとすると，どのようにバランスをとるべきでしょうか。あらゆる民主主義者が望むのは，邪悪な国家指導者を駆逐できる権力です。民主主義が指導者を選ぶための手法にすぎないとすると，国家指導者には大きな自由裁量が与えられます。しかし，民主主義のより広い概念には，国民による議論と意思決定への参与が含まれます。さらに，この概念は，職場や家族にまで拡大して適用することもできます。民主主義の統治はもどかしいものです。なぜなら，決断は遅々として進まず，異議によって遮《さえぎ》られ，度重なる選挙によって長期的な政策が中断されるからです。私たちは，民主的な手法にただ従うべきでしょうか。それとも，善良な国民たるもの，民主的な美徳をもち，国の措置に対して自ら関わりをもとうとしたり，周りの人々を関わらせたりすべきなのでしょうか。

力の行使

統治機構には，必要であれば暴力を使って法律を実施させる権利があります。しかし，その**罰**を与える力は，どのような名目で正当化できるものでしょうか。たとえば，当然の報いを受けさせる「報復」，人を脅して制止するための「抑止」，犯罪を止めるための「予防」，事態を収集するための「補償」，罪人の性格を変える「矯正」などの名目で，罰を与える場合があります。しかし，恐喝者にはどんな罰がふさわしいでしょうか。無実の人を罰した場合，国民は怯えるのではないでしょうか。犯罪を止めることだけが目的なら，事後に罰を科すのでは遅すぎます。失くした物は取り戻せますが，失くした命は元に戻りません。さらに，性格の矯正といっても，年配の罪人では結果は絶望的です。また，情け容赦のない社会統制によって犯罪の排除を試みることもできますが，引き換えに，自由や自律といった自由主義の基本的な理想の数々は失われます。

統治機構は，情け容赦のない社会統制によって犯罪の排除を試みることはできますが，その引き換えに自由が失われます。

正しい戦争とは

- 正しい理由がある
- 侵略に抵抗するものだ
- 均衡が図れる
- 最終手段である
- 成功の可能性がある
- 国家の承認がある

統治機構がもつ最大の力は，他国に対して宣戦布告することです。しかし，戦争を始めてもよいのはどんなときでしょうか。この問いに答えるように，正戦論（**正しい戦争**の理論）が構築されてきました。これによると，侵略に抵抗するものであり，正しい理由があり，均衡を図ることができ，最終手段であり，効果があり，かつ国家の全面的な承認があるとき，戦争を行うことが許されます。しかし，現代に起こった戦争があまりに悲惨だったため，これらの慎重な原則にも疑問を投げかけられるようになりました。大戦争による破壊は，適切または正当とされる基準を超えているからです。これとは別に，戦争行為についての標準規定も構築されています。これには，過剰な暴力行為は許されない，正当な交戦理由がなくてはならない，禁止された武器を使ってはならない，捕虜は保護しなければならない，賠償金を請求してはならないなどの項目が定められています。しかし，戦争の正しさは，戦争に関わる人々にとっての正しさとどのように釣り合うのでしょうか。失われる幾多の命の価値は，「戦後に訪れるはずの未来」の価値と釣り合うのでしょうか。

現代に起こった戦争は，正戦論の原則に疑問を投げかけるものでした。

自由

現代の民主主義と自由主義的社会では，自由は最も尊重される価値の一つです。今日では，誰もが奴隷制（完全なる自由の否定）を嫌悪しています。しかし，奴隷制が間違っているという，具体的な理由は何でしょうか。たとえ奴隷本人が幸せだとしても奴隷制自体は誤りだとされるのですから，単に「苦しみを伴う」ということだけが理由ではないでしょう。一つの考えとして，人類すべては「自己所有権」をもち，奴隷を「所有する」ことは，窃盗（または盗品の購買）の罪にあたるといえます。人が，ほかでもないその人自身を所有するという考えは理にかなっているように思われます。ただし，これに基づくと，金銭が必要になったときに自らの腎臓を売ることが合法化され，女性は代理出産のために子宮を「貸す」ことができるようになります。このような結果を警戒するのであれば，**自律**という概念のほうが良いかもしれません。自律とは，各人が自らの責任を負うことができることを指します。

自律 ▶ 各人が自らの責任を負うことができることを指します。

自らの人生に責任を負うべきだとすると，人を隷属させることは，その人から何らかの権利を奪うだけでなく，その存在の本質的な特徴を部分的に破壊することにつながります。つまり，たとえ奴隷制が不法化されている社会でも，なお各人の自律は守らなければならないのです。自律は，完全な男女平等を主張する際の根拠でもあります。

たとえ奴隷本人が幸せでも，奴隷制は今日の世界では嫌悪されています。

「私は人間ではないのか」

アナキズムは，社会契約や中央権力の概念を完全に否定します。

アナキズム（無政府主義）

アナキズム ▶ 国家には，存在する権利も正当な権力もないとする立場です。

アナキズムは，国家にはそもそも存在する権利がないため，正当な権力は与えられないと主張します。ここでは，自由と自律が最高の価値をもつとされます。隷属によって自律を破壊するのは誤りであり，社会契約にある自由を放棄することは許されないと考えるからです。この主張は，人が「出家して僧侶になる」という普通の権利を考えると，説得力に欠けますが，現代社会では，あらゆる自由の喪失が正当化されなければなりません。各人の自律の程度を高めることによって，人類がはるかに良い方向性に向かう，つまり，社会契約の締結が誤りとして受容される場合には，アナキズムを擁護することも可能です。アナキズムに批判的な立場は，平和で豊かな時代であればアナキズムはうまく機能するが，危機が訪れたときには中央機関が必要になると論じています。

相反する自由

私たち人間は，自らの自由を求める一方で，他者の自由には神経を尖らせます。

- 住む場所を選べるとよいですが，ほとんどの国は移民を制限しています。
- 言論の自由はすばらしいことですが，これが他者を侮辱する自由になってしまうと，悲惨な事態を招きます。
- 獰猛《どうもう》な犬を飼ったり危険な武器を所持したりすることは，たとえ実害がなくても，周りに対して非常に威嚇的な行為です。
- 資本主義経済には自由市場が必要ですが，ライバルの小企業を情け容赦なく潰すことは悪とみなされます。

このように，他者との間で自由が相容れないときや，自由を大切に思う気持ちがほかの価値と対立する場合があります。多数派に大きな自由を与えると，その自由を行使して少数派を不正に迫害するかもしれません。市場における完全な自由は，経済的不平等の拡大につながるかもしれません。また，さまざまな権利が国民に与えられると，自分以外の原因による「しなければならないこと」が発生します。たとえば，不法侵入を避けるためには，広い（他者の）土地を横切らず，迂回《うかい》しなければなりません。ここで課題となるのは，妥当なバランスを見つけること，これらの相反する価値に優先順位をつけることです。

言論の自由は，民主主義において非常に重要です。ただし，これが嘘を拡散する自由になってしまうと，明らかに危険です。**信仰の自由**は，さらに基本的な自由です。自由主義的社会は，これがなくては成り立ちません。信仰の自由は絶対的だとみなされる場合もありますが，いくつかの問題事例を考慮しなければなりません。まず，一つの宗教に対する献身が，国家に対する忠誠心を上回るときがあります。また，小さな宗教団体は，自分の国より戦時下の敵国に強く同情を感じるかもしれません。さらに，国として暴力は違法でも，一部の暴力行為をよしとする信念をもつ人もいます。こうした信念をなくすことはできません。これらの問題に対応するために，国家はどの程度まで説得や宣伝活動を行うべきなのでしょうか。

ほとんどの国では，実に多様な**サブカルチャー**（下位文化）が許容されています。しかし，その国で違法な行為が，伝統的な行為になっているサブカルチャーもあります（たとえば，ドラッグの使用）。このような状況は，それぞれ答えは異なりますが，民主主義にとっても自由という理想にとっても問題です。民主主義の立場からは，多数派の名のもとにそのような事柄の抑圧を正当化することができます。しかし，少数派の自由を侵害していることに対しては，別の正当化が必要になるでしょう。

可能性の一つに，功利主義的なアプローチがあります。これによると，正しい行為とは，最大の成果を出すことができる行為だと捉えられます。このアプローチは，政策（たとえば，医療サービスへの支出）の決定に大きな影響を与えてきました。つまり，国家全体の幸福度が向上するのであれば，少数派の自由を抑制することを正当化できるのです。しかし，功利主義的な考え方のよく知られた問題点は，最終的に最善の結果が得られるなら，かなり不公正でもためらいなく実行されることです。全体の大きな幸福のために，数の少ない少数派は容易に抑圧されてしまいますが，より数の多い少数派の場合は，自由が損なわれる際にきわめて大きな痛みが生じることでしょう。

平等

同一性という観点では人間はまるで「平等」ではないものの，「ある意味において，人類はみな平等と考えるべきだ」は，特に新しい考えではありません。階級のある社会では，同じ階級の人間同士（たとえば，二人の陸軍軍曹）は，対等に扱われたいと考えます。また，二人の奴隷が同じ立場にあるとすると，二人は平等に扱われることを希望するでしょう。現代では，「ある意味において，国家のあらゆる国民，または，人類はみな平等と考えるべきだ」とされています。しかし，「ある意味」とは何でしょうか。平等な権利をもつことだけを指しているのでしょうか。それとも，いくつかの点で実際に平等であるべきなのでしょうか。

同じ階級の二人の陸軍士官は，平等な扱いを期待します。

社会契約もロールズの「原初状態」も，選択を行う人々には平等な発言権があることを前提にしています。選択した社会は不平等のように見えますが，正義には原初状態の平等さが必要です。前提としては，不平等さがその根拠をもたないのであれば，政治的な意味では人は平等なのです。

民主主義では，特定の有権者が二票以上の投票権をもつべきだと提起されてきましたが，実際には，有権者は平等に一人一票の権利を得ています。

統治機構に対する功利主義的なアプローチは，不公正な分配を許容していても，各人の幸せは等しい価値をもつという前提から始まっています。

平等が最も顕著に現れるのが，「法の支配」です。伝統的な社会では，貴族は罪を犯しても罰を免れるのが当たり前でした。しかし，より厳正な体制では，あらゆる人は法のもとに平等です。国家元首といえども，投獄されて一生を終えることもあり得ます。法のもとにおける本当の平等とは，裁判における被告にだけ適用されるのではなく、誰が起訴されるか、誰が最高の弁護士を確保できるかといったことにも関わってくるのです。

日常生活では，多くの不平等が受け入れられています。たとえば，監督は選手を従わせます。

日常生活では，特に異論もなく，多くの不平等が受け入れられています。スポーツチームの監督は，選手を従わせることができますし，企業の創設者は，その企業の経営者とみなされます。大規模な富の不平等は普通に受け入れられています。また，すばらしい才能やエネルギーをもつ人は，そうではない人より大きな恩恵を受けるに値すると考えられます。しかし，こうした不平等を許容できる限界点はどこでしょうか。資本主義社会では，「富が富を産む」といわれ，大きな恩恵にあずかることができる人は，自らの優位な立場を補強するために金銭を使うことができます。この結果，非常に大きな不平等が生まれるのです。

人がもつ公平さや正義の感覚によって，人類は平等であるという思いが生まれます。しかし，あらゆる人を平等に貧しくするのは良いことでしょうか。大きな報酬を提示して，人に価値のあることを達成させるのは良いと認められています。ですから，ただ平等であることが大切な理想ではないのです。人は，財産，教育，医療などの恩恵が，公平に分配されることを望みます。また，ロールズが指摘したように，人間は，不平等のために現実的に苦労をしているであろう，コミュニティ内で最も弱い立場の人々のことを特に気にかけるものです。

正義

人間誰もが，正義が当たり前に存在する社会を望みます。政治哲学の目的の一つは，完璧に正しい**憲法**の構想をつくること。理由もなく一つのグループを贔屓《ひいき》するのは明らかに不公平ですから，まずは平等が前提です。受け入れられる不平等もありますが，それらをどのように正当化できるでしょうか。

ロールズの正義
国民の功罪，機会，ニーズに関わる公正さ

功利主義の正義
最大の成果を出すこと

ロバート・ノージックの正義
個人の権利

マーサ・ヌスバウムの正義
個人がそれぞれの潜在能力を全うすること

このようにさまざまに捉えられる正義は，社会において人に**権利**を与えることで実行されます。権利は，食料，水，住居，自衛に対する「自然権」という観念から始まりますが，主に法的権利のことを指します。最もシンプルで法的強制力のある権利は，契約の保持です。つまり，法的に合意したものを当人が受け取る権利です。

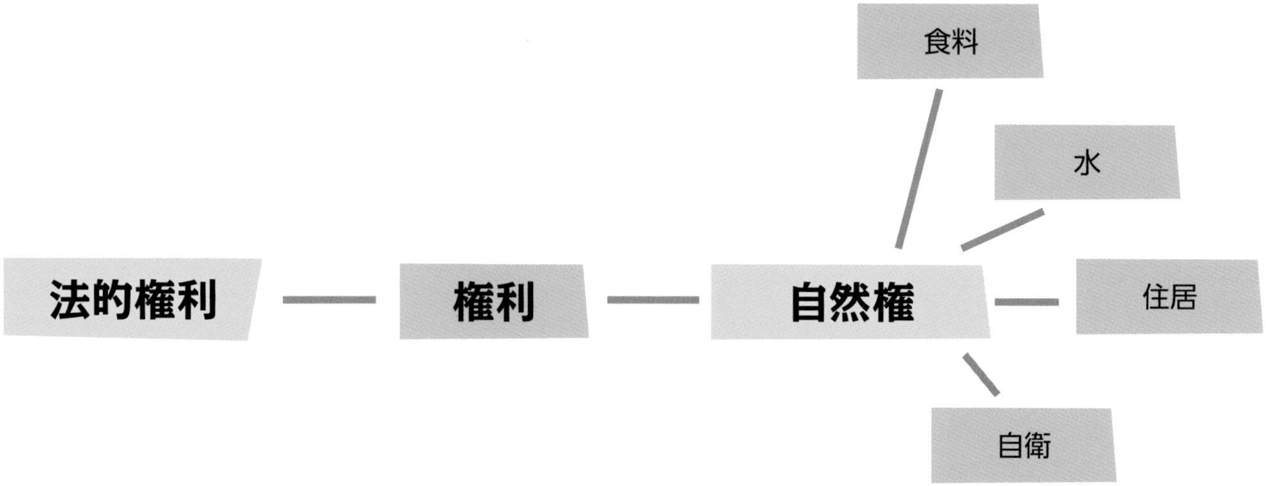

リバタリアニズムを唱えた哲学者ロバート・ノージックは，正義には，これらのほぼすべてが必要だと考えました。前提とするのは，個人の自由と自律，さらに公正な原初の財産所有権です。その次に必要なのが，公正な契約の保持です。こうすることで，ある人は裕福になり，ほかの人は貧乏になるとしても，介入できる正しい方法はなく，人に施しを行うか否かは個人の選択だとノージックは考えました。

リバタリアニズムの正義観

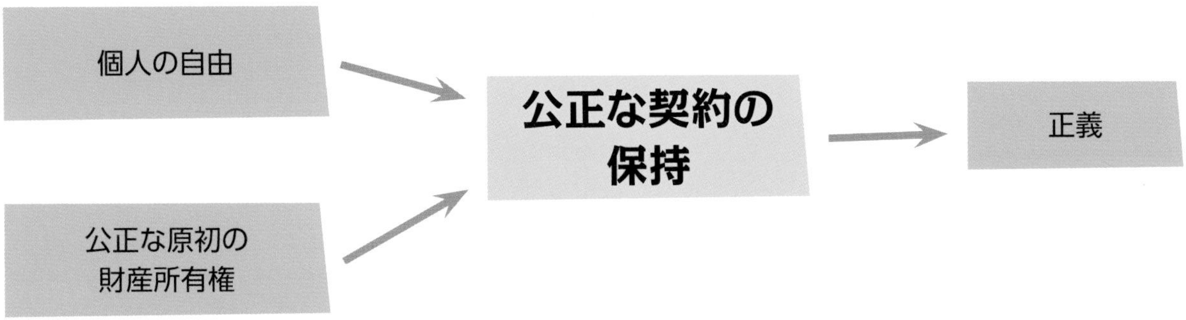

ノージックが挙げた，バスケットボール選手の例は有名です。あるスター選手は，自分が出場する試合で，観客に「自分のプレイを観る特別料金」を課したため，とても裕福になりました。この選手は，チームメイトよりかなり多くの収入を得ているのですが，これは不公平のように見えます。しかしここで，反対する者がいなければ特に問題ないというのが，リバタリアニズムの正義です。個人の自由に最も高い価値があり，付随して起こる不公平は問題にされません。

ノージックの説に対するほとんどの批判は，実際に財産を所有するに至った過程について，歴史的事実を鑑みて，「原初の所有権」の正義の曖昧《あいまい》さを問うています。ただ土地といっても，先祖が奪い取った土地，専制君主に与えられた土地，違法または不道徳な方法で得た金で合法的に購入した土地などがあります。いくら正しい後処理を行ったところで，こうした事実を消すことはできないのです。

ロバート・ノージックは，正義とは，本質的に契約を実施させることだと考えました。

ロールズは，人類はもともと，自律した生を営む自由で平等な個人の集まりであり，その後に発生した不平等は正当化しなければならないということに合意しています。そして，客観的かつ非人格的な観点から社会を眺めたときに「何とか許容できるもの」を基準にしました。そうすると，正義について，最も弱い立場の人の位置が重視されます。これらの人が社会で活路を見出すために必要なのは，人生の標準的土台となる**基本財**と機会の均等です。これには，個人による施しより，税制による再分配が必要です。私たちは，社会全体を広く見渡すときに，この正義の在り処を見るべきなのです。

ロールズの正義観

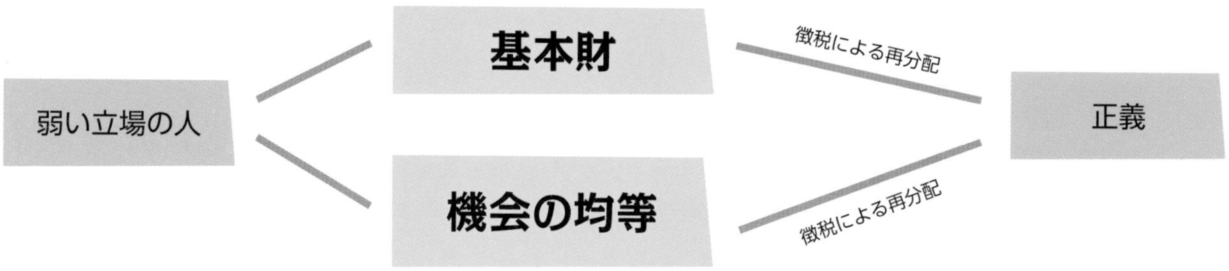

インドの経済学者，哲学者のアマルティア・センとアメリカの哲学者マーサ・ヌスバウムは，正義とは，権利，機会，契約の問題というより，人が実際に満足な人生を生きている（二人の定義では，「その人が無理なく潜在能力を全うできている」）かどうかの問題だと唱えました。センとヌスバウムは，ロールズが構築しようとした公正な体制にはさほどこだわりませんでした。なぜなら，奴隷制，家庭内暴力，食料不足のような不公平があるのは，誰の目にも明らかだからです。

実際の状況が人の希望を奪っているのなら，理論上で機会を設けてもそれが何になるでしょうか。「基本財」しか手元にない人々を生むのは，お粗末な正義だと考えたセンとヌスバウムは，特に身体障害に注目して議論を進めました。これは，身体障害がある人々は，サポートがなくてはその潜在能力を表現することが難しいからです。これは，最も実用的な正義論だといえるでしょう。機会（たとえば，車椅子用のスロープを設ける）を創出するだけでなく，諸活動を制限してしまう偏見（たとえば，女子教育の否定）に取り組むことが求められるからです。

アマルティア・センは，人に良い人生を与えるのが正義だと考えました。

センの正義観

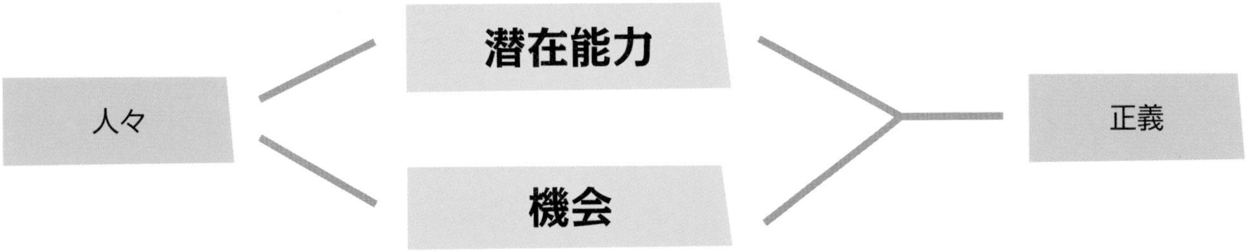

言語と論理
（1950～2000）

論理と言語に新しく注目した分析哲学では，論理学者たちが，集合論，様相論，様相論理を構築して，論理の限界を明らかにしました。**ウィラード・クワイン**（1908～2000）は，現代科学にふさわしい，きわめてシンプルな形而上学を見出そうとして物理主義に注目し，さらに科学に必要な数学を表現できる集合論にたどり着きました。クワインは，存在の基準は論理で表現できると考えました。また，必然的な真理とア・プリオリな知識には懐疑的な姿勢をとり，言語の意味は，物理的な経験の要因を通してのみ得られると唱えました。さらに，認識論は，ある種の実験科学になるべきだと主張しています。

この時代には，意味とは言葉の使い方にすぎず，哲学的知識は日常言語の中から得られるものだと考えられていました。しかし，ほかの意味論，たとえば，話者の意図に意味を見出す説が起こります。**ドナルド・デイヴィッドソン**（1917～2003）は，真理の厳密な論理定義に依拠する，真理条件的意味論を擁護しました。デイヴィッドソンは，精神（心）は厳密な規則によって脳に関係づけられるのではなく，理由は因果の原因となるため，精神（心）はそれ独自の性質をもっていると考えました。また，正当化には明解な信念の理由があると主張しています。

デイヴィッド・ルイス（1941～2001）は，クワインの教え子でした。ルイスは，経験について完全に経験論の立場からの説明を試みました。性質とは対象物の集まり（たとえば，「あらゆる赤いもの」）であると唱え，集合論と可能世界の概念を用いて，自然法則や因果関係を説明しました。ルイスは，成分の集合体であれば，何でも「対象」となり得るとし，必然性と可能性は「可能世界において真である」ことだと主張しました。

ノーム・チョムスキー（1928～）は，子どもが言語を習得する際の速度と効率を観察し，人は言語を獲得するメカニズムをもって生まれると考えました。したがって，あらゆる言語は深いレベルで共通しているというのがチョムスキーの見解です。これにより，人は生まれながらの観念をもつという考えが復活し，進化論の文脈で言語が語られるようになりました。

ノーム・チョムスキーは，子どもが話し方を習得する過程を観察して，言語の哲学を発展させました。

第13章
自然

因果性 — 自然法則 — 物理主義 — 時間 — 生命

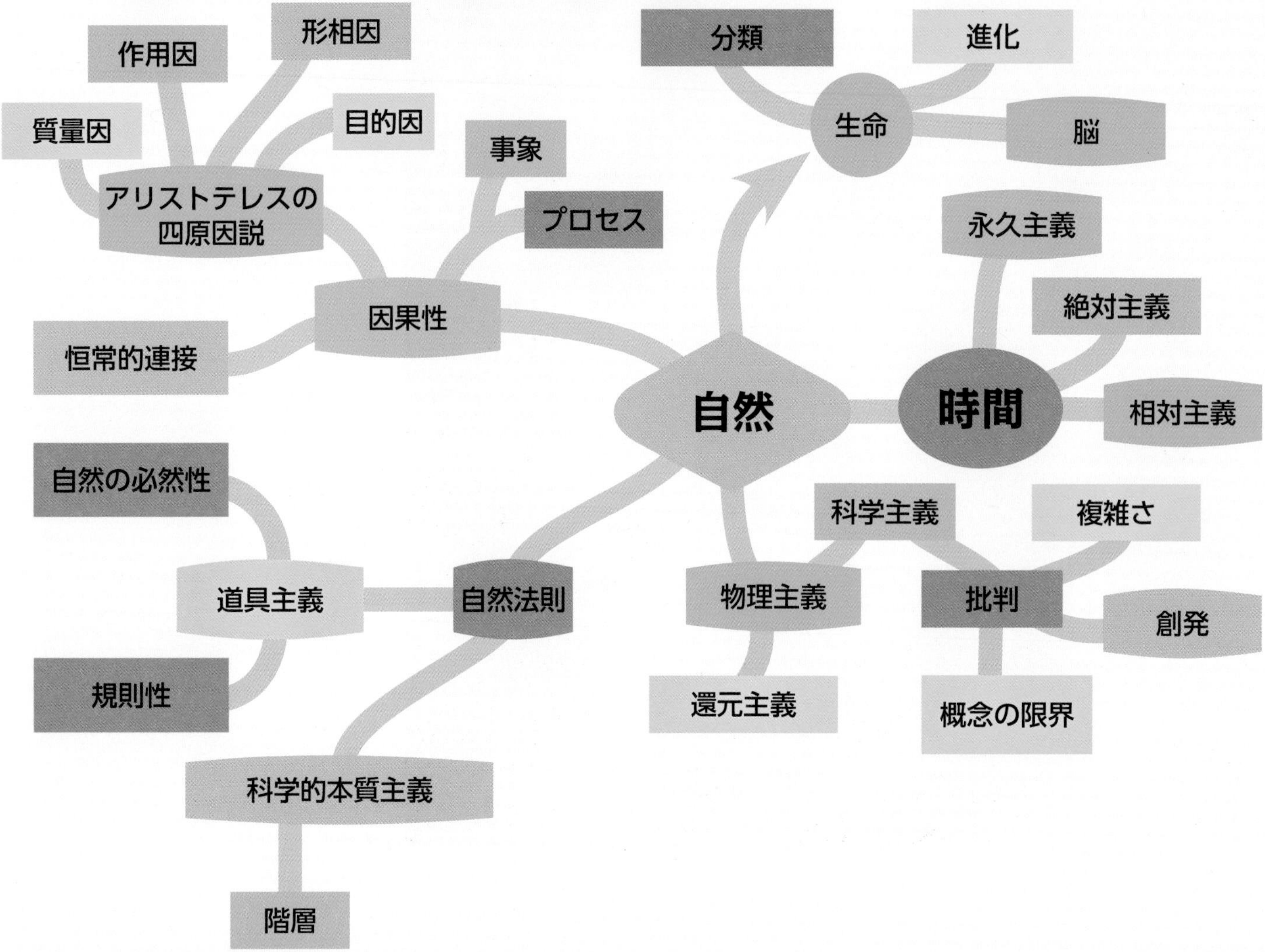

因果性

哲学は，現実世界に関するものです。この事実から乖離《かいり》している哲学者もいますが，多くの偉大な哲学者は，科学や数学の分野でもすばらしい学者でした。さらに，ごく最近の哲学者は科学の発見を慎重に考慮します。科学による確実な成果は，優れた哲学を生み出す基盤となっているのです。

しかし，哲学者の関心は，科学者とは異なります。哲学者は，科学者が前提にする事実や概念にあらためて注目するのです。たとえば，**因果性**の概念。日常生活では,（雨滴が葉を動かすときなどに）「一つの出来事がもう一つの出来事につながる」というふうに考えたり，ある事象に先立って起こったことやその事象を避けられないものにしたことを用いて，その事象を説明したりします。このように，人は行為や事象の「原因」を論じたり，一般化したりします。

ところが，18世紀の哲学者デイヴィッド・ヒュームに代表される経験論では，より科学的な見地から因果性を見つめ，疑問を呈しました。「雨滴が葉を動かす」とき，最初の雨滴の動きに続いて，葉の動きが起こるのを目で捉えることができます。しかし，それが起こる瞬間に「そのほかの要素」，つまり，「原因」を観察することはできません。目に映るのは，一つの出来事に続いてもう一つの出来事が起こるという規則性だけ（ヒュームはこれを**恒常的連接**と呼びました）。私たちは，常に起こっている出来事を「起こるべくして」起こったと思っており，その出来事を起こす「原因」というものを想像しているのですが，原因を観察で捉えることは決してできません。そして観察なしに科学は成り立たないのです。科学は厳密な方程式の数々を生み出し，「連接」の規則的なパターンを説明しています。しかし，物理学の書物に,「原因」という言葉は滅多に現れません。そのため, 科学は「原因」という概念全体を放棄しているのではないかといわれています。

恒常的連接 ▶ 一つの出来事に続いてもう一つの出来事が起こることを指します。

雨滴が葉を動かすその瞬間に，「原因」を捉えることはできません。

トマトを半分に切る場合，切る人が作用因にあたります。

ほんの一部ですが，人類の経験のパターンを一般化することで，因果性とは別の切り口で自然を解明しようとした哲学者もいました。しかし，大半の哲学者にとって，因果性の概念はこれからも重要なものであり続けるでしょう。

現代では，主に，一つの出来事がもう一つの出来事を引き起こす「作用因」に注目して議論が進められています。ここで，原因や結果になるものとはいったい何でしょうか。これは，一般的に（「事実」や「事態」ではなく）「事象」とされています。しかし，何千万年以上も続く氷河時代も「事象」といえることを考えると，事象は実に曖昧《あいまい》な言葉です。氷河時代は動物絶滅の原因となり得ますが，気温が作用因となって動物に影響を及ぼしたというほうが，より厳密です。原因をさらに厳密にしなければならないのであれば，事象よりも特定の性質同士の相互作用に注目する必要があります。因果論では，一つの出来事に続いてそれとは別の出来事が起こることが前提とされています。しかし，「枕をへこませているボール」や「紅茶に溶けていく砂糖」は，一つ以上の出来事が同時進行的に存在します。そうだとすると，変化の少ない要素よりも，因果の「プロセス」について議論するほうがよいかもしれません。

アリストテレスの四原因説

- 「ナイフが硬いのは鋼鉄でつくられているから」というのは，**質量因**です。
- トマトを半分に切る場合，切る人が**作用因**にあたります。
- ナイフの切れ味が良すぎて指を切ったという場合，ナイフの構造が**形相因**にあたります。
- 「ナイフが存在するのはものを切るため」というのは，**目的因**です。

自然法則

近代科学の登場とともに，「自然には法則がある」という考えが起こりました。特筆すべきは，数学を自然に適用したことです。17世紀に活躍したニュートンの逆二乗の法則（二つの物体間の引力から，所定の距離がわかる）のような方程式は，非常にシンプルかつ不変の真理であり，あらゆる物理的な物体はこれに「従っている」ように思われたのです。現代物理学では，このような数学的手法が大勢を占め，この分野の方程式の数々は，「法則」として知られています。科学は，法則を発見するためだけにあるといわれることもありますが，この意見は，銀河の存在や脳神経細胞内の電気化学的メカニズムなどのすばらしい発見を，あまりに軽視しているといえるでしょう。

アイザック・ニュートンの発見は，自然界には数学的法則が存在することを裏づけました。

因果性に対するヒュームの見解は，法則は自然の活動における規則的なパターンだとする関連説へとつながりました。人が石を落としたとき，石には落ちる原因はないように，さまざまな物体が頻繁に落ちる際には，**規則性**しか見出せません。この規則性は，ニュートンの方程式に適合するように思われます。

道具主義 ▶ 科学的な計測（観察）を数学的に説明したものが法則だとする立場です。

これは，法則に対する**道具主義**的見解を示しています。つまり，法則とは，科学的な道具（手法）によって計測（観察）した結果を，数学的に説明したものだというのです。このような法則は予想する際には有効ですが，説明をするときには頼りになりません。たとえば，量子論は数学的に確実ですばらしい予想を立てることができますが，実際に起こっている出来事を正確に捉えられないことを，物理科学者も認めています。

法則のような振る舞いにおいては，**自然の必然性**を感じます。しかし，規則性説では，まったく変化しない振る舞いもあるが，絶対に変化しないかどうかはわからないと主張します。これは，「法則は変わる可能性がある」という一般的なヒューム派の見解につながります。そうだとすると，私たちとまるで同じ中身をもつが，その活動がかなり異なる法則によって制御されている宇宙が，あるという推測が成り立ちます。

規則性説 ▶ 規則性を説明したものが法則だとする立場です。
自然の必然性 ▶ 自然界を支配する権威を説明したものが法則だとします。

法則とは，規則性を説明したもの，または，自然界を支配する権威を説明したものだと考えることができます。規則性だとする説は安全ですが表面的にすぎ，権威だとする説は，法則を難しく解釈しています。法則が自然界の外に存在するものであり，自然界を動かすものであるならば，法則は超自然的なものに違いありません。そうだとすると，宇宙がなくなるとしても，ほかの宇宙が誕生するまで法則だけは存在し続けることになります。ただし，このような見方は科学で証明することはできません。

科学的本質主義 ▶ 宇宙の中身から生み出されるのが法則だとする立場です。

ごく最近の見解（**科学的本質主義**）では，法則はこの宇宙に課されたものではなく，宇宙の中身から生み出されると考えます。事物の振る舞いは，抽象的な法則ではなく，物質のアクティブな「配置」や**力**に起因します。科学的本質主義は法則の源を示し，人類が捉える自然の枠内に法則を限定して，「法則はつけ加えられた要素ではなく自然の一部だから，必然的に真である」と主張します。宇宙の中身が異なるときにのみ，法則も異なるのです。そして，この宇宙には異なる法則が存在し得るという考えは否定されます。なぜなら，私たちには重力や光は今のようなものとしか想像できず，重力が弱まることや光の速度が遅くなることを想定することはできないからです。

ヒュームの支持者は，この説は実際に観察できる範囲を超えていると考えます。そして，すべてが「力」の集まりなのではなく，より**基本的なもの**のほうが力をもつはずだと主張します。しかし，実際に基本的なものを見出せる見通しが立っているわけではありません。

- 最も下に位置する階層の規則性に対する説明が，基本的なものかどうかを知ることは難しい。
- これより下の階層のものが，この先見つかるかどうかを知ることは難しい。

哲学では，**階層性**という概念も探究しています。建物の一つの階層におけるブロックは，その上の階層の構造物になるからです。したがって，物理学の標準モデルの素粒子（電子と粒子）は，自然に存在する92種類の元素です。これにより，物理学の階層から，原子が結びついて分子をなすとする化学の階層の周期表へ，さらに，分子は生命体をなすと考える生物学の階層などへ上昇して考えることができるのです。下層に行くにつれて曖昧さは増すものの，それぞれの階層による説明は，少なくともその階層においては有効です。

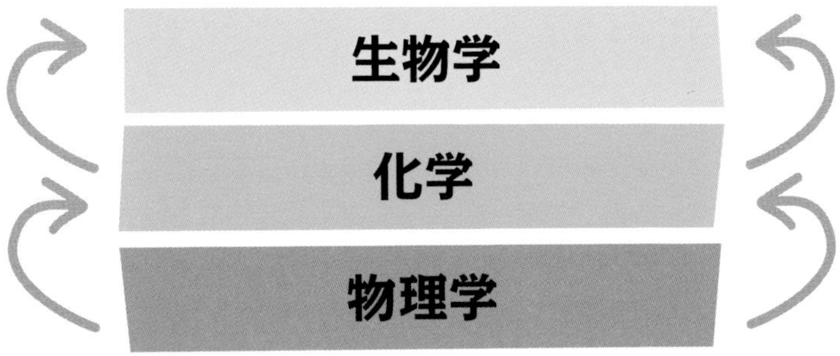

物理主義

還元主義 ▶ それぞれの階層における基本法則や基本概念は，一つ下の階層によっても説明が可能であるとする立場です。

私たちは，物理学，化学，生物学，心理学，経済学などの各階層でそれぞれ探究をし，説明を行うことができますが，全体像をつかむことはできません。ところが，すべての階層をつなぎ合わせると，一つの図が浮かび上がり，ある階層をその下位階層によって説明したり，演繹《えんえき》したりすることができるのです。このような自然に対する還元主義的な見解では，上位階層によって説明可能なすべてのものは，そのすぐ下の階層に含まれ，その階層によって説明されるとしています。**還元主義**は，物理科学による因果性の説明だけが独立して成立し，そのほかの説明は成立していないという現代の主張によって裏づけられている理論です。

科学主義 ▶ 将来的に，可能かつ良い説明は，科学的な説明だけになるだろうと考える立場です。

人類が知る最も下位の階層が完全に物理的なものであり，各階層は一つ上の階層を説明するという考えは，**物理主義**（存在するのは，物理的なものだけであるという見解）だけでなく，**科学主義**（将来的に，可能かつ良い説明は科学的な説明だけになり，ほかに存在する説明の大半は否定されるだろうという見解）にも共通しています。下位階層の物理学は上位階層の人文科学を説明できるとする考えは，当初，物理学者にとって魅力的なものでした。しかし，下位の物理学の観点から経済学を完全に説明できるとするのは理屈に合いません。神のような知的存在にとっては想像可能かもしれませんが，人間の精神（心）には，そのような状態を理解するのは困難です。実際に経済学が基本的な物理学だけからなるという理論があるとしても，理解するのはかなり難しいことでしょう。

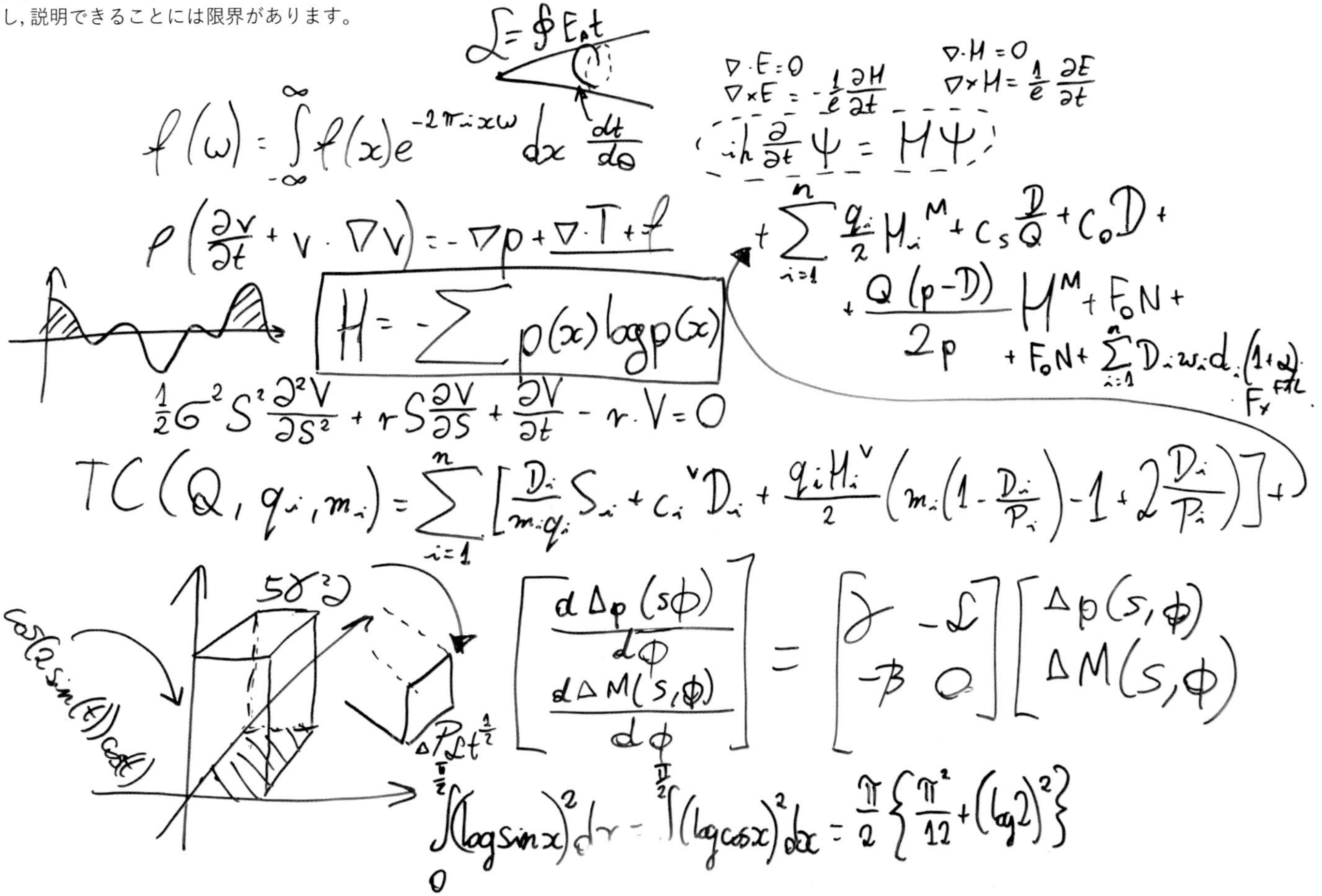

自然界の規則的なパターンは，数式で表すことができます。ただし，説明できることには限界があります。

　科学は，大小問わず，さまざまな自然存在のパターンを見つけようとしています。最も規則的なパターンは数式で表すことができ，繰り返し起こるメカニズムや構造を見出すこともできます。それにもかかわらず，物理学が経済学を説明できない理由を，三つ挙げることができます。

複雑さ

物理学による経済学の説明に限界があるのは，自然には純然たる複雑さがあるからです。最も性能のよいコンピュータでも，10年後のある日の天気を予測することはできず，次に海岸を襲う波の正確な形を予知することもできません。経済学もこのようなものです。階層間の因果関係を通して上昇しますが，移動する過程においてかなり複雑化するため，人が理解できる範囲を超えてしまうのです。

概念の限界

二番目に問題となるのは概念の限界です。どれほどすばらしい概念体系にも，限界は存在します。経済学者は，経済を説明する「クレジット（信用）」「債務」「インフレーション」「収益」などの概念体系をつくり上げ，それぞれの概念を用いて，人類の経済活動パターンにおける特定のものを表してきました。会計士の仕事は金銭的な事実を突き止めることですし，経済学にはできる限り数学が採用されており，さらに，概念同士の関係は教科書に記載されています。しかし，それでも，物理学の厳密さは決して達成できません。なぜなら，経済学で使う概念は，かなり広い範囲の事実を包括しているからです（「クラウド（雲）」という概念が，数え切れないほど多くの形を包括するのと同じです）。

創発

階層間で説明が還元できなくなる第三の問題点は，「創発」の可能性です。複数の部分が組み合わさると，一つの性質が創発します。たとえば，十分な量の草が生えているときに，これを「芝生」と呼びます。「芝生」は単純に新しい記述用語ですが，ここで新しい性質（たとえば，「青々と茂った芝生」）も創発するのです。二つの例においてはいずれも可能ですが，その部分から創発する特徴を予想できるかどうかは，興味深い問いだといえるでしょう。

また，芝生という単一の事物は存在せず，ただの草にすぎないという，**消去主義**的な見解もあります。これは，芝生と草は同時に存在し得ないとする立場です。しかし，創発する性質がその部分の総和以上のものだとすると，その性質を還元することも消去することもできません。このように強力な創発の対象のうち，有名なのが精神（心）です。精神（心）は，人の頭蓋骨内にある灰白質《かいはくしつ》の総和よりも，はるかに多くのものを内包しているように思われます。強力な創発による性質は，それ自体が因果的効力をもつのが特質です。創発による因果的効力は，部分の因果的効力の総和にとどまらず，部分の因果的効力から予想することもできません。したがって，精神（心）が強力な創発によるものであり，経済学が精神（心）を扱うとすると，経済学は還元できないようになるでしょう。

消去主義では，芝生というものは存在せず，草にすぎないと考えます。

階層間の厳密な還元を示して証明することができない状態では，物理主義への傾倒は，思弁的な理論，人の自然観の前提でしかありません。もちろん，強力な創発などあり得ないかもしれませんし，自然の複雑さも徐々に理解できる（今後1カ月の天気を完全に予知できる）ようになるかもしれません。また，概念体系を広げたり，縮小したりする方法が見つかる可能性もあります。

それでも，現代の希望である「あらゆるものは物理的である」という説には，まだ一つ障壁が残っています。それは，その物理的なものは，空間および時間の中に存在すべきだという考えです。日常会話では，空間と時間という二つの特徴は，物理的なものを内包する背景として当たり前に捉えられています。物理学者は，空間と時間を物質界の一部だと考えます。しかし，空間も時間も実在するように思われることから，物理主義の理論では，必ず空間と時間を考慮する必要があります。

時間

空間と時間に関する第一の議論は，「絶対主義」と「相対主義」の対立です。アイザック・ニュートンは，空間は**絶対的**なものであり，物体がある場所に対する固定の背景だと考えました。一方，20世紀初頭に活躍したアインシュタインは，空間と時間はいずれも**相対的**なもので，その中身同士の関係性の問題であるとしたうえで，基準系内でのみ測定可能だと主張しています。また，アインシュタインの理論は，「時空」という単一の概念に言及しています。さらに，量子論では，波動の「崩壊」や量子粒子の「飛躍」などのリアルタイムで起こるプロセスに注目します。現在のところ，時間は相対的か絶対的かという問いに対し，科学的見地からの回答はまだ確定していません。

アインシュタインの理論は，「時空」という単一の概念に言及しています。

ニュートン	アインシュタイン	量子論
絶対主義	相対主義	絶対主義
空間と時間は固定されている	空間と時間は基準系内でのみ測定可能	プロセスはリアルタイムで起こる

古代の哲学者たちも，時間の存在について疑いを投げかけていました。「現在という瞬間」は存在せず，ただ過去と未来が落ち合うときであり，過去は存在を終えたもので未来はまだ始まっていないのだから，時間というものは存在しないと考えられました。現在という瞬間が存在するとしても，複数の瞬間は同時に存在し得ないのに，どうすれば「1年」が存在し得るでしょう。しかし，時間の存在には信じるに足る理由があります。たとえば，「恐竜はもう存在しない」，つまり，「恐竜の時代は終わった」といえる一方で，「恐竜はかつて存在していた」という文も真理です。この文のTruthmaker（真理をなす要素）は，「はるか昔に死に絶えた恐竜」に違いありません。したがって，時間の存在には幾分かの現実性があるはずです。

「現在という瞬間」を突き止めることは不可能かもしれませんが，現在進行中の経験は，記憶や想像よりもはるかに鮮明です。未来の存在を否定することは，「私たちに未来はない」ということと同じですが，これは正しくないように思われます。過去，現在，未来は平等に存在するという立場を，**永久主義**といいます。あらゆる時間は共存し，「現在という瞬間」は特別な現実ではないとする見方です。

科学者は永久主義を好みます。物理学は，特別な瞬間ではなく，連続して起こる一般的な事象を扱う学問です。しかし，一般の人間にとっては，現在という瞬間が重要でなかったり，過去と未来が同等であったりするとき，人生に意味などありません。過去の行為について苦い後悔を感じたり，未来に大きな希望を抱いたりするのが人間です。私たちは，通勤電車に駆け込むときに，現在は実在しないなどと考えることはできないのです。

永久主義 ▶ 過去，現在，未来は平等に存在すると考える立場です。

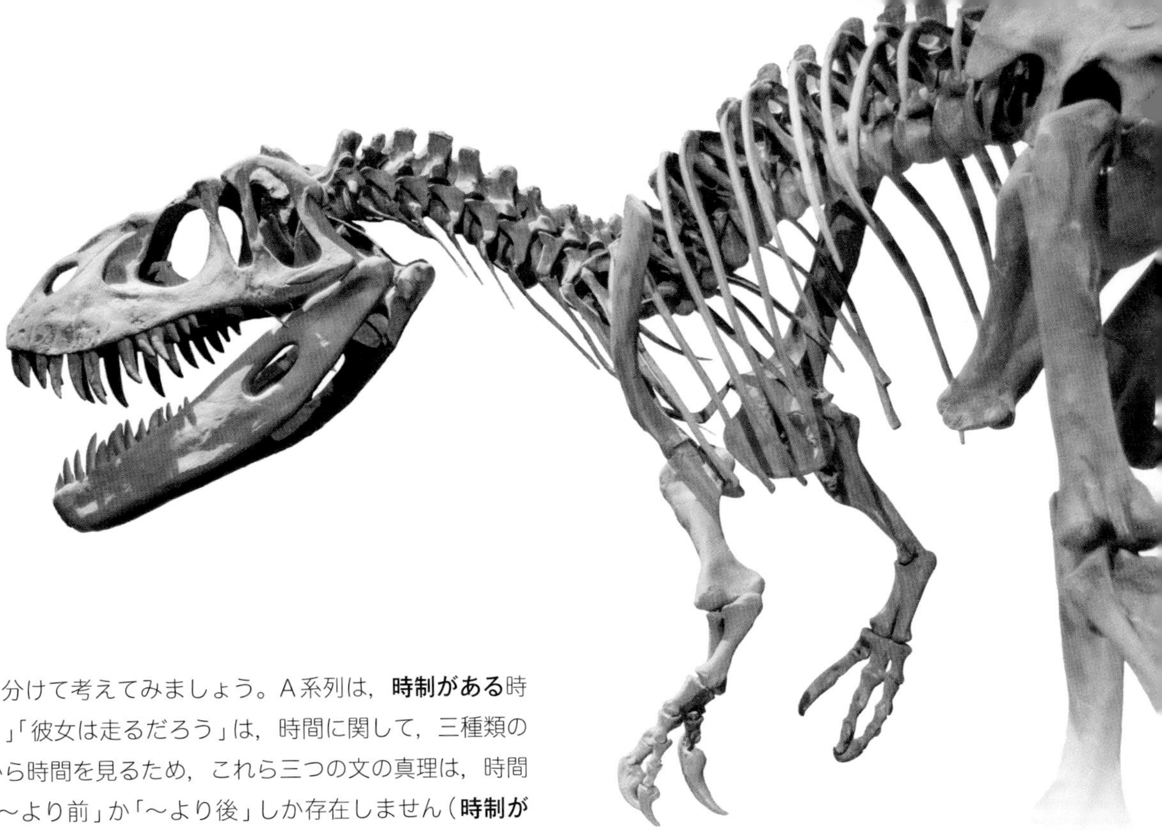

「恐竜はもう存在しない」とも「恐竜はかつて存在していた」とも捉えることができます。

時間の捉え方を，「**A系列**」と「**B系列**」に分けて考えてみましょう。A系列は，**時制がある**時間観です。「彼女は走る」「彼女は走っている」「彼女は走るだろう」は，時間に関して，三種類の客観的な事実を示しています。現在の視点から時間を見るため，これら三つの文の真理は，時間とともに変化します。B系列の時間には，「〜より前」か「〜より後」しか存在しません（**時制がない**時間観）。現在という瞬間は重要ではなく，時が過ぎるという感覚もありません。日常会話では，A系列（時が過ぎる）が好まれますが，科学では，B系列（事象が順に並んでいるだけ）が好まれる傾向にあります。

A系列の見方では，過去は記憶されますが，未来はそうではありません。また，人は未来について心配をしたり計画を立てたりしますが，過去についてそうはしません。一方，B系列の見方では，物理科学における崇高な真理にとって，「現在という瞬間」は関係のないものです。これは，いかなる「時間」においても真なる言明は変わらずに真であり，すべての時間は平等に存在すると考えられるからです。常識的なA系列は，過去も未来もまるで存在しないことを含意しています。これは，どこからどこまでが現在という瞬間なのか決まっていなければ，人を混乱させかねない考え方です。B系列では，時間は問題になりませんが，A系列では，時間は捉えどころがないものです。一つひとつの瞬間は，人間が理解するより早く過ぎ去ってしまうのですから。

「A」系列	「B」系列
時制がある	時制がない
「彼女は走る」「彼女は走っている」「彼女は走るだろう」	「～より前」または「～より後」しかない
日常会話	科学的話法

永久主義も時間には方向性があることを認めますが，因果関係の一側面であるか，または，エントロピー（宇宙のエネルギー散逸）から生じると考えます。ところが，これは，B系列の「～より前」と「～より後」を使って表現することができるのです。一連の事象のうち一つの時間を取り上げて，名前をつけます。たとえば，「第一次世界大戦中イギリスがドイツに宣戦布告したとき」を取り上げ，「1914年8月4日」とするのです。私たちは，物事が変化するからこそ，時間の概念をもちます。もしかすると，この変化を説明するために，「時間」というフィクションをつくっているだけなのかもしれません。

物事が変化するからこそ，時間の概念をもつことができるのです。

生命

哲学者たちは，人間の思考を探究することに加え，人間に関する生物学的な知識や地球の生態系における人間の位置を俯《ふ》瞰《かん》的に捉えようとしました。そして，主に人間とほかの動物との根本的な違いをもとにして探究を行いました。最も大きな影響を及ぼしている生物理論は，自然選択による進化論です。進化論は，人の思考のみならず，人類の起源をも説明しています。また，これまでよりはるかに大きな文脈で人間性を考える，生態学的な生命論もあります。

科学，特に現代微生物学は，生命を物理的な事象に還元できることを示したため，人類がもつ生命の概念は変わりました。

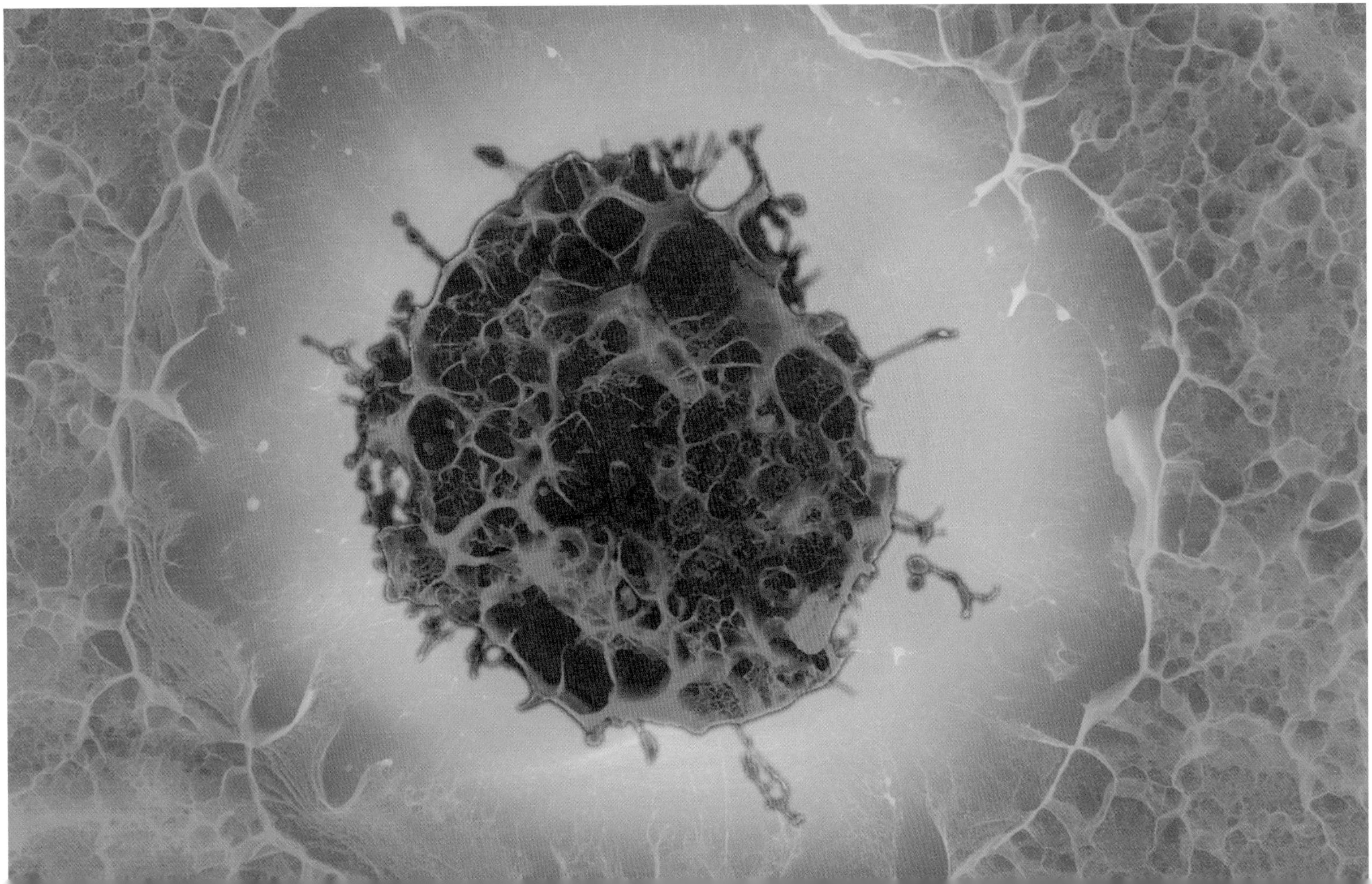

　科学により，現代の**生命**の概念は大きく変わりました。今では，「生きる」には，火の利用，魂（精神的存在），自然の力，特定の生命物質など，何らかの要素が必要なことがわかっています。

　これらの進展は，物理学が「閉じている」（外部からの説明を必要としない）こと，生命を物理的な現象に還元できることを強く示しています。現在では，植物の生は本質的に化学現象であることが広く受け入れられています。DNAの最大の重要性はそれがもつ情報にあることから，生命は，化学現象というより，情報という意味で定義されることもあります。

魂に対する科学の挑戦

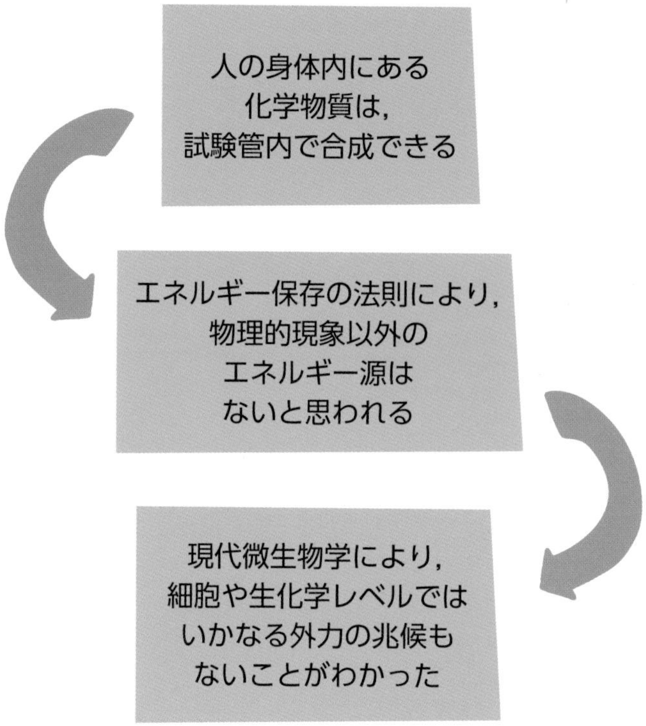

自然を分類する

古代ギリシャの哲学者アリストテレスは，生物学において初めて分類を提示した人物です。以来，自然を分類することは哲学にとって興味の対象であり続けました。

現代の分類手法は，物議をかもしています。当初は，縞模様や外皮など，生物の外面的な特徴によって分類が行われていました。今日では，進化遺伝や遺伝分析を検討しなければなりません。ここで，四種類の主な分類手法を紹介しましょう。

- 外面的および内面的な特徴による分類
- 隔離された繁殖集団であることによる分類
- 環境的ニッチ（生態的地位）の獲得による分類
- その血統における歴史と分割点による分類

科学では，本質ではなく関係性によって物事を分類する傾向があります。そうすることで，一つの系統内に物事を正確に配することができるからです。哲学では，二つの立場に分かれます。一方の立場は，分類に懐疑的で，分類は単なる慣習（漠と広がる土地に便利な名称を与えるように）だと捉えます。もう一つの立場は，動物の名前はその動物の本質に関連していると考えます。現代のアメリカの哲学者クリプキは，「虎」という言葉は，本来一頭の動物の名前であるべきであり，その一頭の本質（たとえば，特徴的なDNA）と同じ本質をもった動物が「虎」と呼ばれるべきと主張しました。

アリストテレスは，自然を分類した初めての哲学者です。

哲学と進化

19世紀の自然科学者ダーウィンの**自然選択**説（生物の特質は，すべて前世代の繁殖の成功に起因している）は，自然の多様性をうまく説明しています。この説により，現代遺伝学は，現代生物学の一部門として不動の地位を築き上げました。哲学が，自然選択説を取り入れるまでにはかなり時間がかかっています。人間の二足歩行や，ほかの指と向き合っている手の親指の形は，明らかに自然選択の結果ですが，脳の働きやそれに伴う思考も自然選択の結果だとはなかなか考えにくいものです。

道徳哲学の分野では，一般的には人気のない契約論的な道徳観（道徳とは，他者から助けてもらうための利己的な戦略であるとする見方）が支持を集めています。

哲学では，チャールズ・ダーウィンの自然選択説を取り入れるまでにかなり時間をかけています。

遺伝学は，ヒトの遺伝子がチンパンジーやボノボ（ピグミーチンパンジー）などの類人猿とかなり緊密な関係にあること，バナナとさえ遺伝子的に近いことを強く証明してきました。これによって，人間は環境に融和しているという考えが広まり，生態学（エコロジー）が生まれました。こうして，自然から離れたり，自然を冷酷に搾取したりするよりも，自然の中で生きることが促されています。人間の捉え方を大きく変化させた，これらの生物学的進展は，哲学にとっても非常に重要です。あらゆる哲学理論は，私たち自身の人間の捉え方から生じているのです。

遺伝学は，ヒトの遺伝子がチンパンジーとかなり近いことを証明してきました。

進化した脳

- 数学的ゲーム理論によると，昆虫が友好的に振る舞うのは，進化のための戦略だと説明できます。人間にも同じことがいえます。
- 人が真理と知識を求めるのは，それらが純粋理性の崇高な理想だからではなく，ただ便利だからかもしれません。また，迷いが生じるのも生き延びるためかもしれません。
- 哲学が高く評価する人間の意識は，脳の中でほんの少しずつ進行する物理的な進化だと説明できます。つまり，意識も，手の爪と同じく，自然選択の産物だと考えられます。

ダニエル・デネットは，神経科学を用いて人間の意識に対する考察を示しました。

精神（心）と科学
（1960～現在）

現代の神経科学は，精神（心）は物理的な事象に還元できると主張してきました。行動主義では，精神（心）とは外に現れる振る舞いであると考えます。また，精神（心）は，物理的な脳の活動だと捉える立場もあります。**ヒラリー・パトナム**（1926～2016）は，精神（心）は脳の内的な振る舞い，つまり機能だと主張しました。その後，言葉の意味は個人的なものではなく社会や世界に向けて広がるため，精神（心）そのものには外的な側面があるとしています。

神経科学の研究に注意深く取り組んだ**ダニエル・デネット**（1942～）は，自分自身の意識を探究することは間違いにつながると述べています。私たちが精神（心）について語るときは大抵，それが他者とうまくつきあう手段となるからで，現実に起こっている精神（心）の動きを説明するためではありません。人の精神生活の大半は，実際には無意識下にあるというのがデネットの主張でした。

ジェリー・フォーダー（1935～2017）は脳の働きに注目し，表には現れない「思考の言語」があることや，精神（心）のモジュール性（一つのチームのようにほかから切り離された集団）を唱えました。フォーダーは，多くの概念は生まれながらに存在し，経験を通して得られるものではないと主張しています。

デイヴィッド・チャーマーズ（1966～）は，還元的な物理主義を批判し，人類は問題を軽視していると主張しました。そして，「意識の難しい問題」，つまり，「情報を『処理』するのではなく，『実際に経験』するのはなぜか」を考えるべきだと説いています。チャーマーズの主張に応じて，十分な証拠がないため意識は決して捉えられないと唱える立場も現れました。

哲学に対する科学の影響が増大したことで，科学の信頼性を問う声が上がりました。**トマス・クーン**（1922～1996）は，科学者は筋の通った理論に合わせるために結果をごまかしていると考え，主要な概念の意味が変わってしまうため，一つの理論をほかの理論と比べるのは難しいことを示しました。**ソール・クリプキ**（1940～）はこれに対抗して，多くの名前（たとえば「金」）は必ず特定のものを示すため，その指示対象は変化しないと主張しました。クリプキは，科学的手法によって必然的な真理を知ることができるが，これによって形而上学は大きな復興を成し遂げ，さらにそれが科学の信頼性を高めると考えました。

第14章

超越性（神）

超自然 — 神の存在 — 神の本質

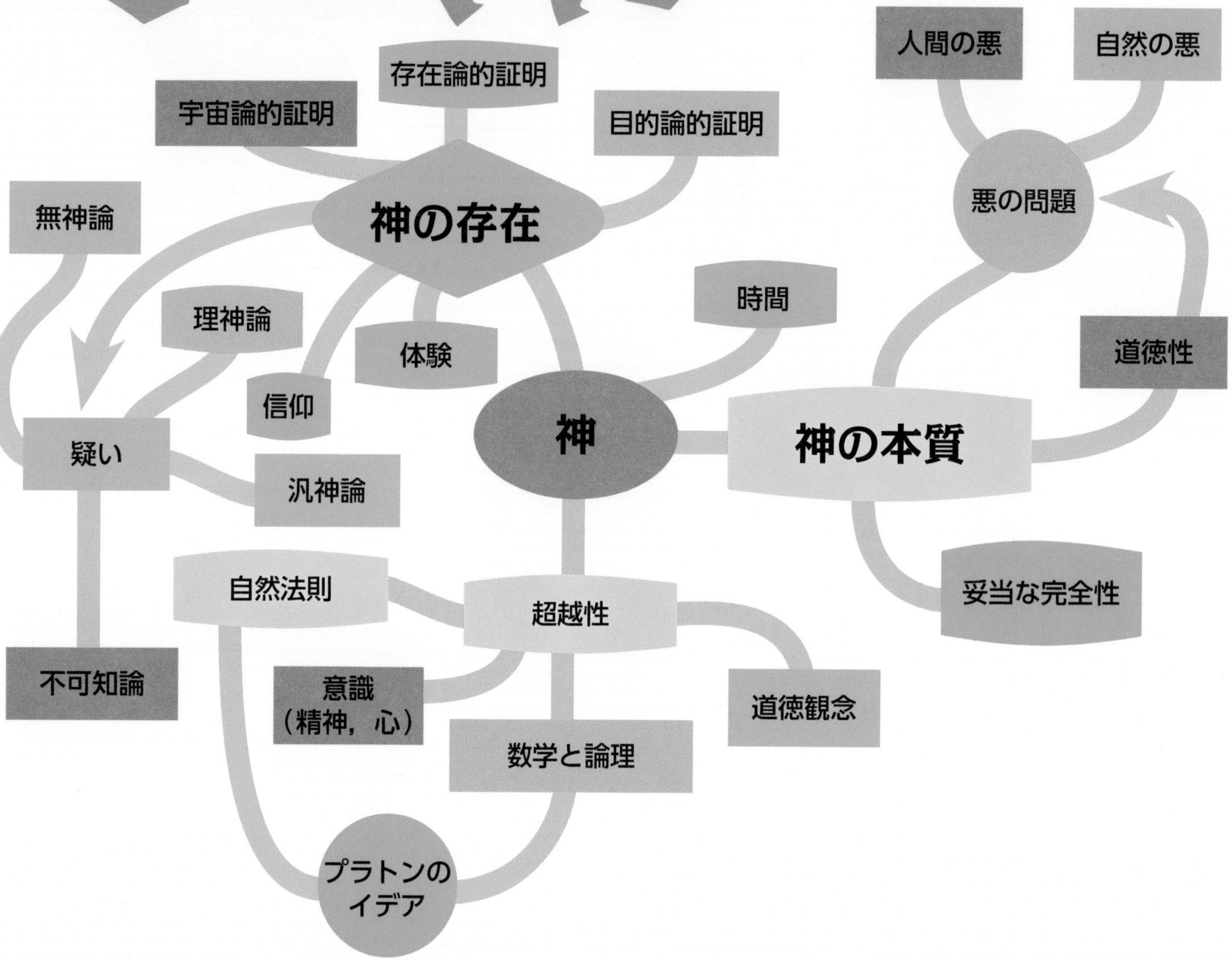

超自然

自然を超越するものは，本当に存在するでしょうか。超自然の存在をはっきりと認めているのは，宗教的信念です。宗教では，人類が知る自然法則では捉えられない，超自然的な精神体（特に，神）の存在を主張します。ここでは，ただ単なる物理的なものを超越している可能性がある現象を，四つのカテゴリーに分類します。

- 意識（精神，心）
- 数学と論理
- 自然を支配する法則や観念
- 理想的な道徳

これら四つは，自然界における非物理的な特徴と考えることも，「超自然的」，つまり，自然を超越するものと捉えることもできます。

四つの中でも，意識（精神，心）は最も重要です。なぜなら，物理的存在である脳と残り三つの非物理的な現象の橋渡しをする意識がなければ，そもそもそれらの現象に関する知識は得られないからです。このテーマについては，本書の第6章ですでにお話ししました。精神（心）とは，物理的なものか，漠然と創発する（脳の事象から起こる）ものか，強力に創発する（脳の事象に対して因果的効力をもつ）ものか，もしくは，非物理的な実体だと考えられます。

強力な創発と考える場合は，自然界の枠内で精神（心）を捉えます。このとき，自然は，物理学が描く世界とは大きく異なっています。物理学は閉じている（外部とのやり取りがなく，単独ですべてを説明できる）と考えられていますが，実際はそうではありません。創発する精神の力によって，事象が引き起こされることもあるからです。人が意識下で決断を行うときが，その最も顕著な例といえるでしょう。一方，**心身二元論**（101ページ参照）では，少なくとも部分的には超自然の領域で精神（心）を捉えます。これによると，現実はもう一つの状態，つまり，精神的な領域をもち合わせるため，自然を超えて物事を見つめることができます。しかし，この精神的・超自然的世界との差を埋めるメカニズムを，物理的存在である脳から見出すことはできていません。だから，物理界に橋渡しをする能力は，精神的な実体（心）の一側面であるはずだというのがこの説の主張です。

超自然的存在としての精神

精神が超自然状態で存在するのであれば，論理，自然法則，理想的な道徳（それらを通して精神が明らかになるもの）も同様に自然を超越し，永遠かつ必然的な存在でありながら，自然に影響を及ぼす力をもっているという可能性も考えられます。プラトンが提唱したイデア（思考と現実を導く理想化された概念）は，不変の状態であり続けます。また，多くの論理学者や数学者は，それぞれの分野で，人間が考えるものからかけ離れた真理を見出しています。こうした超越的領域が自然に影響を及ぼしているという証拠は，植物や化学物質の構造に見られる厳密な数学的パターンや，自然が無矛盾律のような論理法則に従うという事実に見られます。さらに，子どもの虐待などの行為は，誰にとっても間違いなく不道徳に思われますが，このような例は，超越的な道徳的価値が存在するとしか説明のしようがありません。

この物理主義から始まる思考の連なりは，徐々に宗教へと移行していきます。しかし，人類の文化史はこれとは逆の方向に進んでいます。宗教的信念は，物理主義の誕生よりはるか以前に，普遍的な前提になっていたからです。科学は主に物理主義を前提に，神学は神の存在を前提にしています（そして，それに合う教義を展開しようとします）。しかし，哲学では，前提や思い込みを最小限に抑えることにこだわります。そのため，ここからはできる限り中立的な視点から宗教的信念を考察していきます。

神の存在

現代における大半の宗教的信念は，唯一絶対の超自然的存在，神が存在することを軸に据えています。力と完全性をもち合わせる神は，自然を凌駕し，究極的な重要性をもつと考えられます。このような神の存在は，五つの根拠に基づいて証明されています。その根拠とは，自然の存在そのもの（宇宙論的証明），自然の中にある秩序（目的論的証明），神が存在することの自明の必然性（存在論的証明），個人の体験，直感または信仰です。この五つのうち，最初の三つが最も重要視されています。

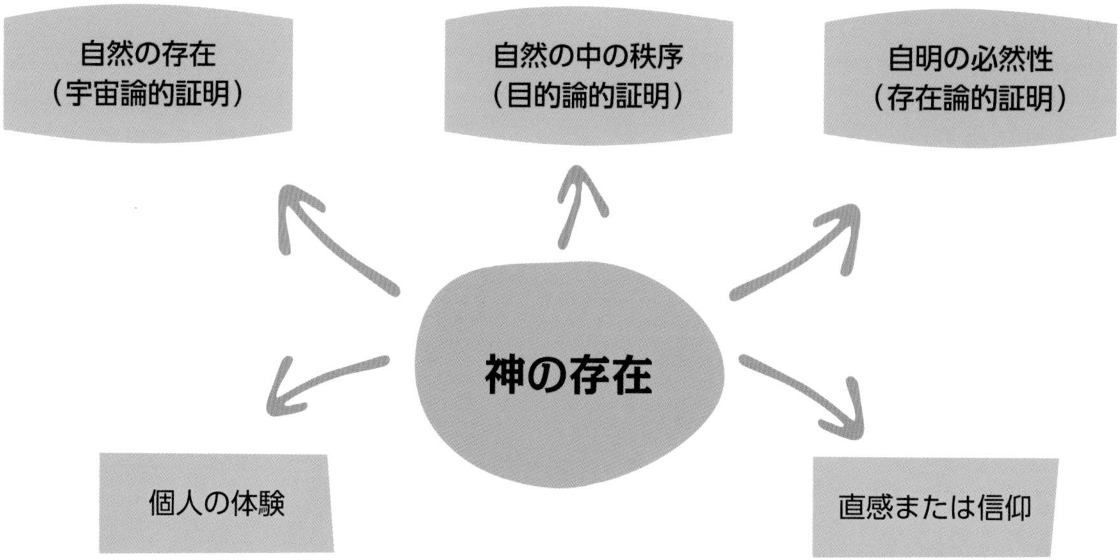

宇宙論的証明

宇宙論的証明は，宇宙が存在していること自体が，宇宙の起源としての神を示していると主張します。自然界では，あらゆる事象には原因があると考えられています。つまり，時間をさかのぼって因果の連鎖をたどり，**最初の事象**，または，永遠に達することができるのです。あらゆる事象に原因があるのであれば，最初の事象はどのように起こるのでしょうか。最初の事象，すなわち，原因なく自ら起こった事象は，因果法則外になくてはなりません。自然界のあらゆるものには原因があるのだから，この第一原因は自然界の外にあるはずです。つまり，超自然的な精神体だけが第一原因となる能力をもつのです。これは，人間がもつ，自由な選択をする能力を思い起こさせます。しかし，事象の連鎖に始まりがないとしたらどうなるでしょう。その場合，なぜ連鎖が徐々に消えるのではなく続いているのでしょうか。また，なぜ連鎖がほかでもないその方向性を歩んだのでしょうか。そこには，存在するものをつなぎ，方向性を与える「外部の原因」があるはずです。宇宙論的証明によると，始まりがあろうとなかろうと，宇宙について考え得るただ一つの外部要因は，事象の連なりを始動させる精神体，つまり，神なのです。

宇宙論的証明では，宇宙の存在そのものが，創造主（神）の証拠だとされます。

ヒマワリに見られるフィボナッチ数列のように，自然界における複雑かつ秩序正しいパターンの存在は，「知的設計者」の関与を感じさせます。

目的論的証明

ギリシャ語の「telos（テロス）」は，「目的」という意味です。目的論的証明，またの名を，**設計論的証明**は，自然界が整然とした構造をもつのは，秩序正しく，目的をもった精神体が関与しているからだと考えます。この説によると，整理する者がいなければ，自然は支離滅裂な状態にあるはずで，まったくの偶然によって自然が複雑で美しい構造をもつという考えは馬鹿げていることになります（バラバラに散らばった言葉カードが，偶然完璧な詩を形づくるのと同じくらい）。設計論的証明では，類推的な解釈を用いることもあります。非常によくまとまった集団や，すばらしい機能を備えた機械を見ると，人は，その集団にはリーダーがいるのだろうと思ったり，機械を設計・製造した人がいるだろうと考えます。このような集団や機能を自然の中に見出したとき，同じように，自然を操る精神体（神）がいると考えられるのです。

存在論的証明

先に述べた二つの証明は，自然の存在や秩序正しさに関する証拠を示すものでした。**存在論的証明**は，純粋にア・プリオリな思考に依拠して，神という概念を捉えます。一般的なキリスト教の「神」の概念は，「完全な至高の存在」または「それより優れたものが思いつかないもの」です。そのいずれかの表現に合うような，神が必然的にもつ属性とは何でしょうか。最上の力，知識，道徳的な善性などが考えられますが，絶対に欠かせない属性は「存在すること」です。そもそも神が存在しなければ，ほかの完全な属性も生じ得ません。ですから，存在は第一の完全性であり，神は必然的に存在します。三角形には必然的に三辺があるように，神の概念自体がその存在を必要とするのです。

信仰と体験

神とのつながりを直接的に感じるような，個人的な体験をした人はたくさんいることでしょう。中には，神が人の世に直接関与したかのような「奇跡」を経験した人たちもいます。しかし，哲学では，神の存在に関する議論として，前述した三つの説に比べて，これらをあまり重要視しません。なぜなら，これら二つには普遍性が大きく欠けているからです。また，他者の証言（かなり昔のものも）を信頼しなければ成り立たないことも理由です。このような経験をした人にとっては，体験も奇跡もきわめて強力な理由になり得ますが，大抵の場合，こうした事象は一度きりで，何度も繰り返されるものではありません。信仰や直感についても同じことがいえます。これらは信仰をもつ人の精神（心）に影響を及ぼすことはできますが，懐疑的な人にとっては説得力に乏しいのです。特に，この信仰や直感に頼るやり方では，相容れない信仰同士や，さまざまな真理についての異なる直感同士を取りもつことはできません。

神の存在についての議論を評価する

神の存在を証明する三つの議論は，それぞれに懐疑的な立場から批判されてきました。宇宙論的証明は，あらゆるものには原因があるとしたうえで原因のないものもあると考えることは，明らかに難しいと指摘されています。ある事象が「原因はなく自ら起こった」としても，それが神でなくてはならない理由はなく，「不測の事象」であっても構わないはずです。ほかの神の存在証明は神の本質を示していますが，宇宙論的証明は，ただ因果を最初に動かす精神体を示しているだけです。そして，ほとんどの宗教における神は，このように因果を始動するだけの存在ではありません。

設計論的証明は，信仰をもつ人からよく支持される説です。これによると，人類が立派に機能する，見た目にも美しい世界に住んでいることから，この世界には設計者がいて，それは崇拝すべき存在でもあるということが導かれます。設計論的証明を批判する立場は，世界には異常や醜さなどの悪い面もあるので，完璧な設計者の存在をそこから導き出すことはできないと反論しています。18世紀の哲学者ヒュームも設計論的証明を批判して，類推的な解釈を用いるのなら，宇宙の創造者は，世界の設計に失敗した複数の神々，または，単一の神になる可能性もあると主張しました。設計論的証明に対する最大の反論は，自然の美しい秩序は，超自然の恩恵ではなく自然選択によって発展したというものです。しかし，これは生物を説明することはできますが，宇宙の調和した運動や自然法則の飽くなきシンプルさを説明することはできません。

ヒュームによると，宇宙の創造主は，世界の設計を間違えた複数の神々である可能性もあるのです。

スピノザは，神をテーマに数々の文献を残しました。しかし，多くの評論家は，スピノザは無神論寄りであったと考えています。

生命の誕生を可能にするように**宇宙定数**（重力の強さや電子の質量などの物理学における基本的な価値）が微調整されているようだということがわかったので，設計論的証明は，現代においても勢いを増し続けています。コンピュータのモデル化により，現時点の定数が少しでも変わると生命の誕生は不可能になることがわかっています。ここから，特定の設計者が，特定の目的のために価値を設定したと推論できるのです。これはすばらしい事実ですが，もしこの宇宙のみならず，多様な宇宙が存在するとしたら，そこまで驚くに値しないことかもしれません。

わずかですが，存在論的証明に基づいて神の存在を受け入れる人もいます。説得力があるというよりは独創的に見える説ですが，神は「存在し得る」と考えるのではなく，神は「存在するべき」だと感じている人の心に訴える論説です。存在論的証明が妥当でないとしても，その欠点を挙げるのはなかなか難しいことです。この説は，「存在すること」が神（または，存在物）の属性の一つであるとしています。たとえば，「靴」の特徴は，靴底があること，足の形をしていること，存在することの三つです。18世紀の哲学者カントは，存在することは，靴を語るに際しての前提であって特徴ではないため，これは間違いだと主張しました。現代の論理では，存在することは，文の要素ではなく，文中に存在するものを特定する量化記号として扱われます。しかし，カントの反論も間違っているかもしれません。神の概念を深く探究するなら，神の存在は回避できないと考える思想家もいるのです。

理神論 ▶ 神は存在するが，人の世に関与しないと考える立場です。

程度は異なるものの，宗教に対してさまざまな疑いが起こりました。**理神論**は，自然のよりどころは超自然的な精神体だと考える宇宙論的証明に基づき，神の存在を受け入れますが，人の世に神は関与しないと考え，とてもよそよそしく，祈りにも反応しないのが神だとしました（「哲学者の神」と呼ばれる見解）。17世紀の哲学者スピノザは，**汎神論**，つまり，精神（心）に対する自然主義的な見解を唱え，超自然的な存在を信じる理由はないと考えました。ただし，自然界のすばらしい特質に感銘を受けたスピノザは，神と自然は一者だとしています。その著作では「神」が頻繁に登場するものの，評論家には，スピノザは無神論者に近かったといわれています。

汎神論 ▶ 神と自然は同一だとする立場です。

直接的な証拠を重視する不可知論の立場は，いずれにしても証拠が不十分だと結論づけ，神の存在について確固とした意見を述べることはできないとしています。また，無神論は，神は存在しないと主張します。その主な根拠は，先に述べた三つの神の存在証明に見られる弱点です。すなわち，魂や永遠が存在すること，神が人格的存在者であること，さらに神の存在の科学的説明について証拠が不十分だというのです。無神論では，神の関与による奇跡を疑い，主な宗教経典の神聖化も否定します。

不可知論 ▶ 十分な証拠がないため，神の存在について意見をいうことができないとする立場です。

論理実証主義（現代経験論の運動）も，多くの宗教言語の有意性に対して重大な異議を投げかけ，その真理に対してどんな証拠があるのかを問いました。どんな証拠があっても宗教を信じる人の信念が変わらないのであれば，実際のところ，これまで提案されてきたものに価値があるのかどうかわからないと主張しています。

神の本質

神の存在を論じるとき，はかり知れない存在にもかかわらず，そもそも「神」とは何かという考えが起こります。ここで，神を信じる理由を見ると，神の概念を解明しやすくなります。たとえば，目的論的証明からは「神は美や秩序を愛すること」，存在論的証明からは「神はあらゆる可能な完全性をもつこと」が推論できます。

これらの証明を許容して，神は存在すると仮定すると，証拠らしきこと，必然的に真であること，不可能なことを検討することによって，より深く神を解明することができます。そうすると，神は秩序を愛するようにも，神は永遠に存在するのは必然であるようにも，神は自らが存在しないことを証明できないようにも考えられます。

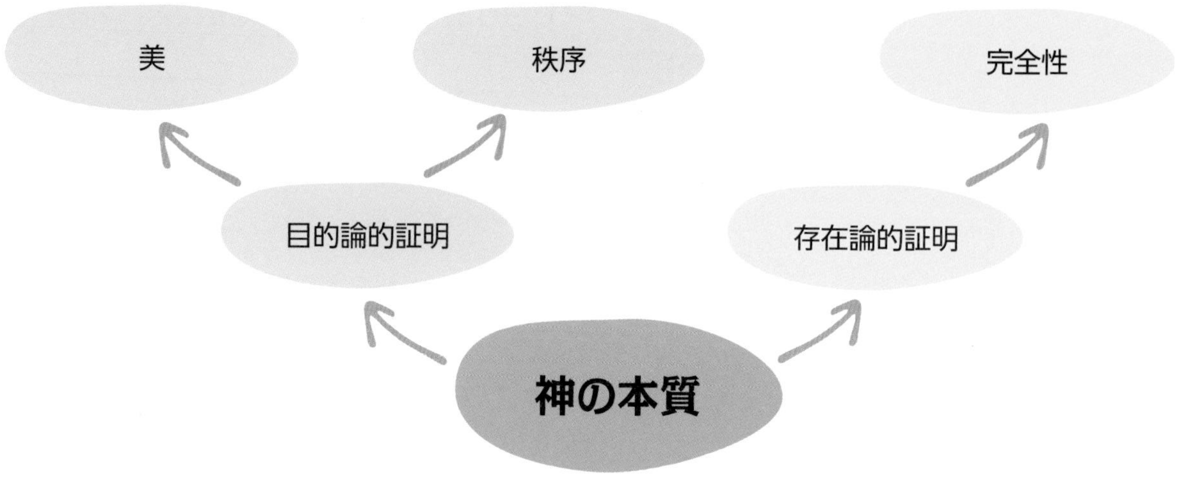

存在論的証明の一説では，神は「きわめて完全である」とされています。この**完全性**とは何か，一貫性がある（矛盾がない）ものかどうかを探究することもできます。完全性といっても，「完璧なケーキをつくる」などの些末な完全性もありますが，神がもつのは「妥当な完全性」です。完全に強力な存在は，自らの力を及ぼすことができないものを創造できないことを考えると，完全性を可能なものに限定しなければなりません。

こうした完全性は，最も良いとされる徳性，つまり知識，力，知性，慈愛などです。ここから，神を考えるときに人間の概念を使うのは難しいことがわかります。こうした完全性における矛盾を示す例としては，未来についての知識と自由意志を同時にもつことが挙げられます。未来を知るには，未来がすでに決まっている必要があります。ところが，未来がすでに決まっているのなら，それを選ぶことはできません。

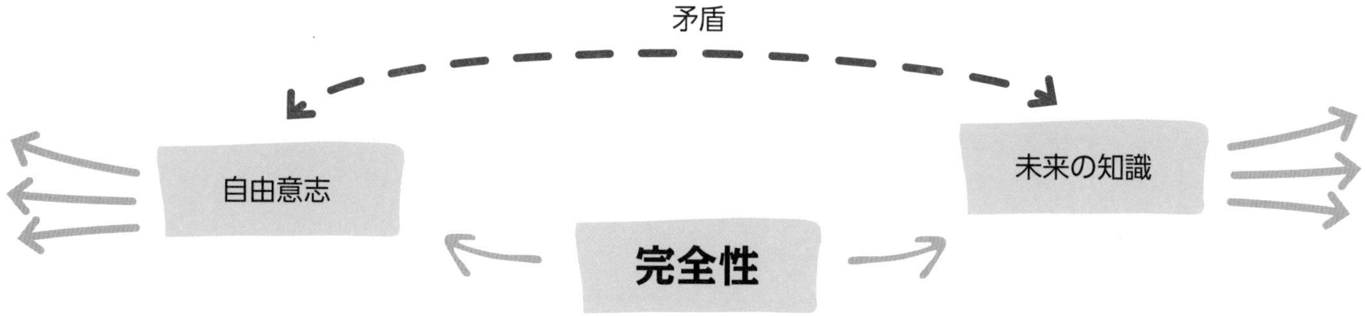

神が宇宙を創造したのなら，神は完全に時間と切り離されて存在するのでしょうか。

この難しさから，興味深い問いが起こります。すなわち，「神はどのように時間と関わるか」。神は宇宙を創造し，時としてその営みに関与すると仮定すると，この関与は時の流れのどこかで行われるため，神は，人間と同じく，変えられない過去と知り得ない未来をもつことになるのです。神はまるで存在しないとする立場も，常に存在すると考える立場も，概してこのような限定を否定します。神が完全に時間と切り離されて存在するのでは，天地創造や人の世への関与が説明し難くなります。この場合，人間がこの現在という瞬間に存在するのと同じく，神はあらゆる瞬間に存在すると考えるのが，最も妥当な説明だといえるでしょう。この考えは，あらゆる事象を同時に知りつつ操ることができる全知全能という完全性にぴったり適合しますが，神は，人間には想像し難い「一時的な存在」になってしまうのです。

神と道徳

神の本質に関する議論の大半は，道徳性に注目します。プラトンは「優先するべきは，道徳性か神か」という問い（エウテュプロン問題）を掲げました。つまり，神が思慮深いので善なるものを知っているのか，神が好む性質が徳なのかという問題です。

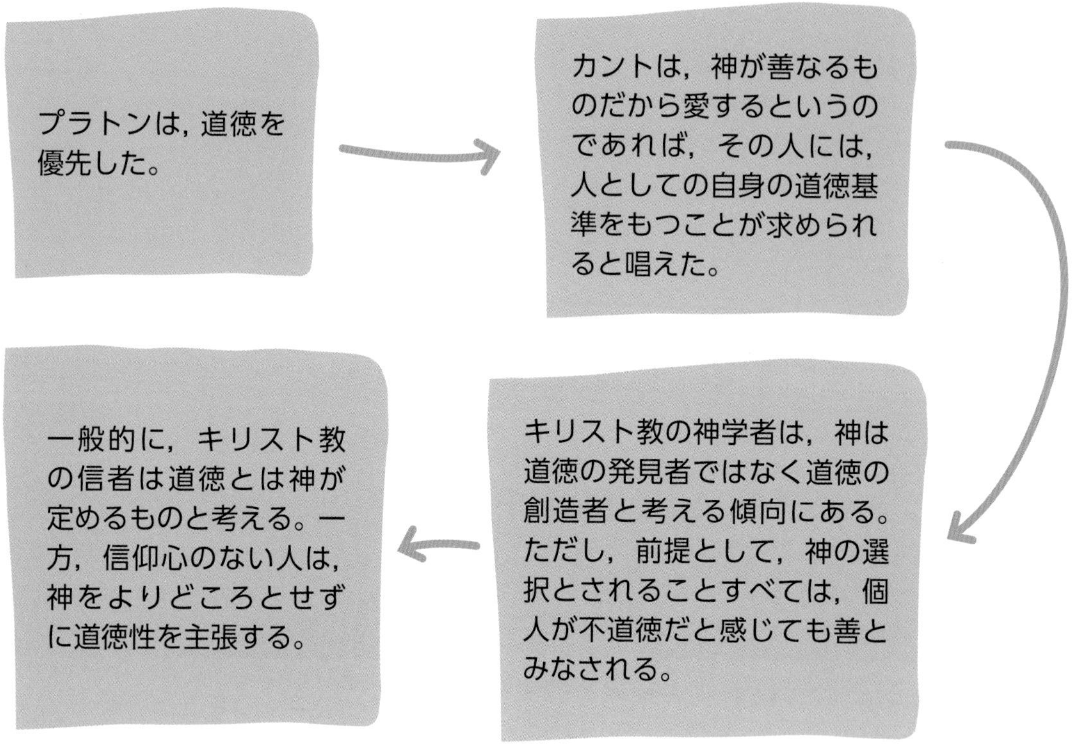

悪の問題

　慈愛は，神の完全性の一つだと一般的に考えられています。しかし，過去には，神は，怒り，嫉妬，または，復讐心をもつ存在だと考えられていました。これは，悪の問題へとつながります。すなわち，悪を支配できる力と知識があるにもかかわらず，慈愛溢《あふ》れる存在は，悪を支配しないという矛盾が生じるのです。

　大量殺戮《さつりく》などの「人間の悪」と，地震などの「自然の悪」とでは，異なる問題が発生します。人間の悪に対しては，人間の自由意志の重要性が強く説かれます。人間についての重要なことは，自律，つまり，自らの人生を完全にコントロールすることだといわれます。どんな世界にも邪悪な行いは存在することから，人は悪になる自由をもっており，悪事をなしてしまうときもあることがわかります。しかし，こんな世界でも，悪になる自由がない世界よりはましです。もちろん「大量殺戮を犯す自由」はいきすぎた自由だといわれますが，悪がまったく存在し得ないとすると，人生はひどく色褪《あ》せてしまうのでしょう。

地震などの自然災害は，慈愛の神など存在しないと感じさせます。

自然の悪は，最大の問題です。この悪の前に人類は無力で，こうしたときに責任をとるべきなのは，神であるように思えます。神の存在を信じない人は，自然の悪があるのは，慈愛の神が存在しないことを示す重要な証拠だと考えます。これに反して，神の存在を擁護する意見は次の通りです。

- 自然の悪は不可避である
- 長期的に見ると，悪は善である
- 外見上は悪だが，実際には悪ではない

17世紀から18世紀にかけて活躍した哲学者ライプニッツは，完全な神が完全な宇宙を創造したのだが，人間がこれを疑うのは，創造における不可避の条件を知らないからだと主張しました。たとえば，「地震が起こらない惑星」をつくるのは不可能といったことです。また，自然災害を非難する前に，神のより偉大な計画を知る必要があるという意見もあります。これによると，苦しみは，人間の救済や道徳の向上のために避けられない手順かもしれないのです。

第三の意見は，人間の視野は実に狭く，物理的な痛みや死別などの悪を誇張しているというものです。この見方からすると，地震は，人間にとっては悪ですが，地球にとっては善の事象となります。

ライプニッツによると，人間は天地創造における条件を知らないために，神が創造したこの世界が完全であることがわからないのです。

倫理と政治
(1970～現在)

長い間，道徳の規則といえば，功利主義(利益・成果を追求する)，または，義務論(厳格な義務に従う)でした。そうした中，**アラスデア・マッキンタイア**(1929～)は，功利主義と義務論がその規範を証明できずにいる点を根拠として，徳倫理学の復興を牽引しました。徳倫理学では，道徳性は個人ではなくコミュニティに関わるものとみなされます。また，現在の道徳論は，以前より政治的な存在になっています。さらに，これに付随して，道徳的価値には(表出主義のような)厳密な意味がないのかどうか，または，道徳的価値は道徳的真理に基づくか，それとも，現世の問題点に基づくかなどが問われています。**キャロル・ギリガン**(1936～)は，徳倫理学にフェミニズム的アプローチを加え，一人ひとりに対する個人的な対応が重要なのに，倫理学では冷徹な公平さが過剰評価されていると主張しました。

ピーター・シンガー(1946～)は，特に動物に関して功利主義の規範に則るべきだと主張し，世論に多大な影響を与えた人物です。動物にも苦しみがあることから，人間と同じく動物にも道徳的権利があり，人間は動物を食べたりせず，人に対してそうするように動物にも接するべきだと唱えました。

政治哲学は，**ジョン・ロールズ**(1921～2002)の活躍によって復活を遂げました。ロールズは，自由主義(リベラリズム)と正義について，新しいアプローチを導入しています。無知のベールで目隠しをした状態で社会を見て，最も望ましくない生き方，つまり，最も弱い立場の人間に，社会は注目するべきだと主張しました。**ロバート・ノージック**(1938～2002)はすばやくこれに反応してリバタリアニズム寄りの態度を示し，あらゆるソーシャル・エンジニアリングを拒否しました。主な政治的価値として正義を主張する者が多い中，ノージックは自由を擁護しています。

より最近になって新しい道徳論を提示したのは，**マーサ・ヌスバウム**(1947～)らです。自由主義は自由と機会を重視しすぎており，人々の実際の生活に焦点が当たっていないと唱え，潜在能力を十分に発揮することができれば，その人の人生はうまくいくと述べました。ヌスバウムらは，問題とすべきは自由や平等よりも正義であり，正義とは理論的であるより，実用的であるべきだと唱えています。

ピーター・シンガーは，動物にも人間と同じく道徳的権利があると主張しました。

用語集（アルファベット順，五十音順）

1. **「A」系列と「B」系列**　二種類の時間の捉え方。A系列では「現在」が重要であり，過去は過ぎ去るもの，未来はこれからやってくるものとされる。一方のB系列では，現在は存在せず，事象同士はお互いに「〜より前」か「〜より後」として順序づけられる。A系列では，事象の時間的位置が移り変わるが，B系列では時間的位置は変わらず，過去や未来は意味をもたない。

2. **Truthmaker（真理をなす要素）**　何かが真たらしめるのでなければ，何も真たり得ないとする主張。シンプルな真理には当てはまるが，複雑な真理や普遍の真理に対しては議論の余地が残る。

3. **アクラシア（ギリシャ語）**　自らの行為に対する自制心のなさ，つまり，「意志の弱さ」。あることをしなければならないと考えているときに，誘惑に負けてそれとは違うことをしてしまうこと（食事制限を破るなど）。行為を司るのは理性でもあり，欲望でもあることを示す。

4. **アグリッパのトリレンマ**　「知識」を得るにあたっての問題点。確実な知識を得るにはその知識を正当化する必要があるが，この正当化は絶対に確実な知識によらなくてはならないため，それ自体も正当化しなければならない。この正当化が無限に続いたり，正当化されていない原理・理由を基礎に据えるしかなかったり，正当化同士が互いの根拠になって堂々巡りになってしまったりして，いずれの場合も知識の基礎・基準は得られない。

5. **ア・プリオリとア・ポステリオリ**　ア・プリオリな知識は，直接的な洞察と基本的な概念を通して，思考によって獲得できる。ア・ポステリオリな知識は，経験によってその真理が得られる。観念についてのあらゆる可能な真理はア・プリオリに，世界についてのあらゆる真理はア・ポステリオリに解明できるとされる。

6. **一次性質と二次性質**　一次性質は現実を正確に表すもので，さまざまな種類の経験から同じものが得られる。二次性質は一種類の経験（たとえば，色覚）に限られて得られた，観察者の主観に依存する傾向が強いもの。

7. **イデア論**　プラトンの一主張。重要な観念や理想は，精神（心）の中に存在するのみならず，考える当人から独立して存在する，現実の根拠だとする。

8. **一般概念**　多くの異なるものに対して同じ意味を適用できる，単一の観念，言葉，フレーズ。同じでありながら異なるということを説明するのが難しいという問題がある。

9. **宇宙論的証明**　神の存在証明の一つ。宇宙の存在，または，この特別な形における神の存在を説明する。

10. **エウダイモニア（ギリシャ語）**　繁栄。成功した人生。称賛に値する人生。「幸福」と翻訳されることがある。

11. **可謬主義**　知識を得ることはできるが，それが誤りであるわずかな可能性もあるとする立場。

12. **下方因果**　精神（心）が，脳に対して独立した因果効力をもつこと。この場合，因果効力は脳の活動のみから引き起こされたものではない。

13. **還元主義**　原則として，ある階層のもの（たとえば，精神〔心〕，生物学）は下位階層のもの（たとえば，脳，化学）で完全に説明できるとする立場。

14. **観念論**　精神的な経験を超える現実の知識は存在し得ず，現実は精神（心）の中の観念としてのみ存在すると考える立場。現象論を参照。

15. **基礎づけ主義**　理性に基づいた自明の真理，または，経験に基づいた紛れもない証拠による確実な基礎があれば，正当化によって知識を裏づけることができるとする立場。

16. **帰納**　経験におけるパターンから普遍の真理を導き，知識を得ること。論理的でも合理的でもないと批判される。

17. **機能主義**　精神（心）とは，脳そのものというより，互いに関連する脳の機能の体系だとする立場。精神の状態は，その機能体系における役割に基づいて定義されるべきだとする。

18. **規範倫理学**　道徳的な振る舞いのための規範や基準を定める道徳論。純粋理論のメタ倫理学や実践的な応用倫理学とは異なる。

19. **義務論**　道徳は，正しいとされる行為をなす義務から成っているとする立場。

20. **クオリア**　バラの赤さや音の大きさなどの経験の質。物理的な用語で説明するのは特に難しいといわれる。

21. **経験論と合理論**　経験論では，経験を通してのみ世界の知識を得られると考える。合理論では，知識は判断によるものであり，理性による直接的な洞察を伴うとする。

22. **契約主義**　倫理学の唯一の根本原理は人同士の合意であり，そこから受けた恩の見返りを与える義務が発生すると考える立場。

23. **ゲティア問題**　運や誤解を絡めて獲得された真理が，知識を正当化するには不十分である可能性を示す問題。

24. **検証主義**　経験論の一主張。文（命

題）の真理を証明できる方法があれば，その命題は意味をもつとする。形而上学の大胆な論説を無意味なものとして退けるために用いられる。

25. **現象論**　物理的な実体は，その実体を実際に経験することや，経験する可能性によって成り立つとする立場。観念論とは異なり，外界の存在を認める余地がある。

26. **行為者因果**　過去の物理的事象による因果ではなく，ある「行為者（精神，心）」の決断が事象を引き起こすときの因果。これにより，自由意志を説明できる。

27. **恒常的連接**　因果と呼ばれるものは，人が観察できるものにすぎないとするヒュームの見解。常につながって起こる特定の出来事の組み合わせ。

28. **行動主義**　意識とは，観察できる行動または潜在的な行動にすぎないとする立場。

29. **功利主義**　「功利性」，つまり，関わる人の福祉，幸福，利益の増大を鑑みて，道徳的な選択がなされ，評価されるべきだとする立場。

30. **語義と指示**　「電球の発明者」というフレーズの語義（意味）は，「それを達成した人物」，指示は「トマス・エジソン」。指示は，語義，または，その人物に対するより直接的な接点によって固定できる。

31. **志向性**　精神（心）的事象が内容をもつこと，または，特定の対象に向けられていること。

32. **自然の必然性**　自然についての普遍かつ不変の真理（ただし，別の現実では真ではない可能性がある）。

33. **私的言語論**　個人の経験を表すための，その人の精神（心）にしか存在しない言語は，論理的に不可能だとする主張。言語は，コミュニティ全体がその言語の規則を守ることで成り立つとする。

34. **社会契約**　支配される側の人々による実際の合意，または，理論上の合意がある場合にのみ，支配者や統治機構は合法的な権力をもつことができるとする思想。

35. **信頼性主義**　主に，正当化は外在的なもので，知る人の精神（心）にあるのではないとする。明るい光の下ではっきりと見ることなど，信頼できるプロセスによってもたらされる知識を歓迎する。

36. **真理の対応説**　思想や文（命題）の内容が世界の特徴と適切に対応するのであれば，その思想や命題は真であるとする立場。

37. **真理のデフレ説**　真理概念とは，精神（心）と世界のつながりについての強固な概念ではなく，それを表す文が受容可能であり，ただ主張されているにすぎないという立場。

38. **事実と価値の区別**　ほとんどの経験論者は，経験を通して事実を知ることはできるが，価値は知り得ないため，事実は価値を示すことはできない（「事実であるもの」は「事実であるべきもの」を引き起こさない）とする。これに対し，一部の人に関わる事実は必然的に価値を含むとして批判される。

39. **実在論と反実在論**　実在論は，人がどう経験するかにかかわらず外界は存在すると考える。反実在論は，経験だけが存在すると考えるか，実在の詳細な知識は得られないとする。

40. **実存主義**　人間性における重要な事実は，行動する自由のみならず，自らを新しく改める自由とする立場。選択を人生の中核的な事実とする。

41. **述語**　主語についての情報を提供する，文（命題）の一部。実体の性質によって特定されることもある。

42. **循環**　二つの説明同士や二つの定義同士が互いを根拠としてしまっていて，正当化できないこと。デカルトの言葉に，「神が存在することは真理である。神が保証するから，真理は確実である」がある。これは論理的に妥当だが，正当化はできない。

43. **自律**　完全に独立し，自由に決断できる能力をもつ人を，自律した人間という。

44. **整合説**　特定の信念の諸要素が，関連性，一貫性をもち，全体として説得力があれば，その信念は完全に整合しているため，正当化することができるとする立場。

45. **設計論的証明**　神の存在証明の一つ。宇宙の秩序と美に対する最も妥当な説明が神だとする。

46. **相対主義**　ほかのものとの関係性において，真理は相対的なものとする立場（たとえば，「裕福」や「貧乏」であること）。あらゆる真理は相対的で，事実や正しい信念は存在せず，さまざまな見解があるのみだとする。事実上，絶対的な真理はないと考える。

47. **存在論**　存在というものの基本的な構成要素や関係性を突き止めようとする学問。

48. **存在論的証明**　神の存在証明の一つ。人間は至高の存在という概念をもち，この概念を探究すると，神の必然的な存在が示されるとする。

49. **属性と基体**　物体には属性（性質または特性）がある。あらゆる属性が帰属する根底が「基体」と考えられるが，この正体はまだ解明されていない。

50. **定言命法**　カントの一主張。行為は道理に基づくとしたうえで，人の道徳的義務は，特定の状況における普遍の道理に従うことだとする。

51. **独我論**　極端な観念論。他者の精神は捉えられないため，考えている当人の精神世界以外には何も存在しないとする。妥当性は低いが，反証することが難しい。

52. **内在主義と外在主義**　内在主義で

は，意味は完全に精神（心）の内で起こると考える。外在主義では，意味は，部分的に社会の慣習または世界の特徴であるとする。これらの見解によると，精神は完全に脳内にあるか，外界にまで拡張して存在するとされる。

53. **二元論**　精神（心）と脳は，別々の実体だとする立場。心身二元論では，精神は完全に非物理的なものと考える。性質二元論では，精神は特別な性質の物理的な実体であり，独自の因果効力をもつことができるとする。

54. **表出主義**　価値判断は事実を述べているように見えるが，好き嫌いを感情的に表現しただけだとする立場。

55. **表象主義的実在論**　経験から，正確な情報を含む精神（心）の表象（感覚所与：視覚などの感覚を通じて意識に現れるもの）を経由して，現実の世界を捉えられると考える立場。これに対し，現実の経験は「直接的」だと考える立場もある。

56. **フロネシス（ギリシャ語）**　実践的な知，または，良識。有徳の人生を望むのであれば，最も重要な能力といわれる。徳を実践的な状況に当てはめる方法を判断すること。

57. **物理主義**　精神（心）とその観念を含め，あらゆる存在は物理的であるとする立場。

58. **分析性と総合性**　文（命題）の真偽を検証する際，そこに含まれる言葉に基づく真理は「分析的な真理」，外部の事実による真理は「総合的な真理」。分析的な真理は思考によって，総合的な真理は経験によって得られる。この区別は，恣意的であると批判される。

59. **文脈主義**　人に知識があるかどうかは事実ではなく，あまり要求が厳しくない，または，非常に厳しいなどの文脈によって大きく左右されると考える立場。

60. **プラグマティズム**　真理と知識は，過去の証拠ではなく未来の成功に注目するべきとする立場。

61. **本質**　ある実体に絶対に必要な特徴。その実体たらしめるもの。所定のように振る舞わせるもの。これらを知ることで，その実体の知識を獲得したといえる。

62. **無限背進**　あるものを説明するときに，その説明をさらに説明する必要が生じ，終わりのない連鎖に陥ること。

63. **無矛盾律**　一つの言明とその否定文は同時に真にはなり得ず，必ず片方は偽になることを指す。

64. **命題**　完全に曖昧さを排した観念。真偽いずれかである。さまざまな文や言語で表すことができる。

65. **命題態度**　疑い，恐れ，信頼，期待などの特定の方向性で命題を眺める心の状態。

66. **メタ倫理学**　正しい道徳的な振る舞いについての理論を裏づける，基礎的な仮説や正当化を検証する学問。

67. **問答法**　提案や反論を続けることで，真理を目指す手法。または，一つの概念がほかの概念につながる様を見つめることで，真理を目指す。

68. **様相**　事物が真である方法の種類。通常，「必然的に真である」か「真である可能性がある」かを問う。様相論理は，様相を扱う形式推論の体系。

69. **両立論**　完全な自由意志と強い決定論をある程度両立させて，人間の行為を説明する立場。理性，心的因果，または，創出する心的な性質によって，別種の因果が可能になると唱える。

PICTURE CREDITS

Alamy : P.67 (Geoff A Howard), 84 (Pictorial Press Ltd), 166 (DC Premiumstock)

Getty Images : P.22 (上 – The Age/Fairfax Media), 29 (Heritage Images/Hulton Fine Art Collection), 148 (Peter Stackpole/The LIFE Picture Collection), 173 (Peter Stackpole/The LIFE Picture Collection), 196 (下 – Frederic Reglain/Gamma-Rapho), 209 (Martha Holmes/The LIFE Images Collection)

Library of Congress : P.31, 39, 126

Met Museum : P.42

Science Photo Library : P.46

Shutterstock : P.7 (Yuliia Fesyk), 9, 16 (x6), 18, 22 (下), 23, 24, 27, 28, 34, 35, 36, 37, 49 (x2), 50, 51 (x2), 53, 59, 60 (x2), 61, 64 (x3), 66, 73, 75 (x2), 77, 79, 80, 82, 87, 91 (Renata Sedmakova), 95, 96, 97, 98, 101, 105, 110 (x2), 111, 116, 117, 118, 121, 128 (x2), 129, 130 (x2), 131, 132, 133, 134, 135, 136, 137 (x2), 142, 143, 145, 147, 149, 152, 153, 155, 159, 163 (上), 164 (Igor Bulgarin), 167, 171 (下), 175, 176, 180, 184, 187, 189, 190, 197, 198, 199, 201 (Chad Zuber), 202 (Everett Historical), 204, 207 (Maxisport), 215, 216, 221, 222, 223, 225, 226, 231, 238, 239, 243, 245 (上 – think4photop), 245 (下)

Wellcome Collection : P.13 (x8), 19, 93, 99, 100, 107, 109, 177, 178, 183, 191, 195, 196 (上), 206, 217, 227, 230, 240

Yale Center for British Art : P.14 (Paul Mellon Collection)

▍著者

ピーター・ギブソン／ Peter Gibson

英文学の学位を得たのち，哲学で三つ（ロンドン大学バークベック校ほか）の学位を取得。博士論文では形而上学を扱うも，近年は主に，幅広い哲学の知識が世界を向上させるという確信のもと，広範かつ多様な哲学領域を整合して一つの統一体にする方法を探究し，研究結果を一覧化してウェブサイト（philosophyideas.com）に掲載している。家族は妻と息子。ロンドン近郊に在住。クラシック音楽とジャズの愛好家でもある。

▍監訳者

上野正道／うえの・まさみち

上智大学総合人間科学部教授。山東師範大学，西北大学客員教授。一般社団法人東アジア教育研究所所長。東京大学大学院教育学研究科博士課程修了。博士（教育学）。専門は教育学。主な著書に，『学校の公共性と民主主義』『民主主義への教育』（東京大学出版会），『*Democratic Education and the Public Sphere*』『*Manabi and Japanese Schooling*』『*School Reform and Democracy in East Asia*』（Routledge）などがある。

▍訳者

屋代菜海／やしろ・なみ

大阪府立大学総合科学部哲学専攻卒業。イギリス・バース大学院通訳翻訳科ディプロマ取得。4年間ロンドンなどで暮らしたのち，翻訳会社勤務を経て翻訳者に。書籍，広告，特許の翻訳に携わる。共訳書に『D・ベッカム自叙伝 ベッカム：マイ・サイド』（扶桑社），訳書に『統合化された知的資産マネジメント』（発明協会），『図鑑哲学』（ニュートンプレス）などがある。

1冊で学位 哲学

大学で学ぶ知識がこの1冊で身につく

2022年5月15日発行

著者	ピーター・ギブソン
監訳者	上野正道
訳者	屋代菜海
翻訳協力	Butterfly Brand Consulting
編集協力	松川琢哉
編集	道地恵介，川島有希
表紙デザイン	田久保純子
発行者	高森康雄
発行所	株式会社 ニュートンプレス 〒112-0012 東京都文京区大塚 3-11-6 https://www.newtonpress.co.jp

ISBN 978-4-315-52547-2
